La Marche à la Lumière

Entretiens du Bouddha

BIBLIOTHÈQUE DE LA SAGESSE
Collection établie et présentée
par Guy Rachet

- *Traités,* Sénèque.
- *Le Livre des Morts des Anciens Égyptiens.*
- *Les Confessions,* saint Augustin.
- *La Marche à la Lumière/Bodhicharyâvatâra* et *Entretiens du Bouddha/Sûttânta.*
- Sagesse du confucianisme. *La Grande Étude (Ta Hio), L'Invariabilité dans le milieu (Tchoung-young), Les Entretiens philosophiques (Lun-Yu), Meng-tseu.*
- Sagesse biblique. *Livre des Proverbes, l'Ecclésiaste, Livre de la sagesse de Salomon, l'Ecclésiastique, Livre de Job.*
- *Sagesse hindouiste/Lois de Manou.*
- *Le Livre des Morts tibétains,* et *Milarépa, le poète tibétain/Ses crimes et ses épreuves, Son Nirvâna.*
- *Dialogues,* Plutarque.
- Sagesse taoïste. *Tao-te-King, Le Livre de la voie et de la vertu,* Lao Tseu, *Le Livre des récompenses et des peines, Les Chapitres intérieurs,* Tchouang Tseu.

La Marche à la Lumière

Bodhicharyâvatâra

Entretiens du Bouddha

Sûttânta

Présentation et notes de Guy Rachet

FRANCE LOISIRS
123, boulevard de Grenelle, Paris

Édition du Club France Loisirs, Paris,
réalisée avec l'autorisation des Éditions Maisonneuve.

La Marche à la Lumière / Bodhicharyâvatâra :
traduction par Louis Finot publiée en 1920 par les Éditions Bossard.

ISBN : 2-7242-8017-2

Présentation

Le monde où vécut le Bouddha

Dans le courant du II*e* *millénaire avant notre ère, des populations guerrières venues de l'ouest (sans doute des régions s'étendant au nord de la mer Noire et de la mer Caspienne) pénètrent dans la vallée de l'Indus (l'actuel Pakistan). Elles mettent un terme définitif à la brillante civilisation de l'âge du bronze, désignée globalement sous l'appellation d'« indusienne » par les archéologues, et imposent leur propre culture : une langue dite indo-européenne, le sanskrit, une religion dans laquelle dominent les divinités masculines, des structures sociales bien déterminées constituées par trois classes caractérisées par leur fonction : celle des brahmanes (prêtres), celle des kshatriya (guerriers) et celle des Vaishya, dans laquelle se retrouvaient groupés les producteurs : paysans et artisans. Ces bandes de conquérants se donnaient le nom d'Âryas* (ârya *signifie en sanskrit « noble », ou encore « fidèle ») dont une idéologie éloignée de toute réalité historique a fait les Aryens, confondant sous ce terme « race » et langues dites plus judicieusement « indo-européennes ».*

Au cours des premiers siècles du millénaire suivant, les Âryas pénètrent dans la vallée du Gange où ils créent des petits royaumes fondés sur des groupes de clans, et établis, naturellement, sur les anciennes populations indigènes. Vers le milieu du VIII*e* *siècle av. J.-C. se crée au sud-est du Gange, dans l'actuel Bihâr, le royaume du Magadha. Quoique alors* *récemment « aryanisé », la langue commune y était déjà un dialecte indo-européen dérivé du sanskrit, le magadhi. C'est dans ce langage que s'exprimera le Bouddha dans son enseignement.*

Bien que ce soit vers cette époque que les conquérants indo-européens aient imposé aux pays conquis le système des castes, lequel va sévir dans le sous-continent indien pendant les millénaires suivants, et y fait sentir encore ses effets, il semble que ce n'était pas la classe des brahmanes qui était dominante, mais celle des kshatriya. La prééminence des brahmanes sur les guerriers et les rois ne s'impose qu'au cours des siècles suivants, et plus particulièrement au Magadha.

*Vers le milieu du VIe siècle, la dynastie des Shaishounâga prend le pouvoir dans le Magadha dont deux de ses rois vont en faire une puissance prépondérante dans la vallée du Gange. Le premier, Bimbisâra, établit sa capitale à Râjagriha ; il annexa le royaume d'Anga, lequel occupait la plus grande partie du Bengale (dans l'actuel Bangladesh), et noua des alliances avec les souverains du Koshala * et des Licchafir * dont il épousa les filles. Il fut un fidèle du Bouddha à qui il fit de nombreux dons. Sa renommée s'étendit à toute l'Inde du Nord, jusqu'à la vallée de l'Indus qui fut réduite en une satrapie par le roi des Perses Darius, une vingtaine d'années avant la fin de son règne. Il périt assassiné par son fils Adjâtashatrou. La figure de ce dernier est ternie par son parricide, mais il fut certainement un grand roi et un conquérant qui étendit encore l'empire du Magadha. Entré en guerre contre Pasênadi *, il fut d'abord vainqueur, mais finalement capturé par son adversaire. Rendu à la liberté, il épousa la fille de son ancien ennemi. Il finit comme son propre père, assassiné par son fils Udâyibhadra qui lui succéda.*

*Un autre royaume d'une grande importance pour l'époque qui nous occupe était le Koshala, au nord du Gange. Ses villes principales étaient Shravasti * et Ayodhyâ. L'un des rois de cette dernière cité n'était autre que Râma, le héros légendaire*

* Afin de ne pas alourdir ce texte de présentation par de trop nombreuses explications de mots et de noms propres au bouddhisme, nous avons marqué d'un astérisque (*) les termes brièvement expliqués dans le lexique.

de la deuxième grande épopée de l'Inde, le Râmâyana. Les rois du Koshala avaient été en guerre pendant des décennies contre leurs voisins du Sud, les souverains de Kâshi, ville de fondation alors assez récente, qui devait prendre par la suite le nom de Bénarès (Bânaras, actuellement Vârânasi). Un moment, le royaume de Kâshi l'emporta avec Brahmadatta qui occupa le Koshala. Mais bientôt, dans le courant du VIIe siècle av. J.-C., le roi du Koshala, Kamsa, annexa Bénarès. Le Magadha fut l'autre adversaire du Koshala. L'un des rois du Koshala, Pasênadi, ami du Bouddha et l'un de ses disciples laïques, captura au cours d'une guerre le roi du Magadha, Adjâtashatrou, à qui il rendit aussitôt la liberté, suivant en cela la loi bouddhique qu'il s'était imposée. C'est finalement Adjâtashatrou qui réussit à conquérir le Koshala et à l'annexer au Magadha.

*Parallèlement à ces deux royaumes, Magadha et Koshala, qui vont avoir une importance capitale dans la vie du Bouddha et l'expansion de sa doctrine, il convient de mentionner deux grands « clans » tout aussi importants. L'un est celui des Licchafir (ou Lichchavî), au nord du Magadha. Leur capitale était la cité de Vaishâli (ou Vesâli *) où se trouvaient le Jardin des Mangues, donné au Bouddha par Ambapâli *, et le Koutâgârashâla, dans la Grande Forêt* (Mahâvana) *où séjournait le Bouddha lors de ses passages dans la cité. Le roi du Magadha, Adjâtashatrou, annexa cet État au cours de la première moitié du Ve siècle. L'autre est celui des Shâkya *. Ses territoires s'étendaient au nord du Koshala, au pied de l'Himalaya, et sa capitale était Kapilavastu *. C'est à ce clan qu'appartenait le Bouddha. Selon certaines traditions qui pourraient bien être légendaires, les Shâkya descendraient d'un souverain appartenant à la lignée royale du Koshala. Leur capitale, Kapilavastu, aurait cependant été détruite par Virûdabha *, roi du Koshala, du vivant même du Bouddha, et son clan exterminé. Ce roi était le fils de Pasênadi.*

Dans ces royaumes, les brahmanes exerçaient sans doute une forte influence. La religion dont ils étaient les prêtres et à laquelle on a donné le nom de brahmanisme, mais qui, en réalité, n'était qu'une forme évoluée et complexifiée de l'antique religion védique, était devenue dominante dans tout le nord de l'Inde. Néanmoins, leur autorité était loin d'être incontestée. Nombreux semblent avoir été les esprits tournés vers de nouveaux horizons religieux, et les brahmanes voyaient non seulement leur crédit battu en brèche, mais il semblerait que leur arrogance, leurs prétentions, les aient rendus odieux, ce qui paraît ressortir des portraits de leur caste que nous ont transmis de nombreux écrits et, plus tardivement, le théâtre. Mais dans tous les milieux se rencontraient des esprits tournés vers d'autres aspects de la religion et ouverts à toutes les nouveautés. Cet état d'esprit a favorisé la floraison de sectes, de communautés et d'une forme de cénobitisme.

*La vallée du Gange et les territoires l'avoisinant étaient parcourus par des gurûs * ambulants, les* parivrâjaka *(les « ambulants »). C'étaient des maîtres qui allaient de village en village et de cité en cité où ils se faisaient des disciples. Leur enseignement était ouvert, tout autant que leur esprit, et ils se prêtaient à toutes les discussions sur les sujets les plus divers. Ils pourraient être mis en parallèle avec les « sophistes », qui, moins d'un siècle plus tard, parcouraient le monde grec où ils dispensaient leur enseignement, généralement payant, se faisaient de nombreux disciples et acquéraient une notoriété qui les faisait respecter de tous. Comme les sophistes, les* parivrâjaka *ne se contentaient pas de former des disciples, ils ne répugnaient pas à exercer leur sagacité en disputes et en controverses avec d'autres maîtres. Ils traitaient de préférence les sujets les plus graves, ceux qui tourmentaient et continuent de tourmenter les esprits : Dieu et son existence, le monde, l'âme, la vie future, toutes questions que le Bouddha évitait de traiter dans son enseignement. Ils mettent en question la sanction morale du péché, l'existence de Dieu et la survie de l'âme. L'un d'entre eux soutenait que le fou aussi bien que le sage, quand le corps se dissout, tombent tous deux dans le néant : après la mort il n'y a plus personne, plus rien. Nombre d'entre eux nous sont connus par les recueils de suttas * où ils occupent une place nullement négligeable. L'un d'eux, Makkhali Gôsâla, qui voyait dans la causalité de la nature et la fatalité l'instrument de toute action, selon qui tout ce qui vit* *est sans force, entièrement soumis à des nécessités incontrôlables, était regardé par le Bouddha comme le pire maître d'erreurs. Leur intervention sert à mettre en valeur le Bouddha et son enseignement.*

De nombreux ascètes se retirent dans la forêt où ils mènent une vie contemplative. Ces cénobites sont à la recherche d'une voie libératrice, comme les bouddhistes, et il arrive souvent qu'ils se rallient à la doctrine du Bouddha. Toutefois, il est rare qu'ils cherchent à se faire des disciples et ils préfèrent la recherche individuelle à la participation à une communauté spirituelle. Néanmoins, parallèlement à ces cénobites, se développe un véritable monachisme qui trouve ses racines dans ces brahmanes qui renonçaient à avoir postérité (les brahmanes constituaient une caste au sein de laquelle ils fondaient des familles), richesses, vie mondaine, et partaient en mendiant sur les routes de l'Inde ou se groupaient en communautés dans des lieux retirés. La conception du monachisme, du moine vêtu de la robe jaune et mendiant avec la sébile, n'est pas propre au bouddhisme, même si cette religion l'a vulgarisé dans la plus grande partie de l'Asie. Le bouddhisme n'a fait, en ce domaine, qu'adopter des mœurs existant bien avant lui.

La secte la mieux constituée, et qui apparaît à l'époque du Bouddha, est celle des jaïns, alors appelée Nirgrantha ou Nighanta. Son fondateur est Vardhamâna, à peu près contemporain du Bouddha, qui reçut le nom de Mahâvîra (le Grand Héros) par lequel il est généralement désigné. Bien qu'il soit considéré comme le 24e prophète jaïna et que la secte fasse remonter son origine bien plus loin dans le temps, il semble bien qu'elle ne prend de l'importance que suite à l'action et à l'enseignement de Mahâvîra. Proche par bien des aspects de la doctrine bouddhique, le jaïnisme prétend ouvrir la voie à la délivrance de l'âme et au cycle des réincarnations. Sa doctrine est fondée sur trois principes fondamentaux : la connaissance droite, la vue droite, la conduite droite. Elle développe une science de la connaissance de la réalité qui sous-tend une logique et une véritable dialectique de la nature. Les bouddhistes ont vu dans les jaïns leurs plus dangereux rivaux, du fait des ressemblances de leur enseignement avec celui du Bouddha plutôt que de leurs divergences.

La quête de la Bodhi

La vie du Bouddha est auréolée de légendes au point qu'on a pu nier son existence et ne voir dans sa légende qu'un mythe solaire (E. Senart). Notre dessein n'étant ici que de présenter le personnage dans ses aspects historiques les moins incertains, nous n'évoquerons pas tous les côtés légendaires imaginés par les bouddhistes, qui déshumanisent le personnage et font de sa biographie une vulgaire hagiographie.

Les dates de sa vie sont déjà sujettes à discussion puisque la tradition ne s'est jamais sérieusement fixée sur ce point. Les historiens modernes s'accordent cependant, dans leur ensemble, pour fixer aux alentours de 560 av. J.-C. la date de sa naissance et vers 480 av. J.-C. celle de sa mort. Son père, Shuddodhana, était un chef du clan des Shâkya (raison pour laquelle il reçut plus tard, dans les textes sanskrits, le surnom de Shâkya — ou Çakya — Mouni, le Sage des Shâkya), dont la résidence était Kapilavastu. Ce n'est qu'une tradition bouddhique tardive qui fait de Shuddodhana un grand « roi », titre qu'il n'a sans doute jamais porté. Sa mère, Mâyâ Devî, appartenait aussi au clan des Shâkya. Elle serait morte quelques jours après sa naissance. Il aurait reçu le nom de Siddhârtha Gautama. On peut cependant se demander si ce nom de Siddhârtha n'est pas une invention des hagiographes bouddhistes. Il signifie, en effet, « Celui qui est parvenu à ses fins », ce qui pourrait résumer en un seul nom toute la raison de l'ultime existence terrestre du futur Bouddha. Quoi qu'il en soit, il s'impose comme un nom prédestiné. Quant à Gautama (Gotamo, ou Gotama en pâli), c'est un nom de famille appartenant à un clan brahmanique, ce qui reste déconcertant étant donné les origines du personnage.

Sa tante, Mahâpajâpatî, seconde épouse de Shuddodhana, lui tint lieu de mère. Cette dernière aurait encore donné à son époux un fils et une fille qui acquit une certaine renommée pour sa beauté.

*Il fut sans doute élevé comme tous les jeunes gens de la haute noblesse, et en particulier les fils de princes qui disposaient de trois palais, un pour l'hiver, un pour l'été, un pour la saison des pluies, chacun des palais étant aménagé et orienté en fonction de la saison. Fils de kshatriya, il fut élevé dans les exercices physiques et reçut l'éducation d'un futur guerrier. À l'âge de seize ans, il passait pour un archer très habile et un expert dans l'art de la guerre. On ne sait s'il reçut par ailleurs une éducation intellectuelle approfondie. En revanche, selon une tradition, son père aurait restreint son horizon à ses palais afin qu'il ne connût pas les soucis et les maux des hommes du commun. Il avait atteint sa seizième année lorsqu'il fut marié à une jeune princesse, Yashodharâ, qui lui donna un fils, Râhula (ou Rahoulo *). Il mena ainsi une vie de plaisirs et d'insouciance jusqu'à l'âge de 29 ans.*

On peut se demander ce qui le poussa soudain à abandonner cette existence pour prendre la robe du moine, le bol du mendiant, le bâton du pèlerin et partir en quête de la sagesse. Cette vocation a été justifiée par les quatre célèbres rencontres qui vont décider de son destin, anecdote qui ne fait que résumer le résultat d'une lente maturation. Au cours d'une promenade vers des jardins hors de la ville, sur son char dirigé par son cocher Chandaka, il aurait rencontré un vieillard, un malade, un mort qu'on portait sur un bûcher, enfin un moine, tête rasée et vêtu de la robe jaune, couleur symbolique de la sérénité et de la délivrance des passions et des douleurs. Ainsi aurait-il connu les aspects les plus cruels de la vie : la vieillesse, la maladie et la mort, tandis que le moine lui apparut comme une invitation à la recherche de l'Illumination. Aussitôt après, sans entendre les supplications de sa famille, il quitta sa demeure, utilisa son sabre pour raser ses cheveux, échangea en chemin ses habits princiers contre une robe de moine et s'en alla à la recherche d'un maître.

L'explication de cette soudaine résolution nous est donnée par la conception bouddhiste de la réincarnation. Dans une vie antérieure, il aurait été un brahmane appelé Sumedha. Après avoir médité sur le sens de la vie et la réalité de la mort, Sumedha, ayant pris conscience de la fragilité de l'existence et dégoûté par les souillures inhérentes à la chair, aurait pris la décision de chercher la voie du salut et de s'engager sur le chemin conduisant à l'affranchissement de toute existence. Un chemin si long, si difficile à parcourir, que sa vie de brahmane n'y suffit pas. Ce n'est qu'après sa réincarnation dans le corps de Siddhârtha qu'il lui était échu de parvenir à l'Illumination, à la Bodhi.

Un texte bouddhique ancien, le Mahâpajâpati, *résume cette rapide conversion :*

« L'ascète Gotama, jeune, en ses jeunes années, dans la force et la fleur de la jeunesse, au printemps de sa vie, a quitté sa maison pour mener une vie errante. L'ascète Gotama, malgré la volonté de ses père et mère, malgré les larmes qu'ils versaient et répandaient, s'est fait raser les cheveux et la barbe, a pris le vêtement jaune et a quitté la maison pour mener une vie errante. »

Il suivit d'abord les enseignements de deux maîtres, dans l'espoir qu'ils l'aideraient à atteindre le Nirvâna *. *Mais en vain. Il reprit alors ses errances jusqu'au jour où il parvint au village d'Ourouvêla (actuel Ourel, près de Bodh-Gayâ, au sud de Patna). Un des Sûttânta lui fait déclarer à ses disciples qu'il y vit un agréable lieu avec une belle forêt, une rivière limpide où l'on pouvait se baigner, près de charmants villages. C'est là qu'il s'établit. On peut voir que, contrairement aux ascètes du christianisme primitif, il ne cherchait pas des lieux arides et isolés pour s'adonner aux méditations et aux macérations destinées à assurer le salut.*

Le futur Bouddha resta six années dans cette forêt. Mais ni les jeûnes, ni les exercices spirituels, ni des astreintes physiques qui évoquent l'ascèse des « yogins », comme retenir sa respiration pour la contrôler, ou s'imposer de demeurer immobile dans des postures pénibles, ne lui apportaient l'Illumination tant souhaitée.

Dans cette forêt résidaient aussi cinq cénobites qui se

prirent d'admiration pour la sévérité de l'ascèse qu'il s'imposait, et ils songeaient à le prendre pour maître spirituel. Mais l'Illumination ne venant pas, Gotama songea qu'il s'affaiblissait inutilement, qu'il ne suivait pas le bon chemin. Il décida de reprendre des forces, se sentant trop affaibli par les jeûnes, et il accepta un bol de riz que lui offrait une jeune fille du village. Ce que voyant, les cinq ascètes, prêts à devenir ses disciples, le quittèrent, ayant acquis la conviction qu'il avait échoué dans sa quête de l'absolu.

C'est alors que Gotama s'assit sous un arbre pippal (le ficus religiosa, *une sorte de figuier), décidé à ne plus bouger jusqu'à ce qu'il ait reçu l'Illumination. Selon les commentateurs, par cette profonde contemplation il aurait lentement aboli sa conscience de son moi pour traverser des états d'âme de plus en plus épurés, se délivrant de l'attachement aux choses de la terre pour s'éveiller à la connaissance de la délivrance. Ainsi parvint-il à la* Bodhi, *à l'Éveil, à l'Illumination, dans la nuit qui suivit le septième jour de méditation. Une fois qu'il eut pris une claire connaissance de l'enchaînement des causes et des effets qui régentent les douleurs de l'existence, il resta encore sept semaines en contemplation.*

*La légende bouddhiste fait alors intervenir Mâra * qui prend la figure du démon tentateur que le christianisme nous a rendu familier à travers les Évangiles. En vain Mâra chercha-t-il, grâce aux prestiges de ses illusions, à détourner le Bouddha de sa voie. Selon l'une des plus anciennes versions de ce récit des tentations, récit fait par le Bouddha en personne, Mâra l'aurait invité à entrer sans plus attendre dans le Nirvâna afin de le dissuader de se faire des disciples et de les former à sa sagesse. Le « démon » ne cherche plus ici à distraire le sage de sa quête spirituelle, il apparaît plutôt comme l'incarnation des brahmanes cherchant à le détourner de fonder une religion rivale susceptible de leur faire perdre une grande partie de leur prestige et de leur puissance.*

Mais le Bouddha ne se laisse pas détourner de l'œuvre qu'il a décidé d'accomplir et il reprend la route, non plus pour chercher ce qu'il a enfin trouvé, mais pour faire partager aux hommes sa connaissance de la Réalité.

Le Bouddha et son enseignement

Devenu l'Éveillé, il se dirigea vers Bénarès où il savait devoir retrouver les cinq ascètes qui l'avaient quitté alors qu'ils se trouvaient dans la forêt de Bodh-Gayâ. Il les rencontra dans le parc des Gazelles (Isipatana), à Sarnath (à 7 km de Bénarès), et c'est à eux que s'adressa son premier sermon, destiné à les convaincre de prêcher la Bonne Loi. Il se présenta à eux comme le Tathâgata* *(le Parfait), le suprême Bouddha. Tout d'abord ils restèrent sceptiques, s'étonnèrent qu'il ait connu l'Illumination après leur départ, alors qu'il n'y était pas parvenu après tant d'années d'ascèse. Comment cette métamorphose serait-elle possible, maintenant qu'il vivait dans l'abondance ? Il parvint à les persuader de lui prêter une oreille attentive, puis il commença son discours qui reste comme le fondement de la doctrine. Par ce sermon dit de Bénarès, le Bouddha a, pour reprendre l'expression des bouddhistes, « mis en mouvement la roue de la Loi ».*

Voici ce célèbre sermon tel que nous l'a transmis le Mahâvagga :

« Alors le Bienheureux parla ainsi aux cinq moines : " Il y a deux extrêmes, ô moines, dont celui qui mène une vie spirituelle doit rester éloigné. Quels sont ces deux extrêmes ? L'un est une vie de plaisir, adonnée aux plaisirs et à la jouissance : cela est bas, ignoble, contraire à l'esprit, indigne, vain. L'autre est une vie de macérations : cela est triste, indigne, vain. De ces deux extrêmes, ô moines, le Parfait s'est gardé, éloigné, et il a découvert le chemin qui passe au milieu, le chemin qui dessille les yeux et l'esprit, qui mène au repos, à la science, à l'Illumination, au Nirvâna. Et quel est, ô moines, ce chemin du milieu que le Parfait a découvert, qui dessille les yeux et l'esprit, qui mène au repos, à la science, à l'Illumination, au Nirvâna ? C'est le chemin sacré, à huit branches, qui s'appelle : foi pure, volonté pure, langage pur, action pure, moyens d'existence purs, application pure,

mémoire pure, méditation pure. C'est là, ô moines, le chemin du milieu, que le Parfait a découvert, qui dessille les yeux et l'esprit, qui mène au repos, à la science, à l'Illumination, au Nirvâna.

" Voici, ô moines, la vérité sainte sur la douleur : la naissance est douleur, la vieillesse est douleur, la maladie est douleur, la mort est douleur, l'union avec ce qu'on n'aime pas est douleur, la séparation d'avec ce que l'on aime est douleur, ne pas obtenir son désir est douleur, en résumé, les cinq sortes d'objets de l'attachement sont douleur.

" Voici, ô moines, la vérité sainte sur l'origine de la douleur : c'est la soif (de l'existence), qui conduit de renaissance en renaissance, accompagnée du plaisir et de la convoitise, qui trouve çà et là son plaisir : la soif du plaisir, la soif d'existence, la soif d'impermanence.

" Voici, ô moines, la vérité sainte sur la suppression de la douleur : l'extinction de cette soif par l'anéantissement complet du désir, en bannissant le désir, en y renonçant, en s'en délivrant, en ne lui laissant pas de place.

" Voici, ô moines, la vérité sainte sur le chemin qui mène à la suppression de la douleur : c'est le chemin sacré, à huit branches, qui s'appelle : foi pure, volonté pure, langage pur, action pure, moyens d'existence purs, application pure, mémoire pure, méditation pure.

" C'est là, la vérité sainte sur la douleur. Ainsi, ô moines, sur ces idées, dont personne auparavant n'avait entendu parler, mes yeux s'ouvrirent : ainsi s'en ouvrirent pour moi la science, la connaissance, le savoir, l'intuition. — Cette vérité sainte sur la douleur, il faut la comprendre. — Cette vérité sainte sur la douleur, je l'ai comprise ; ainsi, ô moines, sur ces idées dont personne auparavant n'avait entendu parler, mes yeux s'ouvrirent : ainsi s'ouvrirent pour moi la science, la connaissance, le savoir, l'intuition...

" Et aussi longtemps, ô moines, que de ces quatre vérités saintes je ne possédais pas avec une pleine clarté cette connaissance et cette intuition véridiques en trois articles et douze parties, aussi longtemps, ô moines, je savais aussi que dans ce monde, avec les mondes des dieux, avec le monde de

Mâra et de Brahma, au sein de tous les êtres avec les ascètes et les brahmanes, avec les dieux et les hommes, je n'avais pas atteint le rang suprême de Bouddha. Mais, ô moines, depuis que de ces quatre vérités saintes je possède avec une pleine clarté cette connaissance et cette intuition véridiques en trois articles et douze parties, depuis ce moment, ô moines, je sais que dans ce monde avec les mondes des dieux, avec le monde de Mâra et de Brahma, au sein de tous les êtres avec les ascètes et les brahmanes, avec les dieux et les hommes, j'ai obtenu le rang suprême de Bouddha. Et je l'ai reconnu et vu : mon âme est à tout jamais délivrée ; ceci est ma dernière naissance ; il n'y a plus désormais de nouvelles naissances pour moi. "

« Ainsi parla le Bienheureux : et les cinq moines, joyeux, glorifiaient la parole du Bienheureux. » (Trad. A. Foucher, d'après H. Oldenberg.)

Sans doute on ne peut prendre là qu'une vue succincte de ce que fut le premier enseignement du Bouddha, mais elle est dominée par ce qui sera l'axe de sa pensée : la recherche de la délivrance de la douleur, de ce monde de douleur, le moyen de parvenir à la libération du cycle des réincarnations, la délivrance finale dans cette forme d'anéantissement qu'est le Nirvâna.

Ces « quatre Nobles Vérités » brièvement exposées dans le sermon de Bénarès ont, naturellement, fait l'objet de commentaires de plus en plus approfondis dans les écrits bouddhistes ultérieurs. Les deux textes fondamentaux, parmi bien d'autres il est vrai, que nous proposons aux lecteurs de ce volume, nous apparaissent, dans une large mesure, comme des approfondissements de ces Nobles Vérités. Néanmoins, pour projeter une première lumière sur ce qu'il faut entendre par ces textes, on peut proposer ici quelques brèves précisions.

La première Noble Vérité est appelée Dukkha, *terme pâli qui a le sens premier de « souffrance ». Mais, s'il s'oppose à* sukha, *le « bonheur », il implique des notions beaucoup plus larges, de caractère métaphysique : notions d'impermanence, d'imperfection, de vide. L'état de « bonheur » (*sukha*) lui-même, dans sa plus haute acception spirituelle, c'est-à-dire la non-souffrance, la sérénité atteinte dans la méditation pure,* *participe de la* Dukkha, *parce que c'est un état transitoire, un état physique.*

*La seconde Noble Vérité (*Samudaya*) concerne l'origine, la naissance de la Dukkha. C'est le désir, la soif d'existence, qui est la cause de la réincarnation. Cette avidité d'existence dont le moteur est le plaisir des sens, dans l'acception la plus large du terme, est le moteur du karma. Car le karma bouddhiste n'implique pas une volonté extérieure, un Dieu qui distribue récompenses et châtiments selon une justice qui lui est propre. L'enchaînement des renaissances n'est jamais que la conséquence des propres actions, des propres désirs de l'individu. Le bouddhisme ignore aussi bien un Dieu supérieur, extérieur au monde créé, que l'âme individuelle éternelle et l'âme du monde, l'Atman.*

*La troisième Noble Vérité (*Nirodha*) concerne les moyens de supprimer la douleur, c'est-à-dire éteindre la soif de renaissance, le désir d'être. Il s'agit alors de déterminer les moyens de supprimer le désir, car la suppression du désir est le seul moyen de se libérer de la roue du devenir.*

La quatrième Noble Vérité trace l'octuple sentier qu'il faut suivre pour parvenir au but suprême, à la suppression des réincarnations, à la dissolution du moi dans le Nirvâna. Foi pure (ou « juste »), volonté pure, langage pur, action pure, moyens d'existence purs, application pure, mémoire pure, méditation pure, impliquent toute l'éthique bouddhiste, dont les deux pôles sont la compassion et la sagesse. La première implique les qualités du cœur : charité, bonté, amour, tolérance. Et ici il convient de noter que la foi du bouddhiste ne peut jamais être une foi imposée et aveugle : c'est une foi lucide à laquelle on se rallie après l'avoir comprise et acceptée. Le bouddhisme est à l'opposé de cet axiome de saint Paul qui va devenir le fondement de la foi chrétienne : « Credo quia absurdum. » *(Je le crois parce que c'est absurde.) Ce qui implique, par ailleurs, cette tolérance si étrangère aux religions monothéistes qui nous sont familières : christianisme, judaïsme et islam. La seconde concerne les qualités de l'esprit, l'intelligence, qui est compréhension des choses.*

Ces voies justes impliquent donc toute une morale, tout un comportement dans la vie : condamnation de la médisance et de la calomnie, du mensonge, de tout langage injurieux, des propos oiseux, de la destruction de toute vie, des professions malhonnêtes ou nuisibles (tels le commerce des armes, des boissons enivrantes, les métiers des armes ou ceux qui consistent à mettre à mort des animaux, etc.), du vol, des malversations, de l'adultère... Recommandation de la charité, de l'amour de toute vie, de la pratique d'efforts, d'exercices physiques et spirituels, domination de soi, bref, exhortation à s'imposer tout un ensemble de règles morales qu'il convient de suivre dans la mesure des capacités de chacun.

Naturellement, ceux qui s'imposent dans toute son austérité une si haute morale sont ceux qui ont abandonné la vie laïque pour devenir moines, ceux que les textes appellent les bhikkhou *et les* bhikhounî, *termes dont le sens est mendiant et mendiante, et qu'on traduit plus généralement par « moines » et « nonnes ». Car les femmes sont admises au même titre que les hommes, tandis que, sur le plan social, le système des castes est aboli. Parallèlement aux* bhikkhou *qui sont de véritables religieux vivant en communauté, la grande majorité des bouddhistes restent dans le monde où ils essaient de leur mieux d'appliquer la morale enseignée par le Maître. On les appelle les* oupâsaka *(féminin* oupâsikâ*), terme qu'on peut traduire par « zélateurs ».*

*Le premier moine ordonné par le Bouddha serait son oncle maternel, Âjñâta Kaundinya, un ancien brahmane, si l'on en croit une tradition. Il fut l'un des cinq premiers disciples du Maître avec Ashvajit, Bhadrika, Mahânaman et Vâshipa. Bien vite, le Bouddha va convertir sa famille et faire un moine de son fils Râhula. Son disciple préféré fut néanmoins son jeune cousin Ânanda *. Si l'on en croit la tradition, la doctrine se répandit à travers le pays à une allure surprenante. Cela viendrait du fait que le Bouddha envoyait ses disciples non par groupes, mais individuellement pour aller prêcher un peu partout la Bonne Loi. Mais si les zélateurs se multiplièrent si rapidement, c'est parce* *que le brahmanisme avait perdu une grande partie de son prestige moral et que les populations de la vallée du Gange traversaient une grave crise spirituelle qui sévissait à tous les échelons de la société.*

*Nombreux seront les brahmanes qui se rallieront à la doctrine du Bouddha, mais plus nombreux encore seront les nobles et les riches bourgeois. L'un d'eux, Anathapindiko *, offrira au Bouddha et à ses moines un magnifique jardin près de Sâvatthî ; une courtisane, Ambapâli *, lui fit don d'un bois de manguiers près de Vaishâli ; une riche matrone de Sâvatthî, Visâkhâ, mère de l'un de ses disciples, Migarâ (ou Migaro *), subvint généreusement aux besoins de la première communauté. Le roi du Koshala, Pasênadi, et celui du Magadha, Bimbisâra, comptèrent parmi ses zélateurs et protégèrent les communautés bouddhistes.*

Le Bouddha et ses disciples passaient la plus grande partie de l'année à parcourir le Koshala et le Magadha pour y prêcher la Bonne Loi. Ils n'interrompaient leur errance que pendant les trois mois de la saison des pluies. Ils séjournaient alors dans les parcs et les demeures qui leur avaient été offerts par les rois et les zélateurs. Cette période de repos qui correspondait au plus gros des mois d'été et au tout début de l'automne, était imposée non seulement par les difficultés de circulation dans les chemins inondés et la chaleur humide si pénible à supporter, mais surtout parce que les pluies faisaient sortir toutes sortes d'insectes et d'animaux que les mendiants errants risquaient d'écraser, ce qui, bien que ce ne pût être que par inadvertance, les faisait pécher en transgressant l'une des premières lois morales, en l'occurrence le respect de toute vie sous quelque forme qu'elle se manifestât.

Les textes ont aussi permis de reconstituer approximativement une journée ordinaire du Bouddha. Levé avec l'aurore, il consacrait les premières heures de la journée à méditer et à converser avec ses disciples. Il prenait ensuite le chemin de la ville ou du village le plus proche où, le bol à la main, il quêtait un peu de nourriture, en silence. Après avoir pris son repas, généralement en compagnie de ses disciples, il se reposait dans l'ombre tiède des forêts ou dans une chambre s'il disposait d'un logis. Avec la tombée du jour, alors que la chaleur se faisait moins étouffante, il ressortait avec ses disciples pour prêcher et, le cas échéant, se confronter à ses adversaires, brahmanes, jaïns et autres moines mendiants.

Ainsi s'écoula la seconde moitié de la vie du Bouddha.

Il avait atteint sa quatre-vingtième année lorsque, quittant Râjagriha *, *capitale du Magadha, il se mit en route pour Kousinârâ, au nord du Gange. Il franchit le fleuve au lieu où on était en train de construire, sur l'ordre du roi Adjâtashatrou, la nouvelle capitale du royaume, Pâtalipoutra, l'actuelle Patna. La saison des pluies le surprit à Bêlouva, une bourgade voisine de Vesâli. Il congédia alors ses disciples pour méditer dans la solitude. Il séjourna en ce lieu pendant les trois mois de pluie, au cours desquels il fut atteint d'une maladie douloureuse. Il se rendit alors à Vesâli où il retrouva Ânanda à qui il demanda de réunir ses moines qui résidaient dans les environs. Il leur tint un discours pour les exhorter à persévérer dans la voie qu'il leur avait ouverte, de vivre toujours en sainteté, puis il leur annonça qu'avant trois mois il entrerait dans le Nirvâna.*

Il reprit la route de Kousinârâ en compagnie d'Ânanda. Lorsqu'il y fut parvenu, il se rendit dans un bosquet d'arbres sâla *, *sur les bords de la rivière Hiranyavatî. Là, il demanda à son fidèle disciple de lui préparer entre deux arbres jumeaux un lit, le chevet tourné vers le nord. Il se coucha ainsi sur le côté. Lorsque descendit le soir, les gens de Kousinârâ vinrent auprès de lui, avec ses disciples. À ces derniers, il adressa ses ultimes paroles, qui ne résonnent en nous que comme une considération banale de bon sens : « En vérité, ô moines, je vous le dis : tout ce qui est créé est périssable. » Puis il ajouta cette exhortation qui apparaît comme la négation d'un quelconque abandon au fatalisme et l'envers de ce pessimisme qui imprègne la vision bouddhique du monde : « Luttez sans relâche. »*

Il entra alors dans le Nirvâna.

L'expansion du bouddhisme

*À sa mort, le Bouddha laissait un nombre considérable de zélateurs et de moines et nonnes constitués en couvents. Leur grand nombre fit qu'ils sentirent bientôt le besoin de réunir les principaux d'entre eux afin de fixer la doctrine. Ce premier concile bouddhique fut convoqué par Mahâkashyapa, l'un des dix grands disciples du Bouddha, chargé de la direction de la communauté après la mort du Maître. Selon la tradition, y auraient assisté 500 Arhat *.*

Une trentaine d'années après la mort du Bouddha, un deuxième concile se tint à Vesâli, convoqué par Yashas qui passe pour un disciple d'Ânanda. On y discuta de points de discipline et il semblerait que ce soit à partir de là que se produisit le premier schisme qui vit la création du Mahâsâmghika (école de la Grande Assemblée) par Mahâdeva. Cette « école » s'opposait à la doctrine des Sthavira sur des points mineurs, en particulier sur la question de savoir si les Arhat étaient aussi parfaits qu'on le prétendait. De la secte des Sthavira (les Anciens) est issue la doctrine dite du Theravâda, appelée par dérision Hînayâna (Petit Véhicule) par les adeptes du bouddhisme du Nord, autrement appelée le Mahâyâna (Grand Véhicule).

Le Theravâda conserve la doctrine telle que l'a enseignée le Bouddha. Il ne reconnaît pas de Dieu suprême et pour lui le Bouddha est un Maître qui a enseigné les quatre Nobles Vérités, ouvrant le chemin de la Bodhi. *Les seuls livres retenus par le Theravâda est le canon pâli du* Tipitaka *. *Les sectateurs du Petit Véhicule ne se rencontrent plus qu'à Ceylan (Sri Lanka), dans quelques régions du sud de l'Inde, en Birmanie, en Thaïlande, au Laos et au Cambodge.*

Si ce n'est que vers le tout début de notre ère que va réellement se développer la doctrine religieuse du Mahâyâna, ses premiers éléments doctrinaux s'affirment dès le ve siècle avant notre ère. Il trouve son origine précisément dans les *écoles qui se sont développées à partir des divers conciles, et en particulier du Mahâsâmghika. À la différence du Theravâda, il a largement dépassé le strict enseignement du Bouddha ; on peut même assurer qu'il l'a trahi dans la mesure où il a fait du Bouddha une véritable divinité et s'est recomposé en une véritable religion de salut universel, d'où son nom de Grand Véhicule, car il ouvre la voie du salut à toute l'humanité. Alors que l'accès au Nirvâna est réservé aux moines dans le Theravâda, dans le Mahâyâna il est aussi ouvert aux laïcs. Amitâbha *, Avalokiteshvara *, les Bodhisattvas *, Maitreya *, sont des personnages divins propres au Mahâyâna.*

La doctrine du Mahâyâna se répand au cours des premiers siècles de notre ère, en Chine, au Tibet, et au Japon où il revêt la forme contemplative et spéculative du Zen. Il disparaît de l'Inde proprement dite dès le XIIe siècle, mais on le retrouve encore au Cachemire, à Java, dans la péninsule Indochinoise. Les nombreux traités le concernant sont rédigés en sanskrit, puis traduits, en particulier en chinois.

Chronologie

Toutes les dates données dans ce tableau sont approximatives et souvent remises en question. Il est donc nécessaire de préciser qu'il faut toujours ajouter « vers » aux dates proposées.

Dates	Faits politiques	Faits culturels
Avant J.-C.		
1000	Début de la pénétration des bandes conquérantes indo-européennes (Aryens) dans la vallée du Gange.	Transmission orale des textes sacrés (*Veda*) en sanskrit. Leur mise en forme définitive prendra plusieurs siècles.
750	Formation du royaume de Magadha au nord du Gange. Récemment « aryanisé », il est considéré comme un pays barbare selon l'*Atharvaveda*.	Mise en place du système des castes.
599-527		Dates de naissance et de mort de Vardhamâna Mahâvira, fondateur du jaïnisme.
560		**Naissance de Siddhârtha Gautama,** le futur Bouddha.

543	Début du règne de **Bimbisâra** au Magadha.	
531		Gautama quitte la maison paternelle et se fait ascète.
524		**Gautama atteint la *Bodhi* à Bodh-Gayâ. Discours de Bénarès.**
515	Conquête de la vallée de l'Indus par les Perses sous leur roi Darius Ier.	Introduction en Inde de l'écriture kharoshthi, dérivée de l'alphabet araméen adopté par les Perses.
500	Bimbisâra annexe le royaume d'Anga, vers l'actuel Bengale.	
491	**Bimbisâra est assassiné par son fils Adjâtashatrou qui lui succède.**	
480		**Parinirvâna *** (mort) de Bouddha.
459	**Mort d'Adjâtashatrou. Une période obscure d'anarchie s'installe au Magadha.**	Deuxième concile bouddhique de Vesâli.
370	La dynastie **Nanda** prend le pouvoir au Magadha.	

326	Alexandre le Grand porte ses armes au-delà de l'Indus.	
325	Peu après le départ d'Alexandre, **Chandragupta** s'empare du trône du Magadha et fonde la dynastie Maurya. Au cours des années qui suivent, il fonde le premier empire en Inde de caractère universel.	
305	Séleucos, roi de Syrie, envoie Mégasthène en ambassade à la cour des Maurya.	
296	Bindusâra, fils de Chandragupta, sur le trône du Magadha. Il entreprend de conquérir le Dekkan.	
273 256	Début du règne d'**Ashoka,** fils de Bindusâra. Sans doute converti au bouddhisme, il porte l'empire Maurya à son apogée. Il a laissé de nombreuses inscriptions.	 Concile bouddhique de Pâtalipoutra convoqué par Ashoka.
232	Mort d'Ashoka.	
206	Campagne en Inde du roi macédonien de Syrie, Antiochus III.	Premières missions bouddhistes au Sri Lanka (Ceylan).

204	L'empire d'Ashoka tombe en décadence.	Début de l'aménagement en monastères et en sanctuaires bouddhiques des grottes d'Ajantâ dans le Mahârâchtra, au nord du Dekkan.
IIe siècle		
115-90	Règne du roi indo-grec Milinda (Ménandre) converti au bouddhisme.	
Fin II-Ier siècles		Construction des premiers stûpas* de Sânchî.
Après J.-C.		
80	Avènement de Kanishka, roi de Koushana, au nord-ouest de l'Inde, converti au bouddhisme.	
130		Concile bouddhique tenu au Cachemire. Introduction du bouddhisme en Chine.
IIe-IIIe siècles		Maturité de l'art gréco-bouddhique du **Gandhâra.** Apparition de l'image du Bouddha.
270		Nâgârjuna*, philosophe bouddhiste.

320	Début de la dynastie Gupta qui reconstitue un empire sur tout le nord de l'Inde.	
400-414		Séjour en Inde du pèlerin bouddhiste chinois Fa-hsien (Faxian).
Milieu VIe siècle	Fin de l'empire Gupta.	Introduction du bouddhisme au Japon.
606-647	Vie de Harshavardhana. Il réunifia l'Inde, protégea les bouddhistes et chercha à harmoniser toutes les croyances religieuses. On lui attribue plusieurs œuvres littéraires.	Vie de **Shântideva,** auteur de *La Marche à la Lumière*.

Bodhicharyâvatâra

« La Marche à la Lumière », telle est la traduction que Louis Finot propose du titre de cette œuvre fondamentale de Shântideva, le Bodhicharyâvatâra. *Un commentaire de l'un des vers du texte précise bien que la* Bodhicharyâ *« est la pratique en vue de l'état de Bouddha ». Le* Bodhicharyâvatâra *est ainsi la « pratique » (mais aussi, étymologiquement, la marche) qui conduit à la* Bodhi, *à l'Illumination.*

Ce texte, relativement court, mais dense, nous est apparu comme un heureux complément des Entretiens *du Bouddha. Alors que ces derniers représentent l'enseignement du Maître tel que l'a conservé la tradition du Theravâda, le* Bodhicharyâvatâra *est représentatif de la nouvelle religion mise en place par les tenants du Mahâyâna. Un grand indianiste de la fin du siècle dernier, Auguste Barth, y a vu un « pendant bouddhique » de* L'Imitation de Jésus-Christ, *et c'est bien une « imitation » du Bouddha dans la mesure où c'est une voie qui est ouverte pour parvenir à la* Bodhi, *dans les pas du Bouddha.*

Son auteur, Shântideva, reste mal connu, entouré d'une aura légendaire. Il a vécu au VIIe *siècle de notre ère et il était sans doute le fils d'un rajah du Saurâchtra. La raison pour laquelle il ne monta pas sur le trône nous est donnée par la légende, sans qu'on puisse s'y arrêter : la veille de son couronnement, il vit en rêve la déesse Târâ et le bodhisattva Mañjushrî * assis sur le trône. Ce dernier lui fit savoir qu'il n'y avait pas là de place pour deux, tandis que la déesse lui lançait au visage de l'eau chaude en lui disant : « La royauté est l'eau bouillante de l'enfer ; c'est cette eau qui servira à ton sacre. » Il se retira alors dans la forêt* *où une femme le conduisit à un yogî en qui il reconnut Mañjushrî. Il reçut son enseignement mais, au lieu de poursuivre dans le sentier de la sagesse, il se rendit auprès du roi Pañchamasimha dont il devint ministre. Il le quitta finalement pour se faire moine dans le Madhyadesha (« le Pays du Milieu », autre nom de la vallée du Gange). Ce n'est qu'à la suite de son ordination qu'il prit le nom de Shântideva. On lui attribue curieusement un esprit mystificateur : il se serait fait une réputation de moine ignorant et glouton, de sorte que, lorsqu'on le pria de réciter les sûtras* devant la communauté, chacun s'apprêtait à rire de son ignorance. À la stupeur générale, il récita le* Bodhicharyâvatâra.

Shântideva nous apparaît comme un penseur majeur de la secte mahâyaniste des Mâdhyamikas, habile dialecticien qui s'est attaché à mettre en évidence la non-réalité du moi. Le texte du Bodhicharyâvatâra *est rédigé en sanskrit et en vers qui témoignent souvent d'une véritable sensibilité poétique.*

GR

I

Éloge de la pensée de la Bodhi

1. Ayant salué respectueusement les Buddhas, leurs Fils[1] et le Corps de la Loi, ainsi que toutes les personnes vénérables, j'exposerai brièvement, selon la tradition, la pratique spirituelle des Fils des Buddhas.

2. Je n'ai rien à dire qui n'ait été dit avant moi et je ne suis pas un habile écrivain. Ce n'est donc point par souci de l'intérêt des autres, c'est pour sanctifier mon propre cœur que je fais cet ouvrage.

3. Il servira tout au moins à grossir pour moi le courant de piété qui favorise le bien. Mais de plus, si quelque autre, dont le caractère ressemble au mien, vient à y jeter les yeux, il pourra, lui aussi, en tirer profit.

4. La plénitude du moment est difficile à obtenir, elle qui, une fois atteinte, comble tous les buts de l'homme. Si on ne réfléchit pas au bien dès cette vie, comment cette rencontre aurait-elle lieu de nouveau ?

5. De même que dans une nuit où les nuages épaississent les ténèbres, l'éclair brille un instant, ainsi, par le pouvoir des Buddhas, parfois la pensée des hommes s'arrête un instant sur le bien.

6. Donc le bien est toujours faible, tandis que la force du mal est grande et terrible ; quel autre bien pourrait le vaincre, hormis la Pensée de la Bodhi ?

7. Pendant de nombreux kalpas * ont médité les rois

des sages[2] ; à la fin ils ont vu ce Bien, par lequel les bonheurs s'accumulant font déborder de joie le fleuve immense des êtres.

8. Quiconque veut traverser les innombrables douleurs de la vie, éloigner tous les maux des créatures, jouir de multiples centaines de bonheurs, ne doit jamais quitter la Pensée de la Bodhi.

9. Le malheureux enchaîné dans la prison des existences est à l'instant proclamé Fils des Buddhas ; le voilà devenu vénérable aux dieux et aux hommes, dès que s'est levée en lui la Pensée de la Bodhi.

10. Prenant cette impure effigie [le corps], elle en fait cette inappréciable image de diamant : un Buddha. Tenez ferme ce pénétrant élixir[3] qui s'appelle la Pensée de la Bodhi.

11. Il a été vérifié et reconnu de grand prix par la vaste intelligence des guides suprêmes de la caravane humaine : tenez-le fermement, ce joyau qu'est la Pensée de la Bodhi, ô vous qui fréquentez ces marchés que sont les destinées des êtres vivants.

12. Tel que le bananier qui a donné son fruit, tout autre mérite s'épuise : seule, la Pensée de la Bodhi est un arbre qui fructifie toujours et toujours produit sans jamais s'épuiser.

13. L'auteur des crimes les plus affreux s'en tire à l'instant en s'appuyant sur elle, comme on échappe à un grand danger par la protection d'un héros. Comment se trouve-t-il des inconscients pour ne pas prendre leur refuge en elle ?

14. Comme l'incendie de la fin du monde, elle consume en un instant les plus grands péchés ; ses bienfaits infinis ont été exposés par le sage Maitreya à Sudhana *.

15. Cette Pensée de la Bodhi est double, en résumé : le vœu de la Bodhi, le départ pour la Bodhi.

16. Ils ont entre eux, selon les savants, la même différence qu'on établit entre celui qui veut partir et celui qui est en route.

17. Le vœu de la Bodhi porte de grands fruits en ce

monde, mais il n'est pas, comme le départ pour la Bodhi, une source continue de mérites.

18-19. Dès l'instant où l'esprit a embrassé la pensée tenace de délivrer la masse illimitée des êtres, il a beau être parfois endormi ou dissipé : les flots de ses mérites vont sans cesse grossissant, pareils à l'infini de l'espace.

20. Cela, le Buddha lui-même l'a déclaré, avec preuves à l'appui, dans la *Subâhupricchâ* *, en faveur des êtres qui n'ont qu'un idéal inférieur.

21-22. Celui qui forme le bienveillant projet de guérir quelques hommes de leurs maux de tête acquiert un immense mérite : combien plus celui qui veut les affranchir tous d'une infinie souffrance et les doter d'infinies qualités !

23. Quelle mère, quel père est capable d'un vœu aussi généreux ? Quel dieu, quel rishi *, quel brahmane ?

24. Aucun d'eux ne forma jamais, fût-ce en rêve, pareil désir pour lui-même ; comment le ferait-il pour autrui ?

25. Cette perle des êtres, cette perle sans précédent [le Bodhisattva], comment naît-elle, puisque les autres n'éprouvent pas d'inclination, même intéressée, au bien d'autrui ?

26. Source de la joie du monde, remède à la douleur du monde, diamant spirituel, comment mesurer tout ce qu'elle recèle de mérite ?

27. Un simple souhait pour le bien du monde l'emporte sur l'adoration du Buddha : combien plus s'il s'y joint l'effort de donner à tous les êtres tout le bonheur !

28. Les hommes se jettent dans la souffrance pour échapper à la souffrance ; par désir du bonheur, ils détruisent follement leur bonheur, comme s'ils étaient leurs propres ennemis.

29-30. Ils sont affamés de bonheur et torturés de mille façons. Celui qui les rassasiera de tous les bonheurs, qui coupera court à leurs tortures et supprimera leur folie, où trouver un homme aussi bon, un tel ami, un tel mérite ?

31. On loue celui qui reconnaît un service par un autre : que dire du Bodhisattva, généreux sans qu'on l'en prie ?

32-33. Qui offre un repas de charité à quelques personnes est célébré comme un saint homme, pour avoir donné, pendant un instant, et sans égard, une maigre pitance qui soutiendra les pauvres pendant une demi-journée. Que dire de celui qui donne à un nombre infini d'êtres, pendant un temps infini, la satisfaction de tous leurs désirs, inépuisable jusqu'à l'épuisement de tous les êtres qui peuplent l'espace ?

34. Quiconque envers ce Maître du banquet, le Bodhisattva, forme en son cœur une mauvaise pensée, celui-là demeurera dans les enfers pendant autant de kalpas qu'a duré [de moments] la formation de cette pensée. Ainsi l'a dit le Maître.

35. Mais celui dont le cœur se tourne pieusement vers lui, celui-là acquiert un fruit supérieur à son péché. Et il faut se faire violence pour commettre une mauvaise action contre les Bodhisattvas, tandis qu'une bonne se fait sans effort.

36. Je rends hommage aux corps des Bodhisattvas, où est né le joyau de cette Pensée sublime ; je prends mon refuge dans ces mines de bonheur qu'on ne peut même offenser sans en recevoir quelque récompense.

II

LA CONFESSION

1. Pour conquérir ce joyau qu'est la Pensée de la Bodhi, je rends hommage aux Buddhas, au pur Joyau de la Bonne Loi et aux Fils du Buddha, océans de mérites spirituels.

2-6. Toutes les fleurs, et les fruits, et les simples, tous les trésors de l'univers, les eaux pures et délicieuses, les montagnes faites de précieuses gemmes, les ravissantes solitudes des bois, les lianes éclatantes de leur parure de fleurs, les arbres dont les branches plient sous le poids des fruits, les parfums des mondes divins et humains, les arbres aux souhaits[4] et les arbres de pierreries, les lacs ornés de lotus et agrémentés du chant des cygnes, les plantes sauvages et les plantes cultivées, et toutes les nobles parures répandues dans l'immensité de l'espace, toutes ces choses qui n'appartiennent à personne, je les prends en esprit et les offre aux Grands Saints et à leurs Fils. Qu'ils les acceptent, eux qui sont dignes des plus belles offrandes ; qu'ils aient compassion de moi, eux les Grands Compatissants !

7. Je suis sans mérite, je suis très pauvre ; je n'ai rien d'autre à offrir. Daignent les Protecteurs, qui ne songent qu'au bien des autres, accepter ceci pour mon bien, grâce à leur puissance !

8. Et je me donne moi-même aux Vainqueurs[5], sans réserve et tout entier, ainsi qu'à leurs Fils. Admettez-moi à votre service, Êtres sublimes. Je me fais avec dévotion votre esclave.

9. Admis à votre service, je suis maintenant sans

peur ; je travaille au bien des êtres ; j'échappe aux péchés anciens et je n'en commets plus de nouveaux.

10-11. Dans les salles de bains parfumées, qui enchantent les yeux par leurs colonnes resplendissantes de joyaux, leurs éblouissantes courtines brodées de perles, leur pavé de pur et brillant cristal ; avec de nombreuses urnes incrustées de nobles gemmes pleines de fleurs et d'eau odorante, je prépare le bain des Buddhas et de leurs Fils, au son des chants et de la musique.

12. Avec des étoffes incomparables, imprégnées d'encens et lavées de toute tache, j'essuie leur corps et je les revêts ensuite de robes brillantes et embaumées.

13. De vêtements célestes, doux, fins, éclatants, d'ornements variés je pare Samantabhadra *, Ajita *, Mañjughosha *, Lokeçvara * et les autres Bodhisattvas.

14. Avec des parfums exquis dont l'arôme pénètre l'immensité de l'univers, j'oins les corps de tous les Buddhas, étincelants comme l'or épuré, poli, lustré.

15. Avec toutes les fleurs délicieusement odorantes — érythrine, lotus bleu, jasmin —, avec des guirlandes d'une forme enchanteresse, j'adore les très adorables Buddhas.

16. Je les encense avec des nuages d'encens qui ravissent le cœur de leur parfum riche et pénétrant. Je leur fais hommage d'aliments mous et durs et de breuvages variés.

17. Je leur offre des flambeaux de pierreries rangés sur des lotus d'or, et, au long du pavé enduit de parfums, je sème une jonchée de fleurs charmantes.

18. J'offre à ces Miséricordieux une foule de chapelles aériennes ornées de festons de perles, étincelantes parures du visage des régions cardinales, retentissantes d'hymnes mélodieux.

19. Je présente aux Grands Saints de hauts parasols de pierreries au manche d'or, à la forme gracieuse, incrustés de perles, d'un éclat rayonnant.

20. Et maintenant, qu'ils s'élèvent, les nuages d'of-

frandes qui charment le cœur, les nuages de chants et de musique qui réjouissent tous les êtres !

21. Que sur tous les Joyaux de la Bonne Loi[6], sur les stûpas * et les statues tombent sans cesse des pluies de fleurs, de joyaux et d'autres substances précieuses !

22. Comme Mañjughosha et les autres Bodhisattvas adorent les Vainqueurs, ainsi j'adore les Buddhas tutélaires avec leurs Fils.

23. Par des hymnes, océans de rythmes harmonieux, j'exalte ces océans de mérites ; que ces nuages de pieux accords s'élèvent vers eux sans dévier de leur route !

24. Autant qu'il y a d'atomes dans tous les « champs de Buddha[7] », autant de fois je me prosterne devant les Buddhas des Trois Temps[8], devant la Loi et l'Église.

25. Je salue tous les stûpas et tous les séjours des Bodhisattvas ; je rends hommage aux maîtres spirituels et aux ascètes vénérables.

26. Je prends mon refuge dans le Buddha jusqu'au Trône de la Bodhi ; je prends mon refuge dans la Loi et dans la foule des Bodhisattvas[9].

27. Je m'adresse aux Buddhas qui résident dans toutes les régions et aux très miséricordieux Bodhisattvas, et je leur dis les mains jointes :

28-29. Tout le mal que j'ai fait ou causé, comme une brute stupide, dans l'éternité des transmigrations ou dans la vie présente, tout le péché que, dans mon aveuglement, j'ai approuvé pour ma perte, je le confesse, brûlé de remords.

30-31. Toutes les offenses que j'ai commises par outrage contre les Trois Joyaux[10], contre mon père et ma mère et les autres personnes ayant droit à mon respect, soit en acte, soit en parole, soit en pensée ; tout ce que, pécheur vicié de multiples vices, j'ai commis de péchés pernicieux, tout cela je le confesse, ô Conducteurs !

33. Comment échapper à mon péché ? Hâtez-vous de me sauver ! Que la mort n'arrive pas trop vite avant qu'il ne soit effacé !

34. La mort ne s'attarde pas à considérer ce qui est

fait ou reste à faire. C'est par notre confiance qu'elle nous atteint. Que personne ne se fie à elle, bien-portant ou malade ; la mort est un coup de foudre.

35. Le plaisir et le déplaisir ont été maintes fois pour moi des occasions de péché. J'oubliais qu'un jour il faudrait tout laisser là et partir.

36. Ceux qui me déplaisent ne seront plus, celui qui me plaît ne sera plus, moi-même je ne serai plus, et rien ne sera plus.

37. Les objets que je perçois ne seront plus qu'un souvenir, comme les choses qu'on voit en rêve passent sans qu'on les revoie jamais.

38. Tandis que je demeure en ce monde, beaucoup en sont partis, amis ou ennemis ; mais le péché dont ils furent l'occasion est toujours là, menaçant devant moi.

39. Je suis un étranger sur la terre : voilà ce que je n'ai pas compris. L'égarement, l'affection, la haine m'ont fait commettre bien des fautes.

40. Nuit et jour, sans interruption, la vie se dépense et aucun gain ne l'accroît : n'est-il pas inévitable que je meure ?

41. Ici même, couché sur mon lit, au milieu des miens, je devrai souffrir seul toutes les souffrances de l'agonie.

42. Quand on est saisi par les messagers de Yama *, que peuvent parents ou amis ? Le bien seul est un moyen de salut, mais je ne l'ai pas pratiqué.

43. Par attachement à cette vie éphémère, par ignorance du danger, par frivolité, j'ai fait beaucoup de mal, ô Protecteurs !

44. Le condamné qu'on emmène pour lui couper un membre se contracte d'horreur, la soif le dévore, sa vue affaiblie ne reconnaît plus le monde.

45. Que sera-ce lorsque les affreux messagers de Yama prendront possession de moi, dévoré d'épouvante et de fièvre, souillé de mes propres ordures ?

46. Mes regards effrayés chercheront de tous côtés un moyen de salut. Quel être de bonté viendra me tirer de cet immense péril ?

47. Voyant l'espace vide de tout secours, replongé dans l'affolement, que ferai-je alors, en présence du lieu terrible ?

48. Dès maintenant j'ai recours aux puissants Gardiens du monde, qui s'évertuent à protéger le monde, qui dissipent toutes les terreurs, aux Vainqueurs !

49. J'ai recours de toute mon âme à la Loi par eux atteinte, qui détruit le danger des transmigrations, et à la foule des Bodhisattvas.

50. Éperdu de crainte, je me donne à Samantabhadra ; je me donne moi-même à Mañjughosha.

51. Au protecteur Avalokita *, dont tous les actes sont dominés par la compassion, je jette mon cri de détresse et d'effroi : « Qu'il me garde, moi pécheur ! »

52. Le saint Âkâçagarbha * et Kshitigarbha *, et tous les Miséricordieux, je les invoque pour mon salut.

53. Celui dont la seule vue terrifie et met en fuite dans les quatre directions les messagers de Yama et autres réprouvés, je le salue, le Porte-foudre [11].

54. J'ai transgressé votre parole ; maintenant, effrayé à la vue du danger, je prends mon refuge en vous : hâtez-vous de chasser ce péril !

55. Quand on craint une maladie passagère, on ne viole pas les prescriptions du médecin, à plus forte raison quand on est rongé par les quatre cent quatre maladies !

56. Or il est des maladies pour lesquelles l'univers ne contient pas de remède et dont une seule anéantirait tous les habitants du Jambudvîpa *.

57. Et je viole la parole du Médecin omniscient [12] qui guérit toutes les douleurs ! Honte à l'insensé que je suis !

58. C'est avec une extrême prudence que je longe les précipices. Que dire de mon insouciance au bord de ce gouffre de l'enfer, qui s'étend sur des milliers de lieues et sur l'immensité du temps ?

59. « La mort ne viendra pas aujourd'hui ! » Fausse sécurité ! Elle vient inexorablement, l'heure où je ne serai plus.

60. Qui m'a donné une sauvegarde et comment

échapperais-je ? Il faut bien que je cesse d'être ! Comment mon cœur est-il tranquille ?

61. De toutes les jouissances d'autrefois, aujourd'hui abolies, où je me suis complu, au mépris de la parole du Maître, quel fruit me restera-t-il ?

62. Quittant le monde des vivants, quittant mes parents, mes amis, je m'en irai seul je ne sais où. Qu'importent alors amis ou ennemis ?

63. Voici donc le souci qu'il sied d'avoir jour et nuit : le péché produit forcément la douleur ; comment y échapper ?

64-65. Les péchés que j'ai accumulés par ignorance ou égarement, qu'ils soient condamnés par la loi naturelle ou la loi religieuse [13], je les confesse tous, en présence des Protecteurs, dans l'effroi de la douleur, les mains jointes et prosterné sans cesse à leurs pieds.

66. Que les Conducteurs sachent mes fautes telles qu'elles sont. Ce mal, ô Protecteurs, je ne le commettrai plus.

III

La prise de la pensée de la Bodhi

1. Je me félicite pieusement du bien fait par tous les êtres grâce auquel ils échappent aux souffrances des lieux de punition ; que ces infortunés soient heureux !

2. Je me félicite que les êtres soient délivrés de la douleur des transmigrations et que les Saints soient parvenus à l'état de Bodhisattva et de Buddha.

3. Je me félicite des pensées des Maîtres de la Loi, vastes et profondes comme la mer, qui apportent le

bonheur à tous les êtres, qui réalisent l'avantage de tous les êtres.

4. Je supplie, les mains jointes, les Buddhas de toutes les régions : qu'ils allument le flambeau de la Loi pour les égarés qui tombent dans le gouffre de la douleur.

5. J'implore, les mains jointes, les Buddhas désireux de s'éteindre. Qu'ils demeurent ici-bas pendant des cycles infinis, afin que ce monde ne soit pas aveugle.

6. Ayant accompli tous ces rites, par la vertu du mérite que j'ai acquis, puissé-je être pour tous les êtres celui qui calme la douleur !

7. Puissé-je être pour les malades le remède, le médecin, l'infirmier, jusqu'à la disparition de la maladie !

8. Puissé-je calmer par des pluies de nourriture et de breuvages le supplice de la faim et de la soif, et, pendant les périodes de famine des antarakalpas *, devenir moi-même breuvage et nourriture !

9. Puissé-je être pour les pauvres un trésor inépuisable, être prêt à leur rendre tous les services qu'ils désirent !

10. Toutes mes incarnations à venir, tous mes biens, tout mon mérite passé, présent, futur, je les abandonne avec indifférence, pour que le but de tous les êtres soit atteint.

11. Le Nirvâna, c'est l'abandon de tout ; et mon âme aspire au Nirvâna. Puisque je dois tout abandonner, mieux vaut le donner aux autres.

12-16. Je livre ce corps au bon plaisir de tous les êtres. Que sans cesse ils le frappent, l'outragent, le couvrent de poussière ! Qu'ils se fassent de mon corps un jouet, un objet de dérision et d'amusement ! Je leur ai donné mon corps, que m'importe ? Qu'ils lui fassent faire tous les actes qui peuvent leur être agréables ! Mais que je ne sois pour personne l'occasion d'aucun dommage ! Si leur cœur est irrité et malveillant à mon sujet, que cela même serve à réaliser les fins de tous ! Que ceux qui me calomnient, me nuisent, me raillent, ainsi que tous les autres, obtiennent la Bodhi !

17-19. Puissé-je être le protecteur des abandonnés, le guide de ceux qui cheminent et, pour ceux qui désirent l'autre rive, être la barque, la chaussée, le pont ; être la lampe de ceux qui ont besoin de lampe, le lit de ceux qui ont besoin de lit, l'esclave de ceux qui ont besoin d'esclave ; être la Pierre de miracle, l'Urne d'abondance, la Formule magique, la Plante qui guérit, l'Arbre des souhaits, la Vache des désirs[14] !

20-21. De même que la terre et les autres éléments servent aux multiples usages des êtres innombrables répandus dans l'espace infini ; ainsi puissé-je être de toute façon utile aux êtres qui occupent l'espace, aussi longtemps que tous ne seront pas délivrés !

22-23. Dans le même esprit que les Buddhas précédents ont saisi la Pensée de la Bodhi et se sont astreints à s'y préparer progressivement, je fais naître en moi la Pensée de la Bodhi pour le bien du monde et je pratiquerai dans leur ordre tous les exercices qui y préparent.

24. Ayant de la sorte saisi pieusement la Pensée de la Bodhi, le sage doit l'encourager en ces termes pour en favoriser le développement :

25. Aujourd'hui, ma naissance a fructifié et je profite de ma qualité d'homme. Aujourd'hui, je suis né dans la famille des Buddhas, je suis maintenant fils de Buddha.

26. Maintenant, il me faut agir en homme qui respecte la coutume de sa famille, de telle sorte que la pureté de cette famille ne reçoive de moi aucune tache.

27. Comme un aveugle qui trouve une perle dans un tas d'ordures, ainsi s'est levée en moi, je ne sais comment, cette Pensée de la Bodhi.

28-31. C'est un élixir né pour abolir la mort du monde, un trésor inépuisable pour éliminer la misère du monde, un remède incomparable pour guérir les maladies du monde, un arbre pour délasser le monde fatigué d'errer dans les chemins de la vie, un pont ouvert à tout-venant pour le conduire hors des voies douloureuses, une lune spirituelle levée pour apaiser la brûlure des passions du monde, un grand soleil pour dissiper les ténèbres de l'ignorance, un beurre nouveau produit par le barattement du lait de la Bonne Loi.

32. Pour la caravane humaine qui suit la route de la vie, affamée de bonheur, voici préparé le banquet du bonheur, où tous les arrivants pourront se rassasier.

33. Aujourd'hui, en présence de tous les Saints, je convie le monde à l'état de Buddha et, en attendant, au bonheur. Que les dieux, les Asuras * et tous autres se réjouissent !

IV

L'APPLICATION À LA PENSÉE DE LA BODHI

1. Ayant ainsi fermement saisi la Pensée de la Bodhi, que le Bodhisattva, sans jamais se lasser, s'efforce de ne pas transgresser la règle.

2. Ce qu'on a entrepris précipitamment, sans mûrement réfléchir, on peut, même si on a fait une promesse, le faire ou s'en abstenir.

3. Mais ce qui a été examiné par les Buddhas, par les sages Bodhisattvas et par moi-même, selon mon pouvoir, pourquoi l'ajourner ?

4. Si, après l'avoir promis, je ne l'accomplis pas en fait, dupant ainsi tous les êtres, quelle sera ma destinée ?

5. « Qui a eu la simple pensée de donner et ne donne pas, deviendra un spectre affamé », dit-on, et cela, même s'il s'agit d'une très petite chose.

6. À plus forte raison si, ayant annoncé hautement et du fond du cœur le bonheur suprême, je viens à duper le monde entier, quelle sera ma destinée ?

7. L'Omniscient seul connaît l'inscrutable marche de l'acte, qui, même en cas d'abandon de la Pensée de la Bodhi, délivre les hommes.

8. Toute défaillance du Bodhisattva est très grave, car, quand il pèche, c'est le bien de tous les êtres qu'il détruit.

9. Et celui qui met un obstacle d'un instant au mérite du Bodhisattva encourt un immense châtiment, car il s'attaque au bien de tous les êtres.

10. Quand on frappe une seule créature dans son bien, on est soi-même frappé ; que dire, lorsqu'il s'agit de tous les êtres compris dans l'infini de l'espace !

11. Ainsi ballotté sur l'océan des transmigrations par la force du péché et la force de la Pensée de la Bodhi, il recule son arrivée à terre.

12. Donc, ce que j'ai promis, je dois l'exécuter scrupuleusement ; si aujourd'hui même je ne fais pas un effort, je descendrai de bas-fond en bas-fond.

13. D'innombrables Buddhas ont passé, cherchant tous les êtres à convertir : par ma faute, je ne me trouvais pas à portée de leur puissance de guérison.

14. Si aujourd'hui encore je reste tel que je l'ai été toujours, je suis voué aux lieux de punition, à la maladie, à la mort, aux mutilations, aux lacérations.

15. Quand trouverai-je de nouveau l'apparition d'un Buddha, la foi, la condition humaine, l'aptitude à la pratique du bien, toutes choses si difficiles à obtenir ?

16. La santé, le jour présent avec sa pitance et sa sécurité, le moment que nous avons à vivre, tout cela est trompeur : le corps est pareil à un objet prêté.

17. Ce n'est point par une conduite comme la mienne qu'on obtient de nouveau la condition d'homme ; et en dehors de la condition d'homme, c'est le mal seul qui m'attend : d'où viendrait le bien ?

18. Si je ne fais pas le bien, maintenant que j'en

suis capable, que ferai-je alors, hébété par les souffrances des sorts funestes ?

19. Pour qui ne fait pas le bien et accumule le péché, le nom même du bonheur est aboli pour des centaines de millions de kalpas.

20. C'est pourquoi le Bienheureux a dit : « La condition humaine s'obtient aussi rarement qu'une tortue parvient à passer son cou dans l'orifice d'un joug flottant sur l'océan. »

21. Pour un péché d'un instant, on reste pendant un cycle entier dans l'enfer Avîci * ; en présence de péchés accumulés depuis un temps infini, comment parler de bonheur ?

22. Et il ne suffit pas d'en avoir supporté les conséquences pour être délivré, puisque, pendant qu'on les supporte, on produit de nouveaux péchés.

23. Il n'y a pire duperie ou pire folie que d'avoir trouvé une pareille occasion sans en profiter pour faire le bien.

24. Et si, après cette réflexion, je succombe de nouveau à ma folie, je m'en repentirai longtemps, pourchassé par les messagers de Yama.

25. Longtemps mon corps brûlera dans le feu intolérable de l'enfer ; longtemps mon corps indocile sera dévoré par le feu du remords.

26. J'ai atteint, je ne sais comment, cette terre favorable si difficile à atteindre ; et voilà qu'en pleine conscience, je suis reconduit aux mêmes enfers.

27. Je suis donc dénué de raison, aveuglé par quelque sortilège ! Je ne sais qui m'affole, qui se tient au-dedans de moi !

28. Le désir, la haine et les autres passions sont des ennemis sans mains, sans pieds ; ils ne sont ni braves, ni intelligents ; comment ai-je pu devenir leur esclave ?

29. Embusqués dans mon cœur, ils me frappent à leur aise, et je ne m'en irrite même pas ; fi de cette absurde patience !

30. Si j'avais pour ennemis tous les dieux et tous

les hommes ensemble, ils seraient incapables de me traîner au feu de l'enfer.

31. Mais les Passions, ces ennemis puissants, me jettent en un clin d'œil dans un feu, au contact duquel le Meru * fondrait sans même laisser de cendres.

32. Aucun autre ennemi n'a une vie aussi longue, que la très longue vie, sans commencement ni fin, de mes ennemis les Passions.

33. Tout homme fidèlement servi veille au bien de son serviteur : mais les Passions, à qui les sert, ne réservent que le comble du malheur.

34. Leur haine est constante et vivace ; elles sont la source unique du torrent des misères ; et elles habitent dans mon cœur. Comment pourrais-je jouir en paix de la vie ?

35. Gardiennes de la prison de la vie, bourreaux des coupables dans l'enfer et les autres lieux de punition, si elles se tiennent dans la maison de mon esprit, dans la cage de mon désir, comment goûterais-je le bonheur ?

36-38. Donc je ne déposerai pas le harnois avant que ces ennemis n'aient péri sous mes yeux. Les orgueilleux poursuivent de leur colère le plus chétif adversaire ; ils ne s'endorment pas avant de l'avoir écrasé. Sur le front de bataille, ils lancent des coups terribles à des malheureux que la nature a déjà condamnés au supplice de la mort. Ils comptent pour rien la douleur des coups de flèche et de lance et ne tournent pas le dos avant d'avoir vaincu. Et moi, qui me suis levé pour vaincre mes ennemis naturels, auteurs constants de toutes mes douleurs, pourquoi m'abandonnerais-je maintenant au désespoir et à l'abattement, même à la suite de centaines de misères ?

39. On étale sur son corps, comme des parures, les inutiles blessures faites par les ennemis. Comment, moi, qui me suis levé pour accomplir une grande œuvre, m'en laisserais-je détourner par les souffrances ?

40. L'esprit concentré sur leurs moyens d'existence, les pêcheurs, les parias, les laboureurs et les autres artisans endurent le chaud, le froid, toutes les misères.

Comment ne les supporterais-je pas, moi aussi, pour le bien du monde ?

41. Je me suis engagé à délivrer des Passions le monde entier compris entre les dix points cardinaux. Et moi-même je n'en suis pas délivré !

42. Ignorant ma mesure, je parlais alors comme un insensé. Donc, je m'appliquerai sans cesse et sans retour à la destruction des Passions.

43. Je m'y cramponnerai. Je serai un guerrier poursuivant de sa haine toute autre passion que celle qui s'attache à la perte des Passions.

44. Que mes entrailles se répandent, que ma tête tombe ! Jamais je ne me courberai devant mes ennemis les Passions !

45. Un ennemi expulsé peut trouver asile dans un autre lieu, y refaire ses forces et en revenir ; mais l'ennemi Passion n'a pas un tel refuge.

46. Où irait-il une fois chassé, cet hôte de mon cœur, pour préparer ma ruine ? Sa seule force, c'est ma lâcheté et ma sottise. Les Passions ne sont qu'une vile canaille qui fuit à la vue de la Sagesse.

47. Les Passions ne demeurent ni dans les objets, ni dans les sens, ni dans l'intervalle, ni ailleurs. Où sont-elles installées pour tourmenter le monde entier ? C'est un simple mirage. Donc, ô mon cœur, quitte toute crainte, efforce-toi vers la Sagesse. Pourquoi, sans motif, te tourmenter toi-même dans les enfers ?

48. C'est décidé ! Je ferai mes efforts pour observer la règle telle qu'elle a été énoncée. Si une maladie peut être guérie par un remède, comment recouvrer la santé en s'écartant de l'ordonnance du médecin ?

V

La garde de la conscience

1. Celui qui veut garder la règle doit garder soigneusement son esprit ; la règle est impossible à garder pour qui ne garde pas l'esprit volage.

2. Les éléphants sauvages, dans la fureur du rut, ne causent pas autant de malheurs que n'en cause, dans l'Avîci et les autres enfers, cet éléphant : l'esprit débridé.

3. Mais si l'éléphant Esprit est lié complètement par la corde Attention, alors tout danger disparaît et tout bien est accessible.

4-5. Tigres, lions, éléphants, ours, serpents, tous les ennemis, tous les geôliers infernaux, les Dâkinîs *, les Râkshasas *, tous sont liés dès que l'esprit est lié, tous sont domptés dès que l'esprit est dompté.

6. Car tous les dangers, car les souffrances sans pareilles procèdent de l'esprit seul, a dit le Véridique.

7. Qui a diligemment fabriqué les engins de l'enfer ? Qui, le pavé de fer rouge ? Et ces femmes [15], d'où sortent-elles ?

8. C'est de l'esprit mauvais que tout cela procède, a dit le Saint : donc il n'y a que lui de redoutable au monde.

9. Si la perfection de charité consistait à enrichir le monde, comment les anciens Sauveurs l'auraient-ils possédée, puisque le monde est toujours pauvre ?

10. La pensée de sacrifier à tous les êtres tout ce qu'on possède et le fruit même de son sacrifice, voilà ce qu'on appelle la perfection de charité : elle est donc esprit et rien d'autre.

11. Où mettre les poissons et autres animaux pour être sûr de ne pas les tuer ? La perfection de moralité, c'est l'esprit de renoncement.

12. Combien tuerais-je de méchants ? Leur nombre est infini comme l'espace. Mais si je tue l'esprit de colère, tous mes ennemis sont tués en même temps.

13. Où trouver un cuir assez grand pour couvrir toute la terre ? Mais le simple cuir d'une sandale y suffit.

14. De même, je ne puis maîtriser les états extérieurs ; mais je maîtriserai mon esprit : que m'importent les autres maîtrises !

15. Même avec l'aide de la parole et de l'action, l'esprit pesant n'obtient pas ce qu'obtient à lui seul l'esprit délié : la dignité de Brahma et d'autres récompenses.

16. Prière, ascèse prolongée, tout est vain si l'esprit est distrait et pesant, a dit l'Omniscient.

17. Pour abolir la souffrance et atteindre le bonheur, vainement ils errent à travers l'espace, ceux qui n'ont point cultivé cet esprit mystérieux qui contient en lui la totalité des phénomènes.

18. Il faut que mon esprit soit bien surveillé, bien gardé : hormis l'exercice de la garde de l'esprit, que valent tous les autres ?

19. De même qu'un blessé, entouré d'étourdis, protège avec précaution sa blessure, ainsi doit-on, parmi les pécheurs, protéger, comme une plaie, son esprit.

20. De peur d'éprouver un atome de souffrance, je protège avec soin ma blessure ; d'où vient que, menacé du choc des « montagnes écrasantes [16] », je ne songe pas à protéger cette blessure : mon esprit ?

21. Quand il se conforme à cette règle de conduite, l'ascète, même parmi les pécheurs, même parmi les femmes, demeure ferme et imperturbable.

22. Que je perde ma fortune, et mes honneurs, et ma vie, et même tout autre bien spirituel, mais mon esprit, jamais !

23. À ceux qui veulent garder leur esprit, j'adresse

ce salut : « Gardez à toute force l'attention et la conscience ! »

24. Comme un homme troublé par la maladie est incapable de toute action, de même l'esprit troublé est incapable de toute action.

25. L'esprit est-il inconscient, tout ce que produisent l'étude et la réflexion s'échappe de la mémoire, comme l'eau d'un vase fêlé.

26. Beaucoup d'hommes instruits, croyants, zélés, encourent, faute de conscience, les souillures du péché.

27. L'inconscience est un voleur qui guette une éclipse de l'attention : dépouillé par elle du mérite accumulé, on tombe dans les destinées funestes.

28. Les Passions sont une bande de pirates qui cherchent un passage ; s'ils le trouvent, ils nous pillent et anéantissent les chances de notre vie future.

29. Donc que l'attention ne s'écarte jamais de la porte de notre cœur ; si elle s'en écarte, il faut l'y ramener, se souvenant des supplices de l'enfer.

30. Heureux ceux qui agissent avec crainte et déférence, d'après les instructions de leurs maîtres ! De la société des maîtres naît aisément l'attention.

31-32. « Les Buddhas et les Bodhisattvas portent partout leurs regards sans obstacle ; tout est en leur présence, et moi aussi je suis en leur présence ! » Dans cette pensée, tiens-toi avec modestie, respect et crainte, et que le souvenir des Buddhas te revienne à chaque instant.

33. La conscience vient, et une fois venue ne s'en va plus, lorsque l'attention se tient à la porte de l'esprit pour la garder.

34. Il me faut donc tout d'abord surveiller constamment mon esprit de cette manière. Il faut ensuite que je me tienne comme privé d'organes, comme une souche.

35. Jamais de coups d'œil jetés çà et là sans utilité ; la vue doit être toujours baissée, comme dans une profonde méditation.

36. Pour se délasser la vue, on peut de temps en

temps regarder l'horizon ; ou, si on aperçoit l'ombre d'un passant, on peut lever les yeux sur lui et le saluer.

37. En se mettant en route, pour se rendre compte des dangers possibles, on peut examiner successivement les quatre points cardinaux, mais on doit pour cela s'arrêter et se retourner.

38. Ayant ainsi regardé en avant et en arrière, on peut avancer ou reculer et faire à bon escient ce qui convient en chaque occurrence.

39. « Telle doit être la position du corps », se dit le néophyte en commençant une action ; et, tandis qu'elle est en cours, il doit vérifier de temps en temps sa position.

40. Il doit surveiller de près l'esprit, cet éléphant en rut, de peur qu'il ne rompe le lien qui l'attache à ce grand poteau : le respect de la Loi.

41. « Où est mon cœur ? » se dit-il, et il le surveille, de manière qu'il ne rejette pas en un clin d'œil le joug du recueillement.

42. Si toutefois il ne le peut en certaines circonstances, telles qu'un danger, une fête, à son gré ! Car il est dit qu'au temps de la charité, la moralité peut être négligée.

43. Si l'on a entrepris une œuvre à bon escient, il ne faut pas penser à une autre ; on doit d'abord l'achever en y mettant tout son cœur.

44. De la sorte, tout sera bien fait ; autrement l'une et l'autre actions seront manquées, et le vice de l'inconscience prendra un nouveau développement.

45. Il faut étouffer en soi tout intérêt pour les causeries variées auxquelles on se livre trop souvent, et pour les choses merveilleuses.

46. Écraser de la terre, couper des herbes, tracer des lignes sont des actes stériles ; pensant à la règle des Buddhas, on doit les craindre et y renoncer à l'instant.

47. Quand on veut bouger ou parler, il faut

d'abord examiner son esprit et le mettre en état de tranquillité.

48. Si on se sent le cœur attiré ou repoussé, il ne faut ni agir ni parler, mais rester immobile comme une souche.

49-50. Lorsque le cœur s'avère hautain, railleur, orgueilleux, infatué, brutal, insidieux, fourbe, présomptueux, malveillant, dédaigneux, querelleur, il faut rester immobile comme une souche.

51. Mon esprit est en quête de gain, d'honneurs, de gloire, de popularité, d'hommages : je resterai donc immobile comme une souche.

52. Mon esprit est rebelle à l'intérêt d'autrui, appliqué au mien, friand de clientèle et enclin à parler : je resterai donc immobile comme une souche.

53. Il est intolérant, indolent, timide, téméraire, bavard, uniquement dévoué à sa coterie : je resterai donc immobile comme une souche.

54. Quand il voit son cœur ainsi troublé, en proie à d'inutiles projets, toujours le vaillant doit le brider fortement par la méthode des contraires.

55-57. Déterminé, bienveillant, ferme, soumis, respectueux, ayant la pudeur et la crainte du péché, apaisé, appliqué à satisfaire les autres ; jamais excédé par les désirs contradictoires des insensés, mais au contraire compatissant envers eux, dans la pensée que c'est là l'effet des passions ; toujours soumis à moi-même et aux autres en toutes choses permises ; sans intérêt personnel, comme une création magique : tel je garderai mon esprit.

58. Me rappelant sans cesse le moment unique obtenu après un si long temps, je garderai mon esprit immuable comme le Sumeru *.

59. Traîné çà et là par les vautours avides de chair, pourquoi le corps inanimé ne fait-il aucune résistance ?

60. Pourquoi, ô mon cœur, veiller sur cet amas, le prenant pour ton moi ? S'il est distinct de toi, que t'importe sa disparition ?

61. Insensé ! tu ne prends pas pour ton moi une

poupée de bois, qui est propre ; pourquoi veiller sur une machine composée d'éléments impurs et destinée à la pourriture ?

62-63. Enlève d'abord par la pensée cette enveloppe de peau ; puis, avec le couteau de l'intuition, sépare la chair de son armature d'os ; romps les os eux-mêmes, regarde la moelle qui est à l'intérieur et demande-toi ce qu'il y a là-dedans d'essentiel.

64. En regardant avec le plus grand soin, tu ne vois rien d'essentiel ! Réponds à présent : pourquoi maintenant encore gardes-tu ton corps ?

65. On ne mange pas le sperme, on ne boit pas le sang, on ne suce pas les entrailles : que veux-tu faire de ton corps ?

66-67. S'il est utile à garder, c'est pour servir de pâture aux vautours et aux chacals.

Sans doute ce misérable corps est pour les hommes un instrument d'action. Mais tu as beau le garder : la Mort impitoyable te l'arrachera pour le jeter aux vautours ; alors que feras-tu ?

68. Si un serviteur ne doit pas rester dans la maison, on ne lui donne ni vêtements ni autres cadeaux. Le corps, ayant mangé, s'en ira : pourquoi te mettre en frais pour lui ?

69. Donne-lui son salaire, puis, ô mon cœur, occupe-toi de ton propre intérêt : car on ne donne pas à un salarié tout ce qu'il gagne.

70. Il faut voir dans le corps un vaisseau qui va et vient ; fais que le corps aille et vienne à ton gré pour conduire les êtres à leur but.

71. Ainsi maître de son moi, que le Bodhisattva soit toujours souriant ; qu'il évite les froncements de sourcils ; qu'il soit le premier à adresser la parole ; qu'il soit l'ami du monde.

72. Qu'il ne laisse pas tomber un siège ou un autre meuble avec fracas et brusquerie ; qu'il ne heurte pas bruyamment aux portes ; qu'il se plaise à ne pas faire de bruit.

73. Le héron, le chat, le voleur marchent silencieux

et inaperçus, et ainsi ils obtiennent ce qu'ils ont en vue : que l'ascète fasse toujours comme eux.

74. De ceux qui sont habiles à diriger les autres et qui rendent service sans en être priés, qu'il porte la parole sur sa tête; qu'il soit pour tous les êtres un disciple.

75. À tous les discours élogieux, qu'il témoigne son approbation ; s'il voit quelqu'un faire une bonne œuvre, qu'il l'encourage par ses louanges.

76. Qu'il vante dans le privé les qualités des autres, et qu'il s'associe avec joie à l'éloge public qui en est fait; si c'est son propre éloge qui est énoncé, qu'il le considère seulement comme un hommage à la vertu.

77. Tous les efforts ont pour but la satisfaction, mais celle-ci est difficile à obtenir, même au moyen de la richesse. Donc je goûterai le plaisir d'être satisfait par les mérites issus de l'effort des autres.

78. Dans cette vie, je n'y perds rien, et j'y gagnerai dans l'autre la grande félicité. Au contraire, les haines engendrent dans ce monde la souffrance du mécontentement, et dans l'autre la grande souffrance.

79. Que sa parole soit correcte et bien ordonnée, claire, séduisante, agréable à l'oreille, empreinte de compassion, d'un ton doux et calme.

80. Qu'il regarde toujours droit les créatures, comme s'il les buvait des yeux, en pensant : « C'est grâce à elles que l'état de Buddha sera mon partage. »

81. Une constante dévotion, les antagonistes [17] ; les champs des qualités et des bienfaiteurs [18] ; les malheureux : autant de sources d'un grand mérite.

82. Qu'il soit habile, énergique, agissant toujours lui-même ; dans toutes les affaires, qu'il ne cède la place à personne.

83. Les perfections, à commencer par celle de la charité, croissent en excellence à mesure qu'on remonte la série; qu'il n'en sacrifie pas une supérieure à une inférieure, hormis la « digue de la conduite » [qu'il faut respecter avant tout].

84. Cela étant bien compris, qu'il travaille avec une

constante énergie au bien des autres ; même ce qui est défendu devient permis pour le compatissant qui voit le bien à faire.

85. Après avoir fait leur part aux malheureux, aux faibles, aux religieux, qu'il mange avec modération ; qu'il sacrifie tout, hormis les trois robes.

86. Son corps est l'auxiliaire de la Bonne Loi : qu'il ne le torture pas en faveur d'un être médiocre ; de cette façon, il remplira promptement l'espérance des hommes.

87. Donc qu'il ne sacrifie pas sa vie pour celui dont les dispositions de compassion sont de mauvais aloi, mais si elles sont égales aux siennes, il doit la sacrifier, car son sacrifice n'est pas perdu.

88. Qu'il n'enseigne pas la Loi à un homme irrespectueux ou qui, tout en étant en bonne santé, est coiffé d'un turban, porteur d'un parasol, d'un bâton, d'une épée, ou qui a la tête couverte.

89. Qu'il ne l'enseigne pas, profonde et sublime comme elle est, à des créatures vulgaires, ni à des femmes hors de la présence d'un homme ; qu'il témoigne un égal respect aux Lois supérieures et inférieures [19].

90. Si quelqu'un se montre digne de la Loi sublime, qu'il ne l'affecte pas à la Loi inférieure ; mais qu'il n'aille pas, en le dispensant des devoirs pratiques, le gagner par l'attrait des Sûtras et des Mantras *.

91. Il est incorrect de jeter son cure-dent ou de cracher en public ; il est funeste et blâmable de souiller l'eau potable et le sol cultivé.

92. Il ne doit pas manger à pleine bouche, avec bruit ou en ouvrant largement la bouche, ni s'asseoir les pieds pendants, ni se gratter les deux bras en même temps.

93. Il ne doit pas voyager ou loger avec la femme d'autrui, si elle est seule. Ayant observé et interrogé, qu'il évite tout ce qui est choquant pour le monde.

94. Qu'il ne fasse pas signe avec le doigt ; mais

qu'il se serve poliment de la main droite entière, même pour indiquer le chemin.

95. Qu'il ne hèle personne en agitant les bras, sauf dans un cas pressant, mais qu'il fasse entendre un claquement de doigts ou un autre bruit ; une conduite différente serait déréglée.

96. Qu'il se couche dans la posture du Nirvâna du Buddha, tourné vers la direction qu'il préfère, conscient, prompt à se lever avant d'y être strictement forcé.

97. Les pratiques édictées pour les Bodhisattvas sont innombrables. Mais celle qu'il faut observer rigoureusement, c'est la Purification de l'esprit.

98. Trois fois par jour et par nuit, qu'il mette en œuvre les trois éléments (moralité, méditation, sagesse) ; par eux, par la pensée de la Bodhi et par le recours aux Vainqueurs, il efface en lui-même la dernière trace du péché.

99. Dans quelque situation qu'il se trouve, soit de son propre gré, soit par soumission à un autre, qu'il pratique soigneusement les règles qui y sont applicables.

100. Il n'est rien que ne doivent pratiquer les Bodhisattvas pour le salut de tous ; et pour celui qui agit ainsi, il n'est rien qui ne soit méritoire.

101. C'est uniquement dans l'intérêt direct ou indirect des êtres qu'il doit agir ; c'est pour eux qu'il doit tout employer à l'acquisition de la Bodhi.

102. Qu'il n'abandonne pas, même au prix de sa vie, un saint ami, pratiquant la règle des Bodhisattvas et expert dans le sens du Mahâyâna.

103. Qu'il étudie dans le *Çrîsambhavavimoksha* * la conduite à tenir envers les gurûs. Les préceptes exposés ici et les autres enseignements du Buddha sont à apprendre par le texte des Sûtrântas.

104. Les règles sont énoncées dans les Sûtras : qu'il récite donc les Sûtras, et qu'il apprenne les péchés graves dans l'*Âkâçagarbha-sûtra* *.

105. Il est nécessaire de lire sans cesse le *Çikshâsa-*

muccaya *, parce que la pratique des bons y est expliquée en détail.

106. Ou bien encore qu'il étudie, comme abrégé, le *Sûtrasamuccaya* * et le second ouvrage de même titre composé par le vénérable Nâgârjuna.

107. Par là, il verra ce qui lui est défendu et prescrit ; l'ayant vu, il pourra pratiquer la règle pour garder en lui la pensée des créatures.

108. Voici en résumé la définition de la conscience : c'est l'examen répété de notre état physique et moral.

109. C'est en actes que je proclamerai la Loi ; à quoi bon en réciter seulement les paroles ? Quel bien le malade tirerait-il de la seule lecture d'un traité médical ?

VI

La patience

1. Toutes ces bonnes œuvres, la charité, le culte des Buddhas, le bien qu'on a fait pendant des milliers de kalpas, tout cela est détruit par la haine.

2. Il n'y a pas de vice égal à la haine, ni d'ascèse égale à la patience ; donc il faut, par des moyens variés, cultiver activement la patience.

3. L'âme n'atteint pas la paix, ne goûte pas la joie et le bien-être, ne parvient pas au sommeil et à l'équilibre, tant qu'est fiché dans le cœur le dard de la haine.

4. Cadeaux, égards, protection n'empêchent pas ceux qui en profitent de souhaiter la perte du maître que sa dureté leur rend odieux.

5. Ses amis mêmes se dégoûtent de lui ; il donne et n'est point servi ; bref, il n'est rien par quoi l'homme irascible puisse être heureux.

6. Celui qui, reconnaissant dans la colère l'ennemi auteur de tous ses maux, l'attaque avec énergie, celui-là est heureux en ce monde et dans l'autre.

7. Né de la crainte réalisée ou du désir trompé, le mécontentement est l'aliment de la haine qui, fortifiée par lui, me perdra.

8. Donc, je détruirai l'aliment de cet ennemi, qui n'a d'autre rôle que de m'assassiner.

9. Que la pire calamité me survienne, ma joie n'en doit pas être troublée ; car le mécontentement lui aussi est sans plaisir, et de plus il dissipe le mérite acquis.

10. S'il y a un remède, à quoi bon le mécontentement ? S'il n'y a pas de remède, à quoi bon le mécontentement ?

11. Douleur, humiliation, propos blessants, diffamation, tout cela nous le craignons pour nous et ceux que nous aimons, mais non pour notre ennemi, au contraire !

12. Le plaisir s'obtient à grand-peine ; la douleur vient sans qu'on y pense : or la douleur, c'est le salut ; sois donc ferme, ô mon âme !

13. Les habitants du Carnatic *, dévots à Durgâ *, s'imposent en vain la souffrance des brûlures et des lacérations : et moi, avec la délivrance pour but, comment pourrais-je être lâche ?

14. Il n'existe rien d'irréalisable par l'exercice ; donc, en s'habituant à des souffrances légères, on arrive à en supporter de grandes.

15. Moustiques, taons, mouches, faim, soif et autres sensations douloureuses, démangeaisons violentes et autres souffrances, pourquoi les négliger comme inutiles ?

16. Froid, chaud, pluie, vent, fatigue, prison, coups : il faut s'endurcir à tout cela, pour ne pas ensuite souffrir davantage.

17-18. Il en est qui, en voyant couler leur sang, redoublent de vaillance ; il en est qui défaillent à la vue du sang d'un autre : cela vient de la fermeté ou de la faiblesse de l'esprit ; il suffit donc de résister à la douleur pour s'en rendre maître.

19. La douleur ne doit pas troubler la sérénité du sage ; car il se bat contre les Passions, et la guerre ne va pas sans douleur.

20. Ceux qui battent l'ennemi en offrant leur poitrine à ses coups, ceux-là sont des vainqueurs héroïques ; les autres ne sont que des tueurs de morts.

21. La douleur a une grande vertu : c'est un ébranlement qui provoque la chute de l'infatuation, la pitié envers les créatures, la crainte du péché, la foi dans le Buddha.

22. Je ne m'irrite pas contre la bile et autres humeurs, bien qu'elles soient cause de grandes souffrances ; pourquoi m'irriter contre des êtres conscients ? Eux aussi sont irrités par les causes.

23. De même que ces souffrances sont produites par les humeurs sans être voulues, de même l'irritation de l'être conscient naît par force et sans être voulue.

24. L'homme ne s'irrite pas à son gré en pensant : « Je vais me mettre en colère », pas plus que la colère ne naît après avoir projeté de naître.

25. Mais toutes les fautes, tous les péchés se produisent par la force des causes : il n'en est point qui soient spontanés.

26. La réunion des causes ne pense pas qu'elle engendre, et l'effet ne pense pas qu'il est engendré.

27. Ce principe même qui est postulé sous le nom de Matière primitive (*Pradhâna*) ou imaginé sous le nom d'Âme (*Âtman*), ne naît pas après avoir pensé : « Je nais. »

28. Car avant d'être né, il n'existe pas : comment donc désirerait-il être ?

[S'il est éternel], il ne peut cesser d'être en fonction de son objet [et la délivrance est impossible].

29. Si l'Âtman est éternel, inconscient et infini, comme l'espace, il est évidemment inactif ; même en contact avec d'autres causes, comment ce qui est immuable pourrait-il agir ?

30. S'il est, au moment de l'action, ce qu'il était auparavant, quelle action pourrait-il exercer? « Son action propre », dit-on; mais dans ce complexe de causes, lequel des deux éléments est la cause?

31. Ainsi tout dépend d'une cause; et cette cause aussi est dépendante. Contre des automates pareils à des créations magiques, à quoi bon s'irriter?

32. « Mais, dira-t-on, la résistance non plus n'est pas possible : qui résisterait et à quoi? » Si, elle est possible! Puisqu'il y a enchaînement des causes, il y a possibilité d'abolir la douleur.

33. Donc si l'on voit un ami ou un ennemi tenir une conduite répréhensible, il faut se dire : « Ce sont ses antécédents qui agissent », et garder sa sérénité.

34. S'il suffisait à tous les hommes de désirer pour réussir, personne ne souffrirait : car personne ne souhaite la souffrance.

35. Par irréflexion, par colère, par convoitise d'objets inaccessibles, tels que la femme d'autrui, les hommes se déchirent aux ronces, souffrent de la faim et s'infligent toutes sortes de tortures.

36. Il en est qui ont recours au suicide : ils se pendent, se précipitent, s'empoisonnent, se livrent aux excès de la nourriture et de la boisson, commettent un crime capital.

37. Si, sous l'influence des passions, ils détruisent leur corps qui leur est cher, comment épargneraient-ils celui des autres?

38. Envers ces hommes affolés par les passions, acharnés à leur propre perte, loin de manifester de la pitié, on éprouve de la colère : pourquoi?

39. Si la nature de ces insensés est de faire du mal aux autres, il n'est pas plus logique de s'irriter contre eux que le feu dont la nature est de brûler.

40. Si, au contraire, cette tare est adventice, et si les hommes sont naturellement droits, la colère est aussi peu justifiée que contre l'air envahi par une âcre fumée.

41. On ne s'irrite pas contre le bâton, auteur immédiat des coups, mais contre celui qui le manie; or cet

homme est manié par la haine : c'est donc la haine qu'il faut haïr.

42. Jadis, moi aussi, j'ai infligé aux créatures une pareille souffrance : donc je ne reçois que mon dû, moi qui ai tourmenté les autres.

43. Son épée et mon corps, voilà la double cause de ma souffrance : il a pris l'épée, j'ai pris le corps ; contre qui s'indigner ?

44. C'est un abcès en forme de corps que je me suis donné là, un abcès qui souffre du moindre contact. Aveuglé par le désir, comment puis-je m'irriter de la douleur qu'il endure ?

45. Je n'aime pas ma douleur, mais j'aime la cause de ma douleur, fou que je suis ! C'est de mon péché qu'elle est née : pourquoi en vouloir à un autre ?

46. La forêt dont les feuilles sont des glaives, les vautours infernaux ont été engendrés par mes actes, et de même la douleur présente : contre qui m'irriter ?

47. Ce sont mes actes qui poussent mes persécuteurs ; c'est à cause de moi qu'ils iront en enfer. Ne suis-je pas leur meurtrier ?

48. Grâce à eux, mes nombreux péchés s'atténuent par l'exercice de la patience ; à cause de moi, ils iront dans l'enfer aux longues souffrances.

49. C'est moi qui suis leur persécuteur, ce sont eux qui sont mes bienfaiteurs ; comment, renversant les rôles, oses-tu t'irriter, cœur scélérat ?

50. Si je ne tombe pas en enfer, c'est sans doute grâce aux mérites de mes bonnes dispositions : que perdent-ils à ce que je me préserve moi-même ?

51. Si je leur rendais le mal qu'ils me font, ils ne seraient pas sauvés pour cela ; ma carrière de Bodhisattva serait brisée et ces malheureux seraient perdus.

52. L'esprit immatériel ne peut jamais être frappé ; s'il est atteint par la douleur physique, c'est à cause de son attachement au corps.

53. Injures, paroles brutales, calomnies, tout cela ne blesse pas le corps ; d'où vient ta colère, ô mon âme ?

54. Ce n'est pas la défaveur d'autrui qui me dévo-

rera dans cette vie ou dans une autre : pourquoi donc la redouter ?

55. Parce qu'elle tarit mes profits ? Mais mes profits s'évanouiront dès cette vie, tandis que mon péché demeurera dans toute sa force.

56. Mieux vaut mourir aujourd'hui même que de traîner longtemps une vie inutile, puisque, même après avoir longtemps vécu, la douleur de la mort sera la même pour moi.

57-58. Un dormeur, qui a rêvé un bonheur de cent ans, s'éveille ; un autre, qui n'a rêvé qu'un bonheur d'un instant, s'éveille aussi. Quand tous deux sont éveillés, leur bonheur, n'est-ce pas, disparaît. Tel, à l'heure de la mort, celui qui a longtemps vécu et celui qui a peu vécu.

59. Après avoir gagné beaucoup, après avoir savouré de longues délices, je m'en irai nu et les mains vides, comme un homme dépouillé par les voleurs.

60. « Mais, dis-tu, grâce à mes profits, je vis, et en vivant j'use mes péchés et je gagne du mérite. » Quand on se fâche pour une question de lucre, c'est le mérite qu'on use et le péché qu'on gagne.

61. Si le but même de ma vie disparaît, à quoi bon cette vie elle-même qui ne produit que du mal ?

62. Tu hais, dis-tu, ton diffamateur parce qu'il cause la perte de ceux [qu'il excite contre toi] ; pourquoi donc ne t'irrites-tu pas de même contre le calomniateur d'autrui ?

63. Tu pardonnes aux malveillants dont l'aversion est l'effet de la médisance d'autrui : et tu ne pardonnes pas au médisant qui obéit à ses passions !

64. Ceux qui détruisent et outragent les statues, les stûpas, la doctrine, ne méritent pas ma haine, car les Buddhas et les saints n'en souffrent pas.

65. Si quelqu'un maltraite nos maîtres, nos parents, ceux que nous aimons, refrénons notre colère, en considérant que c'est là l'effet des causes.

66. La souffrance des êtres est nécessairement l'œuvre d'une cause consciente ou inconsciente ; elle ne se

manifeste que dans un être conscient; supporte-la donc, ô mon cœur!

67. Des égarés offensent; d'autres égarés se courroucent. Qui d'entre eux dirons-nous innocent ou coupable?

68. Pourquoi as-tu fait jadis ce qui te vaut d'être à présent molesté ainsi par tes ennemis? Nous sommes tous esclaves de nos actes : qui suis-je pour faire exception à cette règle?

69. Ayant bien compris cela, je m'efforce au mérite spirituel, afin que tous soient animés de bons sentiments les uns envers les autres.

70-71. Quand une maison est en feu, on va dans la maison voisine et on en retire la paille et les autres matières inflammables auxquelles le feu pourrait s'attaquer. De même, la pensée dont le contact attiserait le feu de la haine doit être éliminée à l'instant, de peur que la masse de nos mérites ne soit consumée.

72. Si un condamné à mort est remis en liberté après avoir eu la main coupée, où est le mal? Si, au prix des souffrances humaines, on échappe à l'enfer, où est le mal?

73. Si, aujourd'hui, une menue souffrance te semble intolérable, comment ne refrènes-tu pas la colère qui te vaudra les supplices de l'enfer?

74. Par l'effet de la colère, j'ai été précipité des milliers de fois dans les enfers, et cela sans profit, ni pour moi ni pour les autres.

75. Or la douleur présente est bien moindre et elle est la source d'un grand profit. Il faut se réjouir d'une douleur qui supprime la douleur du monde.

76. Il est des hommes qui se délectent à louer les vertus d'autrui : pourquoi, ô mon cœur, ne pas y prendre plaisir, toi aussi?

77. C'est un plaisir irréprochable, délicieux, permis par les saints; c'est le meilleur moyen de gagner le prochain.

78. C'est un plaisir que tu n'aimes pas? Mais alors il faudrait avoir la même aversion pour les salaires, les

aumônes, etc. ; on supprimerait ainsi toutes les récompenses de ce monde et de l'autre.

79. On fait ton éloge : tu admets qu'on y prenne plaisir. On fait l'éloge d'un autre : tu ne veux pas toi-même y prendre plaisir.

80. Tu as suscité en toi la pensée de la Bodhi par désir de rendre heureux tous les êtres. Comment peux-tu t'indigner contre ceux qui se trouvent spontanément heureux ?

81. Tu souhaites, dis-tu, aux êtres l'état de Buddha vénérable aux trois mondes[20] ; et en présence de vains honneurs, tu brûles de jalousie !

82. Celui qui nourrit ceux que tu dois nourrir, celui-là te donne. Tu trouves quelqu'un pour faire vivre ta famille, et au lieu de te réjouir, tu t'irrites !

83. Que ne souhaite-t-il pas aux êtres, celui qui leur souhaite la Bodhi ! D'où viendrait la pensée de la Bodhi à qui est jaloux de la prospérité des autres ?

84. Si un autre religieux ne recevait pas cette aumône, elle resterait dans la maison de son bienfaiteur ; dans tous les cas, elle ne serait pas pour toi. Que t'importe qu'elle lui soit donnée ou non ?

85. Faut-il donc qu'il écarte le fruit de ses mérites, les bontés qu'on a pour lui, ses propres qualités ; qu'il refuse ce qu'on lui offre ? Où s'arrêtera ta mauvaise humeur ?

86. Non seulement tu ne déplores pas le mal que tu as fait, mais tu jalouses ceux qui ont fait le bien !

87-88. Si un malheur arrive à ton ennemi, pourquoi t'en réjouir ? Ce n'est pas ton souhait qui a pu modifier la loi de causalité. Et fût-il réalisé par ton souhait, en quoi ce malheur peut-il faire ton bonheur ? Si tu en profites, quelle perte est pire que ce profit ?

89. C'est un hameçon terrible que l'envie, tendu par ces pêcheurs que sont les Passions : ils te vendront aux démons infernaux qui te feront cuire dans leurs chaudières.

90. Louanges, gloire, honneurs ne servent ni au

mérite, ni à la durée de la vie, ni à la force, ni à la santé, ni au bien-être physique.

91. Or ceux-ci sont les seuls biens auxquels aspire l'homme intelligent qui connaît son intérêt. Les liqueurs, le jeu, les femmes, voilà à quoi s'attache celui qui désire les plaisirs des sens.

92. Et la gloire ! Pour elle, ils sacrifient leurs biens et leur vie. Les mots sont-ils donc mangeables ? Une fois mort, goûtera-t-on ce plaisir ?

93. Comme un enfant, lorsque sa maison de sable est démolie, pousse des cris de détresse, ainsi m'apparaît mon cœur devant la ruine de ma réputation et de ma gloire.

94. La louange est un son vide de pensée, dont tu ne peux dire qu'il te loue ! Tu dis qu'un autre est satisfait de toi, et que telle est la cause de ta joie.

95. Qu'elle s'adresse à un autre ou à moi, que me fait cette satisfaction d'autrui ? C'est lui seul qui éprouve ce plaisir, je n'en ai pas la moindre part.

96. Si je me proclame heureux de son bonheur, alors je dois l'être dans tous les cas. Pourquoi donc le bonheur qu'il trouve dans son affection pour un autre ne me cause-t-il aucun plaisir ?

97. Ainsi la joie naît en moi, parce que c'est moi qu'on loue ; et c'est là une conduite aussi incohérente que celle d'un enfant.

98. Les louanges ruinent à la fois la paix de l'âme et la crainte du péché ; elles engendrent la jalousie à l'égard des hommes de mérite et le dépit de leur prospérité.

99. Donc ceux qui se lèvent pour détruire ma réputation n'ont pour fonction que de me préserver des enfers.

100. Les biens et les honneurs sont une chaîne qui ne convient pas à mon désir de libération ; ceux qui me délivrent de cette chaîne, comment pourrais-je les haïr ?

101. J'allais pénétrer dans la Douleur ; ils sont comme une porte fermée placée devant moi par la

providence des Buddhas : comment pourrais-je les haïr ?

102. « Mais mon ennemi entrave mes bonnes œuvres ! » Mauvaise excuse au ressentiment, car il n'est pas de mortification comparable à la patience, et c'est celle dont il m'offre l'occasion.

103. C'est par ma faute que je ne pratique pas la patience envers lui ; c'est moi qui place l'obstacle devant la bonne œuvre mise à ma disposition.

104. Celui, en effet, sans lequel un autre n'est pas, et par lequel il existe, celui-là est la cause de l'autre : comment peut-on l'appeler obstacle ?

105. Le mendiant qui se présente en temps opportun n'est pas un obstacle à l'aumône ; le religieux rencontré n'est pas un obstacle à l'entrée en religion.

106. Les mendiants sont communs dans le monde, rares les offenseurs, car si je n'offense personne, personne ne m'offensera.

107. Un ennemi acquis sans effort, c'est un trésor surgi dans la maison ; il doit m'être cher, cet auxiliaire de ma carrière spirituelle.

108. Nous avons droit tous deux au fruit de la patience ; mais c'est à lui qu'il doit être offert le premier, puisqu'il est le premier auteur de ma patience.

109. « Mon ennemi n'a pas l'intention de perfectionner ma patience : il ne mérite donc pas que je l'honore ! » Mais alors pourquoi honorer la Bonne Loi, qui n'est que la cause inconsciente de ton perfectionnement ?

110. « Mais il a dessein de me nuire : je ne saurais honorer un ennemi ! » Aurais-je autrement besoin de patience, par exemple, envers un médecin dévoué ?

111. C'est son hostilité qui conditionne ma patience, et cette cause de ma patience, je dois l'honorer comme la Bonne Loi.

112. « Les créatures sont un champ de mérite, comme les Buddhas », a dit le Maître, car par leur dévotion aux unes comme aux autres, beaucoup ont atteint l'autre rive de la félicité.

113. C'est par les créatures, comme par les Buddhas, qu'on obtient les vertus d'un Buddha ; or la vénération qu'on témoigne aux Buddhas, on la refuse aux créatures : pourquoi cette différence ?

114. La grandeur de l'intention se mesure non à l'intention elle-même, mais à ses effets ; les créatures ont donc une grandeur égale à celle des Buddhas, elles vont de pair avec eux.

115. La vénération qui s'attache à la bonté, voilà la grandeur des créatures ; le mérite que produit la dévotion aux Buddhas, voilà la grandeur des Buddhas.

116. Les créatures sont donc semblables aux Buddhas en ce qu'elles possèdent une parcelle des vertus d'un Buddha ; mais aucune n'est en réalité semblable aux Buddhas, océans de qualités dont les parcelles sont infinies.

117. Ceux-ci concentrent en eux l'essence de toutes les qualités : qu'un seul atome s'en trouve dans une créature, les trois mondes ne seraient pas pour elle un hommage suffisant.

118. Or, cette parcelle insigne, qui fait lever en nous les vertus d'un Buddha, elle est présente chez les créatures ; c'est en raison de cette présence que les créatures doivent être honorées.

119. D'ailleurs, quel autre moyen avons-nous de nous acquitter envers les Buddhas, ces amis sincères, ces bienfaiteurs incomparables, que de plaire aux créatures ?

120. Pour les créatures, ils déchirent leur corps, ils pénètrent dans l'enfer : ce qu'on fait pour elles, on le fait pour eux. Il faut donc faire le bien, même à nos pires ennemis.

121. Alors que mes maîtres eux-mêmes se dévouent sans réserve pour leurs enfants, comment pourrais-je, moi, témoigner à ces fils de mes maîtres de l'orgueil, au lieu d'une humilité d'esclave ?

122. Les rois-Buddhas se réjouissent quand les créatures sont heureuses ; ils sont courroucés quand elles souffrent ; ils sont satisfaits quand elles sont

satisfaites ; quand on les offense, ce sont les Buddhas qu'on offense.

123. Celui dont le corps est environné de flammes ne saurait goûter aucun plaisir ; de même, en présence de la souffrance des êtres, les Compatissants ne peuvent éprouver aucune joie.

124. En affligeant les créatures, j'ai affligé tous les Grands Miséricordieux ; je confesse aujourd'hui ce péché, afin que les Buddhas qu'il a blessés me le pardonnent.

125. Dès aujourd'hui, pour complaire aux Buddhas, de toute mon âme je me fais le serviteur du monde. Que la foule des hommes mette le pied sur ma tête ou me tue, et que le Protecteur du monde soit satisfait !

126. Le monde entier, les Compatissants l'ont adopté comme leur moi ; cela n'est pas douteux. Par là, ce sont les Protecteurs eux-mêmes qui apparaissent sous la forme des créatures ; comment oserait-on leur manquer de respect ?

127. Servir les créatures, c'est servir les Buddhas, c'est réaliser ma fin, c'est éliminer la douleur du monde : c'est donc le vœu auquel je m'oblige.

128-130. De même qu'un homme du roi, à lui seul, brutalise la foule, qui, prudente, n'ose pas résister, parce qu'il n'est pas isolé, mais que sa force est la force du roi ; de même, qu'on ne se venge pas d'un adversaire, car sa force, ce sont les gardiens des enfers et les Compatissants. Donc qu'on serve les créatures, comme un sujet sert un roi irascible.

131-132. La colère d'un roi a-t-elle des châtiments comparables aux supplices de l'enfer que nous infligera le déplaisir des créatures ? La faveur d'un roi a-t-elle des récompenses comparables à l'état de Buddha que nous vaudra le contentement des créatures ?

133-134. Sans parler de la condition future de Buddha, qui résulte du service des êtres, ne vois-tu pas que, dans le cycle de nos existences terrestres, la patience nous procure tous les biens : bonheur, gloire, bien-être, charme, santé, joie, longévité, et les larges jouissances d'un souverain du monde ?

VII

L'ÉNERGIE

1. En possession de la patience, il faut cultiver l'énergie, puisque la Bodhi a son siège dans l'énergie : sans l'énergie, en effet, le mérite spirituel est impossible, comme sans le vent le mouvement.

2. Qu'est-ce que l'énergie ? Le courage au bien. Quels en sont les adversaires ? L'indolence, l'attachement au mal, le découragement et le mépris de soi.

3. L'inertie, le goût du plaisir, la torpeur, le besoin d'appui engendrent l'insensibilité à la douleur des transmigrations, et de là naît l'indolence.

4. Tu es au pouvoir de ces pêcheurs, les Passions, puisque tu es tombé dans le filet des naissances. Comment n'as-tu pas encore compris que tu es entré dans la gueule de la Mort ?

5. Ne vois-tu pas tous tes compagnons mourir l'un après l'autre ? Et cependant tu te laisses aller à l'indolence, comme un buffle de paria !

6. Yama te guette ; toute issue t'est fermée. Comment peux-tu prendre plaisir aux repas, au sommeil, à l'amour ?

7. Quand la mort aura achevé ses préparatifs et fondra sur toi, tu secoueras ton indolence, mais trop tard : que pourras-tu faire alors ?

8-9. « Ceci reste à faire, ceci est seulement commencé, ceci n'est qu'à moitié fait, et voilà que la mort surgit à l'improviste. Ah ! je suis perdu ! » Ainsi penseras-tu en voyant tes parents désespérés, les yeux gonflés de chagrin et rougis par les larmes, et devant toi la face des messagers de Yama.

10. Torturé par le souvenir de tes péchés, entendant les clameurs de l'enfer, souillé de tes ordures, dans l'excès de ton effroi, éperdu, que feras-tu ?

11. « Je suis comme un poisson dans le vivier. » Voilà la pensée qui doit te faire trembler dès la vie présente, toi surtout, pécheur, devant les terribles supplices des enfers.

12. Tu souffres, ô délicat, pour avoir touché de l'eau chaude ; comment peux-tu, coupable d'un péché digne des flammes infernales, rester ainsi en sécurité ?

13. Tu es nonchalant et tu convoites des récompenses ; tu es douillet et tu es voué à toutes les souffrances ; tu es déjà saisi par la mort et tu te crois immortel. Ah ! malheureux ! tu vas à ta perte !

14. Tu disposes de la nef Humanité : traverse donc le fleuve Douleur ! Insensé, ce n'est pas le moment de dormir ! Cette nef est difficile à trouver une autre fois.

15. Comment peux-tu renoncer à l'exquise volupté du devoir, source de voluptés infinies, pour la volupté des dissipations et des rires, qui n'engendre que la douleur ?

16. Le courage, l'armée, l'application, la maîtrise de soi, l'identification de soi et d'autrui, l'interversion de soi et d'autrui, voilà les facteurs de l'énergie.

17-18. Il ne faut pas se décourager en pensant : « Comment obtiendrais-je la Bodhi ? » puisque — le Tathâgata véridique l'a dit en toute vérité — ils furent des taons, des moustiques, des mouches, des vers, ceux qui, par leur effort, ont obtenu la Bodhi difficile à atteindre.

19. Et moi, qui suis né homme, capable de discerner le bien et le mal, pourquoi donc, en suivant les règles des Omniscients, n'obtiendrais-je pas aussi la Bodhi ?

20. Mais je tremble à l'idée de donner mes mains, mes pieds et mes autres membres ! — C'est que je

confonds par irréflexion ce qui est grave et ce qui est insignifiant.

21-22. Ce qui est grave, c'est d'être coupé, fendu, brûlé, lacéré, pendant d'innombrables millions de kalpas, et sans obtenir la Bodhi. Ce qui est insignifiant, c'est cette douleur limitée, qui procure la Bodhi, pareille à la douleur que cause l'extraction d'un dard enfoncé dans les chairs, et qui met fin à celle qu'on éprouvait.

23. Tous les médecins guérissent au moyen d'opérations douloureuses : donc il faut souffrir un peu pour éliminer de grandes souffrances.

24. Mais cette opération, toute salutaire qu'elle soit, le meilleur des médecins ne l'ordonne pas au débutant : c'est par un traitement doux qu'il guérit les maladies graves.

25. Tout d'abord, le Maître prescrit à son disciple de donner des légumes et autres aliments, puis il le rend par degrés capable de sacrifier jusqu'à sa chair.

26. Celui qui parvient à considérer du même œil des légumes et sa chair n'éprouve plus aucune difficulté à sacrifier sa chair et ses os.

27. Impeccable, il est à l'abri de la souffrance physique ; sage, à l'abri de la souffrance morale ; puisque l'esprit souffre par l'erreur, et le corps par le péché.

28. Le corps est heureux par la vertu, le cœur par la sagesse ; restant dans le cercle des transmigrations par compassion pour les êtres, de quoi souffrirait-il ?

29. Détruisant ses anciens péchés, absorbant des océans de mérite, par la force de la pensée de la Bodhi, il va plus vite que les Auditeurs [21].

30. Allant ainsi de bonheur en bonheur, quel être intelligent se découragerait, quand il a obtenu ce char qu'est la Pensée de la Bodhi, qui lui épargne toute douleur et toute fatigue ?

31. Pour réaliser le salut des créatures, il faut une armée de quatre corps : Aspiration, Fierté, Joie, Renonciation.

L'Aspiration s'acquiert par la crainte de la douleur et la pensée des avantages.

33[22]. J'ai à détruire d'innombrables vices, pour moi et les autres ; dans cette tâche, la destruction de chaque vice n'a lieu qu'après des océans de kalpas.

34. Pour cette entreprise de la destruction des vices, je ne vois pas en moi une seule parcelle d'énergie. Destinée à des douleurs infinies, comment ma poitrine n'éclate-t-elle pas ?

35. Il me faut acquérir des vertus nombreuses, pour moi et les autres ; or la pratique de chaque vertu ne s'acquiert — et encore ! — qu'après des océans de kalpas.

36. Or je n'ai pas encore acquis la pratique d'une seule parcelle de vertu ; c'est pour rien que j'ai obtenu cette naissance merveilleuse si difficile à atteindre.

37. Je n'ai pas connu la joie des grandes fêtes d'hommage aux Bienheureux ; je n'ai pas rendu d'honneurs à la religion ; je n'ai pas rempli l'espérance des pauvres.

38. Aux hommes en péril, je n'ai pas assuré la sécurité ; les souffrants n'ont pas reçu de moi le bien-être ; je n'ai été qu'un glaive de douleur dans le sein de ma mère.

39. Dans mes vies antérieures, je n'ai point aspiré à la Loi : c'est pourquoi je suis maintenant dans une telle infortune. Qui voudrait, après cela, abdiquer l'aspiration vers la Loi ?

40. Le Buddha a déclaré que l'Aspiration était la racine de tous les mérites ; elle-même a pour racine la méditation constante des fruits de nos actes.

41. Douleurs physiques, douleurs morales, périls multiples, enfin la ruine de tous leurs désirs : voilà ce qui attend les pécheurs.

42. Le désir des gens vertueux, à quelque objet qu'il s'adresse, sera, grâce à leurs mérites, honoré des fruits souhaités, comme d'un présent de bienvenue.

43. Mais le désir de bonheur que forment les pécheurs, à quelque objet qu'il s'adresse, sera, en

conséquence de leurs démérites, tranché par les glaives de la douleur.

44. Formés au cœur des grands lotus parfumés et frais, développant leurs corps brillants par l'aliment que leur donne la parole harmonieuse du Vainqueur, les Bodhisattvas, grâce à leurs bonnes œuvres, sortent enfin des calices épanouis aux rayons du Saint et naissent sous ses yeux dans leur parfaite beauté.

45. Hurlant de douleur d'être écorché par les serviteurs de Yama, le corps arrosé de cuivre fondu à la chaleur du feu, la chair lacérée par des centaines de coups de lances et d'épées enflammées, le pécheur, par suite de ses péchés, tombe et retombe dans les enfers pavés de fer rouge.

46. Donc, pratiquons l'aspiration au bien. Après l'avoir développée soigneusement, il faut s'attaquer à la culture de la fierté, d'après la méthode du *Vajradhvaja-sûtra*.

47. Ayant d'abord vérifié sa force, qu'on entreprenne ou non ; car mieux vaut s'abstenir que de renoncer après avoir entrepris.

48. Sinon, on recommence dans les vies suivantes, on accroît ses souffrances avec ses péchés, on néglige une autre œuvre, on perd son temps et on n'achève rien.

49. La fierté s'applique à trois choses : l'action, les passions, la puissance. « J'agirai seul ! », voilà la fierté de l'action.

50. Asservi par les Passions, ce monde est incapable de faire lui-même son salut. C'est donc à moi à l'opérer pour lui, car je ne suis pas impuissant comme le monde.

51. Un autre fait une besogne humiliante. Pourquoi, puisque je suis là ? Si l'orgueil m'empêche de prendre sa place, périsse plutôt mon orgueil !

52. Le corbeau devient un Garuda* devant un lézard mort. La moindre tentation m'abattra si mon cœur est faible.

53. Pour qui est inactif par découragement, les

chutes sont faciles ; mais celui qui est alerte et énergique tient tête aux plus puissants ennemis.

54. Donc je veux, d'un cœur ferme, réaliser la perte de ma perte. Désirer la conquête de l'univers est ridicule, si je succombe à la tentation.

55. Il faut que je sois vainqueur de tout sans être vaincu par rien. Telle est la fierté qui doit s'éveiller en moi. Car je suis le fils des Lions, des Vainqueurs !

56. Les hommes vaincus par l'orgueil sont des lâches et non des orgueilleux : car l'homme orgueilleux ne se rend pas à son ennemi, et ceux-là acceptent le joug de leur ennemi : l'orgueil.

57-58. L'orgueil les mène aux conditions malheureuses ; même dans la condition humaine, ils vivent sans joie, mangeant le riz des autres, esclaves, inintelligents, laids, maigres, méprisés de tous, pauvres diables paralysés par l'orgueil. Si de tels hommes comptent au nombre des orgueilleux, quels seront, dis-moi, les avilis ?

59. Ceux-là sont fiers, victorieux, héroïques, qui mettent leur orgueil à vaincre cet ennemi : l'orgueil ; qui ayant écrasé l'orgueil, cet ennemi frémissant, proclament au monde, selon leur désir, le fruit de leur victoire.

60. Jeté au milieu de la bande des Passions, qu'il soit mille fois plus fier, invincible qu'il est aux Passions, comme le lion aux troupeaux de gazelles.

61. La plus pressante nécessité ne saurait faire que l'œil perçoive les saveurs ; de même, les plus pénibles épreuves ne sauraient faire que le Bodhisattva cède aux Passions.

62. L'action qu'il entreprend, il doit s'y adonner passionnément, s'y mettre avec ivresse, d'un cœur insatiable, comme un joueur dévoré du désir de gagner.

63. Toute action a pour but le bonheur : elle peut le donner ou non ; mais celui dont le bonheur consiste dans l'action même, comment serait-il heureux s'il n'agit pas ?

64. On ne se rassasie pas des plaisirs du monde,

pareils au miel sur le tranchant d'un rasoir ; comment donc serait-on rassasié de l'ambroisie des bonnes œuvres, qui mûrissent en fruits de douceur et de sanctification ?

65. Donc, une action finie, qu'il se plonge dans une autre, comme l'éléphant brûlé par la chaleur de midi se plonge dans le premier lac qu'il rencontre.

66. Si sa force est épuisée, qu'il renonce provisoirement à agir ; et lorsque l'œuvre est parfaite, qu'il la laisse de côté, dans l'impatience de celle qui lui succède.

67. Qu'il soit en garde contre les attaques des Passions et qu'il les contre-attaque vigoureusement, comme celui qui engage un combat à l'épée contre un habile adversaire.

68. De même que, dans ce combat, si son épée tombe, il la ramasse bien vite avec crainte, de même, s'il laisse tomber l'épée de l'attention, qu'il la ressaisisse en pensant aux enfers.

69. Comme le poison qui atteint le sang se répand dans le corps, ainsi le vice, s'il trouve une fissure, se répand dans l'âme.

70. Comme le porteur d'un vase plein d'huile, qui marche au milieu d'hommes armés d'épées, et menacé de recevoir la mort au moindre faux pas, concentre son attention : tel celui qui marche à la sainteté.

71. Comme un homme qui sent un serpent sur sa poitrine, se dresse brusquement ; ainsi le Bodhisattva doit réagir en hâte à l'approche du sommeil et de l'indolence.

72. À chaque défaillance, il doit se bien repentir et songer : « Comment faire que ceci ne m'arrive plus ? »

73. Pour cette raison, il recherche la société et la collaboration des sages, afin d'apprendre d'eux la pratique de l'attention dans chaque cas particulier.

74. Qu'il rende son âme légère, se rappelant le « Discours sur l'attention [23] », de sorte qu'il se trouve prêt en toute occurrence, avant le moment de l'action.

75. Comme un flocon de coton obéit aux allées et

venues du vent, de même qu'il se laisse guider par l'énergie ; c'est ainsi qu'on réalise la puissance magique.

VIII

Le recueillement

1. Ayant ainsi développé l'énergie, qu'il fixe son esprit dans le recueillement : l'homme dont l'esprit est dissipé est entre les crocs des passions.

2. L'isolement physique et mental élimine toute possibilité de dissipation. Donc qu'on renonce au monde et qu'on évite les préoccupations.

3. Si on ne renonce pas au monde, c'est par affection et par convoitise du gain ou d'autres biens. Pour se débarrasser de ces obstacles, le sage doit faire cette réflexion :

4. C'est par le recueillement que l'homme clairvoyant achève la destruction des passions. C'est donc le recueillement qu'il faut chercher en premier lieu, et il naît de l'indifférence à l'égard des plaisirs du monde.

5. Comment un être éphémère peut-il s'attacher à d'autres éphémères ? Pendant des milliers d'existences, il ne verra plus l'objet de son affection.

6. S'il ne le voit pas, il tombe dans la tristesse et ne peut se maintenir dans le recueillement ; quand il l'a vu, il n'est pas rassasié et la soif de sa présence le tourmente comme auparavant.

7. Il ne voit pas la réalité, il perd la crainte du péché, il est dévoré de chagrin, par désir d'être réuni à ce qu'il aime.

8. Dans ce souci, il use vainement, d'heure en heure,

sa courte vie. Pour un ami passager, il abandonne la Loi éternelle.

9. S'il imite les fous, il va forcément à l'enfer ; s'il se distingue d'eux, ils ne peuvent le souffrir : à quoi bon leur société ?

10. Un instant, ils sont nos amis ; un instant après, ils sont nos ennemis ; si on croit leur plaire, on les froisse : ce n'est pas une tâche facile que de contenter les vilains.

11. Exhortés au bien, ils s'irritent et me détournent moi-même du bien ; si je ne les écoute pas, ils s'irritent encore et se vouent au châtiment.

12. Jaloux de son supérieur, hostile à son égal, arrogant envers son inférieur, grisé par la louange, exaspéré par la critique, quand le sot produit-il le bien ?

13. Exaltation de soi-même, dénigrement des autres, entretiens sur les plaisirs du monde : toujours le fou recueille du fou quelque chose de funeste.

14. Rapprocher l'un de l'autre, c'est conjoindre les maux : je vivrai dans la solitude, le corps à l'aise et le cœur tranquille.

15. Fuis de loin le fou ; si tu le rencontres, il faut le traiter avec aménité, non pour te lier avec lui, mais pour rester équitable, comme il sied au sage.

16. Prenant seulement ce qui sert au mérite spirituel, comme une abeille qui ne prend que le suc des fleurs, je passerai partout, sans avoir commerce avec personne, comme la nouvelle lune.

17. « Je suis opulent, honoré, recherché... » Brusquement la mort surgit devant le mortel terrifié.

18. Tout objet où l'âme cherche son plaisir, trompée par un faux bonheur, se charge en une souffrance mille fois plus grande.

19. Si tu es sage, ne recherche pas le plaisir ; cette recherche engendre le danger. Se présente-t-il de lui même, considère-le avec fermeté.

20. Il y a eu beaucoup de riches et beaucoup d'illustres ; avec leurs richesses et leur gloire, personne ne les connaît : où sont-ils allés ?

21. D'autres me méprisent : pourquoi me réjouir d'être loué ? D'autres me louent : pourquoi m'affliger d'être dénigré ?

22. Les hommes ont des aspirations diverses ; les Buddhas eux-mêmes ne peuvent les satisfaire, à plus forte raison des ignorants comme moi. Pourquoi donc prendre souci des jugements du monde ?

23. On dénigre le pauvre et on condamne le riche : avec des gens si difficiles à vivre, comment goûter du plaisir ?

24. L'homme borné n'aime personne, ont dit les Buddhas, puisqu'il n'aime pas hors de son intérêt personnel.

25. Or l'amour qui passe par la porte de l'intérêt n'est rien d'autre que l'amour de soi, comme on ne déplore la ruine d'autrui qu'à cause des plaisirs qu'on y perd.

26. Les arbres ne sont ni dédaigneux ni intraitables : quand pourrai-je vivre avec eux, dont la société est si facile ?

27. Demeurant dans un temple désert, au pied des arbres ou dans les grottes, quand m'en irai-je indifférent, sans regarder derrière moi ?

28. Dans les libres et larges retraites naturelles, quand demeurerai-je indépendant et détaché ?

29. Riche seulement d'un pot de terre et d'une robe inutile aux voleurs, quand demeurerai-je affranchi de toute crainte sans avoir à protéger mon corps ?

30. Quand irai-je au charnier, la propre demeure du corps, pour mettre en présence les cadavres des autres et mon corps à moi, voué comme eux à la corruption ?

31. Voilà mon corps, voilà la pourriture qu'il deviendra ; son odeur écartera jusqu'aux chacals.

32. Il restera seul ; les os mêmes qui en faisaient partie intégrante se disperseront de tous côtés, à plus forte raison les amis.

33. L'homme naît seul et meurt seul ; personne ne peut prendre une part de sa peine. Alors que sont pour lui les amis ? Des entraves.

34. Comme le voyageur s'arrête au gîte d'étape, ainsi l'être qui fait le voyage de l'existence séjourne dans une vie.

35. Avant que les quatre porteurs ne l'emportent au milieu des gémissements de son entourage, qu'il parte pour la forêt !

36. Sans attachement et sans aversion, réduit à son pauvre petit corps, déjà mort au monde, il ne s'affligera plus de mourir.

37. Personne près de lui dont le chagrin lui perce le cœur ; personne pour le distraire de la pensée du Buddha et de la Loi.

38. La solitude est délicieuse, exempte de peines, propice au salut, écartant toute dissipation ; je veux m'y consacrer toujours.

39. Délivré de tout autre souci, l'esprit concentré sur ma pensée, je m'efforcerai de la rendre attentive et docile.

40. L'amour est une source de malheur en ce monde et dans l'autre : dans cette vie, la prison, la mort, les mutilations ; dans l'autre vie, l'enfer.

41-43. Vois ces os ! Pour eux, tu as fait bien des courbettes aux entremetteurs et aux entremetteuses ; tu as accumulé sans compter les péchés et les mépris, risqué jusqu'à ta vie et dissipé ta fortune. Quand tu les embrassais, tu te sentais au comble de la félicité. Eh bien ! les voilà, ces os ; ce sont bien eux et non d'autres ; ils sont maintenant indépendants et sans maître. Tu peux les embrasser à ton aise : eh quoi ! tu n'en es pas ravi ?

44-46. Ce visage qui se baissait pudiquement et qu'on avait peine à faire lever, qu'un voile cachait aux yeux mêmes qui l'avaient déjà vu comme à ceux qui l'ignoraient encore, les vautours, plaignant ta peine, s'occupent maintenant à le dévoiler. Regarde-le ! Eh bien ! tu fuis ? Lui que tu protégeais avec tant de soin contre les regards des autres, on le mange maintenant. Allons, jaloux ! Tu ne le défends pas ?

47. Tu as vu cette masse de chair dévorée par les

vautours et les autres bêtes : c'est leur proie que tu pares de guirlandes, de santal, de bijoux !

48. Tu frémis de voir ce cadavre immobile ; pourquoi n'en as-tu pas peur, quand quelque démon le met en mouvement ?

49. Tu en étais épris quand il était caché ; mis à nu, il te fait horreur. Si tu n'as rien à en faire, pourquoi le caressais-tu quand il était caché ?

50. La salive et l'ordure ont une même origine : la nourriture. Si l'ordure te répugne, pourquoi aimes-tu boire la salive ?

51. Les coussins bourrés de coton, doux au toucher, sont sans charme pour le débauché : ils ne dégagent pas l'impur relent qui l'affole !

52-53. Si tu aimes l'impureté, pourquoi embrasser une autre armature d'os reliés par les tendons et cimentés par le mortier de la chair ? Ton propre corps a toute l'impureté désirable : tu peux t'en contenter, sans chercher ailleurs, ô affamé d'ordures, un autre réceptacle d'immondices.

54. Tu aimes, dis-tu, cette chair ; tu désires la voir et la toucher. Comment peux-tu désirer une chair qui est de sa nature inconsciente ?

55. L'âme que tu désires ne peut être vue ni touchée ; et le corps qui peut l'être n'en sait rien : c'est en vain que tu l'embrasses !

56. Tu peux ignorer que le corps d'autrui est fait d'immondices ; mais tu ne t'aperçois pas que ton propre corps est immonde ; voilà ce qui est surprenant !

57. Dédaignant le jeune lotus épanoui sous les rayons d'un soleil sans nuages, comment peut-on, l'âme enivrée d'impureté, chercher son plaisir dans un réceptacle d'ordures ?

58. Tu refuses de toucher la terre, si elle est souillée d'immondices : le corps d'où elles sortent, comment peux-tu désirer le toucher ?

59. Si tu n'as pas la passion de l'impureté, pourquoi embrasses-tu un autre corps dont l'impureté est le lieu de naissance, le germe et l'aliment ?

60. Tu n'as pas de goût pour les vers immondes et nés de l'ordure. C'est sans doute à cause de leur petitesse, puisque tu aimes le corps né lui aussi de l'ordure et composé d'une masse énorme d'ordures.

61. Non seulement tu n'as pas le dégoût de ta propre impureté, mais tu recherches encore, ô mangeur d'ordures, d'autres vases d'impureté !

62. Les choses attrayantes, telles que le camphre, le riz, les condiments, si elles sont rejetées de la bouche, rendent impure la terre elle-même.

63. Si tu ne crois pas à l'impureté de ton corps, quelque évidente qu'elle soit, regarde d'autres corps affreux, jetés dans les charniers.

64. Puisque, la peau enlevée, le corps n'excite qu'une profonde horreur, comment, le connaissant tel qu'il est, peux-tu y prendre plaisir ?

65. S'il répand une bonne odeur, c'est du santal qu'elle provient. Pourquoi s'attacher à un objet à cause d'un parfum étranger ?

66. Si le corps naturellement fétide n'excite pas la passion, n'est-ce pas tant mieux ? Pourquoi les hommes, épris de ce qui leur nuit, l'oignent-ils de parfums ?

67. Qu'est-ce que cela fait au corps que le santal ait une bonne odeur ? Pourquoi s'attacher à un objet à cause d'une odeur étrangère ?

68. Si le corps est souillé de taches et de boue, avec les cheveux et les ongles longs, les dents jaunes et malpropres, il est repoussant de sa nature.

69. Pourquoi donc le préparer avec soin, comme une épée pour se frapper ? La terre est pleine de fous qui ne sont appliqués qu'à se duper eux-mêmes.

70. La vue de quelques squelettes dans le charnier te répugne ; et tu te plais au village plein de squelettes ambulants !

71. Et ce corps impur, on ne l'obtient pas sans argent ; c'est pour cela qu'on s'impose la fatigue de gagner et les tourments de l'enfer.

72. L'enfant n'est pas capable de gagner. Qu'aura le

jeune homme pour ses plaisirs ? La jeunesse se passe à la poursuite du gain. Devenu vieux, que faire des plaisirs ?

73. Les uns, pleins de vils appétits, travaillent tout le jour à des besognes épuisantes et, rentrant chez eux le soir, s'étendent sur leur couche comme des morts.

74. D'autres partent en guerre, s'imposent les douleurs de l'absence et, pendant des années, ne voient pas leurs femmes et leurs enfants, pour lesquels ils travaillent.

75. Ce pour quoi ils se vendent, aveuglés par le désir, cela même ils ne l'obtiennent pas. Leur vie s'écoule inutile au service d'autrui.

76. D'autres se sont vendus à des maîtres qui leurs imposent des voyages continuels. Leurs femmes accouchent dans la jungle et les lieux déserts.

77. D'autres, pour vivre, se jettent dans les combats au risque de leur vie. Ils cherchent la gloire et trouvent l'esclavage, malheureux aveuglés par le désir !

78. D'autres, par suite de leurs convoitises, sont tranchés, empalés, brûlés, tués à coups de lance.

79. Le soin de la gagner et de la conserver, le chagrin de la perdre font de la fortune une immense infortune, sache-le bien ! Ceux dont l'âme est attachée aux richesses sont distraits et hors d'état de se délivrer des souffrances de la vie.

80. Telles sont les misères des hommes en proie au désir, et leurs chétives jouissances valent tout juste la maigre pitance du bœuf qui traîne la charrette.

81. C'est pour cet atome de jouissance, accessible même au bétail, que l'homme, aveuglé par le destin, laisse perdre cette plénitude de l'instant si difficile à obtenir.

82. Pour ce corps éphémère, banal, voué aux enfers et à toutes les sphères de la douleur, que de peines on s'est imposées depuis l'origine des temps !

83. Avec un effort mille fois moindre on eût atteint la Bodhi. Les esclaves du désir souffrent bien plus que les Bodhisattvas et n'atteignent pas la Bodhi.

84. Épée, poison, feu, précipice, ennemis, rien de tout cela ne peut être comparé aux désirs, si l'on songe aux tortures des enfers.

85. Donc redoutez les désirs, mettez votre joie dans la solitude, dans les forêts paisibles, où il n'y a ni querelles ni peines.

86. Sur les rochers charmants, spacieux comme des terrasses de palais, rafraîchis par le santal des clairs de lune, heureux celui qu'éventent les douces et silencieuses brises des bois et qui marche en songeant au salut d'autrui !

87. Il séjourne n'importe où, le temps qu'il lui plaît, dans une demeure abandonnée, au pied d'un arbre, dans une grotte ; exempt du souci de préserver son gain, il s'en va sans souci où il veut aller.

88. Allant à sa guise, sans attachement, n'étant lié à personne, il goûte une joie telle qu'Indra lui-même ne saurait y atteindre.

89. Par des réflexions de ce genre sur l'excellence de la solitude, étouffant en soi les pensées frivoles, qu'on cultive la pensée de la Bodhi.

90. D'abord qu'on réfléchisse mûrement à la similitude d'autrui et de soi-même : « Tous, ayant les mêmes peines et les mêmes joies que moi, je dois les protéger comme moi-même. »

91. Le corps, malgré la diversité des membres, est protégé comme un être unique : il doit en être ainsi de ce monde où des êtres divers ont en commun la douleur et la joie.

92-93. Si ma douleur ne retentit pas dans les autres corps, ce n'en est pas moins pour moi une douleur difficile à endurer en raison de mon attachement pour moi-même. De même la douleur d'un autre, si je n'en ressens rien, n'en est pas moins pour lui une douleur difficile à endurer en raison de son attachement pour lui-même.

94. Je dois combattre la douleur d'autrui, parce qu'elle est douleur, comme la mienne. Je dois faire du bien aux autres, parce qu'ils sont des êtres vivants comme moi.

95-96. Puisque nous avons tous un égal besoin d'être heureux, par quel privilège serais-je l'objet unique de mes efforts vers le bonheur ? Et puisque nous redoutons tous le danger et la souffrance, par quel privilège aurais-je droit à être protégé, moi seul et non les autres ?

97. « Leur douleur ne m'atteint pas ! » — Est-ce une raison pour ne pas les défendre ? Les souffrances du corps à venir ne m'atteignent pas non plus : pourquoi donc l'en garantir ?

98. « C'est que, dans ce cas, il s'agit encore de moi ! » — Erreur : autre celui qui meurt, autre celui qui renaît.

99. « C'est à celui qui souffre de se défendre contre la souffrance ! » — Cependant la douleur du pied n'est pas celle de la main : pourquoi la main protège-t-elle le pied ?

100. « Illogisme peut-être, mais qui procède du sentiment de la personnalité ! » — Tout illogisme doit être, autant que possible, éliminé, chez nous-mêmes ou chez les autres.

101. « Enchaînement » et « groupement » sont des fictions comme « assemblée » ou « armée ». Il n'y a pas de sujet de la douleur : qui donc pourrait avoir *sa* douleur ?

102. Toutes les douleurs sans distinction sont impersonnelles : il faut les combattre en tant que douleur. Pourquoi des restrictions ?

103. « Mais, s'il n'existe pas d'être souffrant, pourquoi combattre la souffrance ? » — Parce que tout le monde est unanime à cet égard. Si elle doit être combattue, qu'elle le soit partout ! Si elle ne doit pas l'être, qu'elle ne le soit nulle part, pas plus chez moi que chez autrui !

104. « Mais, puisque la compassion entraîne de grandes souffrances, pourquoi les provoquer par ses propres efforts ? » — À considérer les souffrances du monde, peut-on dire que celles de la compassion soient grandes ?

105. Si la souffrance d'un grand nombre cesse par la souffrance d'un seul, celui-ci doit la provoquer par compassion pour autrui et pour lui-même.

106. C'est pourquoi Supushpachandra *, bien que sachant d'avance ce qu'il aurait à endurer de la part du roi, ne voulut pas s'épargner cette souffrance au prix de la perte de tant de malheureux.

107. Ayant ainsi cultivé leurs pensées, mettant leur joie à calmer la douleur d'autrui, les Bodhisattvas plongent dans l'enfer comme des cygnes dans une touffe de lotus.

108. La délivrance des créatures est pour eux un océan de joie qui noie tout : à quoi bon une insipide délivrance ?

109. Si vous faites quelque chose dans l'intérêt d'autrui, pas d'orgueil ! pas de complaisance ! pas de désir de rétribution ! N'ayez qu'une seule passion : celle du bien des autres.

110. Donc, de même que je me protège de tout mal, même du déshonneur, j'aurai pour les autres des pensées de protection et de bonté.

111. Par habitude, l'homme rattache la notion de « moi » à des gouttes de sperme et de sang étrangères à lui et sans aucune substance.

112. Pourquoi donc ne pas considérer comme « moi » le corps d'autrui ? Quant à reconnaître notre corps comme étranger, c'est une idée admise et qui ne présente aucune difficulté.

113. En considérant qu'on est soi-même plein de défauts et que les autres sont des océans de qualités, on s'appliquera à rejeter sa personnalité et à adopter celle d'autrui.

114. On s'intéresse à ses membres comme parties de son corps : pourquoi pas aux hommes comme parties de l'humanité ?

115. Par habitude, nous appliquons l'idée de moi à ce corps sans âme : pourquoi pas à autrui ?

116. De la sorte, si nous faisons du bien aux autres, nous n'en éprouverons ni orgueil ni complaisance. On

n'espère pas être récompensé parce qu'on s'est nourri soi-même.

117. De même que tu souhaites te défendre contre la misère, le chagrin, etc., de même il faut que la pensée de protection, de bonté envers les êtres devienne pour toi une habitude.

118. C'est ainsi que le Protecteur Avalokita * a donné jusqu'à son nom pour écarter des hommes même le simple risque d'être intimidés dans les assemblées.

119. Ne vous laissez pas rebuter par la difficulté : il est des choses dont le nom seul faisait frémir et dont, par la force de l'habitude, on finit par ne pouvoir se passer.

120. Celui qui veut sauver rapidement et soi-même et autrui doit pratiquer le grand secret : l'interversion du moi et d'autrui.

121-123. L'amour immodéré du moi fait redouter le moindre danger : qui ne haïrait ce moi aussi inquiétant qu'un ennemi, ce moi qui, par désir de combattre la maladie, la faim, la soif, massacre oiseaux, poissons, quadrupèdes et se pose en ennemi de tout ce qui vit ; qui, par amour du gain ou des honneurs, irait jusqu'à tuer ses père et mère et à ravir le patrimoine des Trois Joyaux, ce qui ferait de lui le combustible des feux de l'enfer.

124. Quel homme sensé voudrait chérir, garder, soigner son corps, y voir autre chose qu'un ennemi, en faire un objet d'honneur ?

125. « Si je donne, qu'aurai-je à manger ? » Cet égoïsme fera de toi un ogre. — « Si je mange, qu'aurai-je à donner ? » Cette générosité fera de toi le roi des dieux.

126. Quiconque fait peiner autrui pour lui-même cuira dans les enfers ; quiconque peine pour autrui a droit à toutes les félicités.

127. La même ambition — qui a pour effet des supplices dans l'autre monde, la honte et la stupidité dans celui-ci —, si on la transfère à autrui, produit le bonheur céleste, la gloire, l'intelligence.

128. Celui qui impose à un autre la tâche de travailler pour lui aura pour rétribution l'esclavage ; celui qui

s'impose la tâche de travailler pour autrui aura pour récompense le pouvoir.

129. Tous ceux qui sont malheureux le sont pour avoir cherché leur propre bonheur ; tous ceux qui sont heureux le sont pour avoir cherché le bonheur d'autrui.

130. À quoi bon tant de paroles ? Comparez seulement le sot uniquement attaché à son propre intérêt et le Saint qui agit dans l'intérêt d'autrui.

131. Certes on ne saurait obtenir la dignité de Buddha, ni même le bonheur dans le monde de la transmigration, si on n'échange pas son bien-être contre la peine d'autrui.

132. Sans parler de l'autre monde, notre intérêt dans celui-ci n'est-il pas compromis si le serviteur ne fait pas sa tâche ou si le maître ne lui paie pas son salaire ?

133. Loin de travailler à leur bien-être commun, ce qui est le principe du bonheur dans ce monde et dans l'autre, les hommes ne cherchent qu'à se nuire et expient cet égarement par de terribles souffrances.

134. Toutes les catastrophes, toutes les douleurs, tous les périls du monde viennent de l'attachement au moi : pourquoi m'y tenir ?

135. Si on ne dépouille pas le moi, on ne peut échapper à la douleur, de même que si on ne s'écarte pas du feu, on ne peut échapper à la brûlure.

136. Donc, pour apaiser ma douleur et celle d'autrui, je me donne aux autres et j'adopte les autres à titre de « moi ».

137. J'appartiens à autrui ! Telle doit être ta conviction, ô mon cœur. L'intérêt de tous les êtres doit être désormais ta seule pensée.

138. Il ne sied pas que ces yeux, qui sont à d'autres, voient dans mon intérêt ; il ne sied pas que ces mains, qui appartiennent à autrui, se meuvent dans mon intérêt.

139. Uniquement préoccupé du bien des créatures, tout ce que tu vois d'utile dans ton corps, tu dois le lui enlever pour le mettre au service d'autrui.

140. Considérant les humbles comme toi-même et

toi-même comme autrui, tu peux cultiver sans scrupule l'envie et l'orgueil.

141. « Quoi ! Celui-là est bien traité, et moi non ! Je ne gagne pas autant que lui ! Il est honoré et je suis méprisé ! Je souffre pendant qu'il est heureux !

142. « Je travaille tandis qu'il se repose ! — Il est grand, dites-vous, en raison de ses qualités, et je suis petit parce que je n'en ai pas.

143. « Mais comment concevoir un homme dépourvu de qualités ? Tout le monde a les siennes. Il est des gens à qui je suis inférieur ; il en est d'autres à qui je suis supérieur.

144-145. « Si ma vertu ou ma doctrine laisse à désirer, c'est la force des passions qui en est cause et non ma volonté. Il faut m'en guérir si c'est possible ; j'accepte les souffrances du traitement. Si ce moi me juge incurable, pourquoi me méprise-t-il ? Que m'importent ses qualités si elles ne profitent qu'à lui-même ?

146. « Il n'a pas même de compassion pour les pauvres gens tombés dans la gueule de l'Enfer ; et pourtant, dans l'orgueil de ses qualités, il prétend surpasser les sages !

147. « S'il se reconnaît un égal, il s'efforce de le surpasser ; au besoin, il lui cherchera querelle pour assouvir sa cupidité et son ambition.

148. « Plaise au ciel que mes qualités jouissent d'une célébrité universelle, et que des siennes, quelles qu'elles soient, on n'entende parler nulle part !

149. « Puissent mes défauts demeurer cachés ! Puissent tous les honneurs être pour moi et aucun pour lui ! — Maintenant me voici en possession de mon gain. Je suis honoré, lui ne l'est plus.

150. « Réjouissons-nous de le voir, après si longtemps, maltraité et raillé par tous, vilipendé en tous lieux.

151. « Voyez ce misérable qui ose rivaliser avec moi ! Que peut-il m'opposer ? Science, sagesse, beauté, noblesse, richesse, tout lui manque. »

152. Entendant ainsi vanter partout les qualités du moi, je frémirai de joie, je goûterai un plaisir délicieux.

153. Si l'Autre possède quelque bien, nous le lui prendrons par force, et nous lui laisserons tout juste de quoi vivre, pourvu qu'il fasse notre service.

154. Il faut le précipiter de son bonheur ; il faut lui faire endosser nos peines. Cent fois nous avons subi à cause de lui le supplice de la transmigration.

155. Tu as passé des siècles innombrables à la recherche de ton intérêt ; et pour prix de cet immense effort, tu n'as recueilli que la douleur.

156. Obéis sans hésiter à mon adjuration. Tu en verras plus tard les avantages : car la parole du Saint est infaillible.

157. Si tu avais pratiqué plus tôt cette règle de conduite, tu ne serais pas dans une telle condition, sans parler de la bienheureuse dignité de Buddha, que tu aurais pu acquérir.

158. Donc, de même que tu as transféré la notion de moi à des gouttes de sperme et de sang qui te sont étrangères, réalise-la dans les autres.

159. Sois l'espion d'autrui : tout ce que tu verras dans ce corps, dérobe-le pour le faire servir aux autres.

160. « Celui-ci est à l'aise, l'autre mal à l'aise ; celui-ci est en haut, l'autre est en bas ; l'autre agit, celui-ci ne fait rien. » Donne ainsi cours à ta jalousie contre toi-même.

161. Précipite ton moi de son bonheur, attelle-le au malheur d'autrui et, pour déjouer ses ruses, surveille sans cesse ses actions.

162. Fais retomber sur sa tête même la faute d'autrui ; et si petite que soit sa propre faute, dénonce-la au Grand Ascète.

163. Ravale sa réputation en exaltant celle d'autrui. Affecte-le, comme un serviteur de bas étage, aux besoins des créatures.

164. Car, vicieux de sa nature, il ne doit pas être loué pour quelques bribes de qualités adventices ; fais en sorte que, s'il a des vertus, personne ne les connaisse.

165. En un mot, tout le mal que tu as fait aux autres dans ton intérêt, fais-le retomber sur ton moi dans l'intérêt des autres.

166. Ne lui tolère même pas l'audace de la loquacité. Oblige-le à se tenir comme une jeune mariée, pudique, timide et réservé.

167. « Fais ceci ! Tiens-toi comme cela ! Ne fais pas cela ! » C'est ainsi qu'il faut le plier à ta volonté et le punir quand il la transgresse.

168. « Et si, quand je te parle ainsi, tu ne m'obéis pas, ô mon esprit, je saurai te punir, ô support de tous les vices !

169. « Où penses-tu aller ? Je te vois ! J'écrase toutes tes fiertés. Le temps n'est plus où j'étais perdu par toi.

170. « Renonce à l'espoir d'avoir aujourd'hui encore un intérêt propre. Je t'ai vendu aux autres, sans me mettre en peine de ta détresse.

171. « Si je faisais la folie de ne pas te donner aux autres, c'est toi qui, sans le moindre doute, me livrerais aux gardiens des enfers.

172. « Que de fois déjà tu m'as livré à eux ! Et quelles longues souffrances j'ai endurées ! Maintenant, me souvenant de ta haine, je t'écrase, ô serviteur de l'égoïsme ! »

173. Si tu chéris ton moi, ne le chéris pas ; si tu veux le protéger, ne le protège pas !

174. À mesure que tu prends soin de ton corps, il s'amollit et déchoit.

175. Et même ainsi déchu, la terre entière ne suffirait pas à satisfaire sa convoitise. Qui donc voudrait faire sa volonté ?

176. Qui désire l'impossible récolte la peine et la désillusion ; mais celui qui est sans espérance jouit d'une inaltérable félicité.

177. Donc il ne faut pas donner libre cours à la croissance des désirs du corps. Cela seul est bon qui n'apparaît pas comme désirable.

178. Le corps ! Figure impure et horrible, qui a pour conclusion et pour fin la cendre, qui est inerte et qu'un autre fait mouvoir : pourquoi y attacher la notion du « mien » ?

179. À quoi bon cette machine, vivante ou morte ? Quelle différence entre elle et une motte de terre ? Ô sentiment du moi, comment ne meurs-tu pas ?

180. Ma frivole partialité pour mon corps ne m'a valu que des souffrances. Il est cependant aussi peu qu'une souche : qu'importe son affection ou sa haine ?

181. Protégé par moi ou dévoré par les vautours, il ne m'aime ni ne les hait. Pourquoi mettrais-je en lui mon affection ?

182. Je m'irrite quand il est maltraité ; je suis heureux des honneurs qu'on lui rend. Mais puisque lui-même n'en sait rien, à quoi bon la peine que je prends ?

183. « Ceux qui aiment ce corps sont pour moi des amis. » — Soit ! Mais tous les hommes aiment leur corps : pourquoi n'aurais-je pas pour eux la même amitié ?

184. Donc, je renonce sans réserve à mon corps dans l'intérêt du monde. Si je le conserve, malgré ses défauts, c'est comme instrument d'action.

185-186. Arrière la conduite profane ! Ce sont les sages que je veux suivre. Me rappelant le « Discours sur l'attention », combattant l'indolence et la torpeur, je fais effort pour détruire les obstacles ; je retire mon esprit de la mauvaise voie pour le ramener à son vrai point d'appui.

IX

La sagesse

1. Tout ce cortège de vertus a pour but la sagesse, a dit le Saint. Donc qu'on fasse naître en soi la sagesse, si on désire la cessation de la douleur.

2. Il y a deux vérités : la vérité enveloppée et la vérité absolue. La vérité est hors du domaine de l'intelligence ; celle-ci est dite « enveloppante ».

3-4. Il y a corrélativement deux sortes d'hommes : le contemplatif et l'homme ordinaire. Les contemplatifs l'emportent sur les hommes ordinaires et ils forment à leur tour une hiérarchie d'après la qualité plus ou moins haute de l'intelligence. Mais ces deux catégories s'accordent dans les comparaisons et sur le but à atteindre.

5. Les hommes ordinaires voient et conçoivent les choses comme réelles et non comme illusoires. Tel est le dissentiment des contemplatifs et des hommes ordinaires.

6. La forme et les autres objets des sens tirent leur évidence du sens commun et non d'une preuve logique ; mais ce sens commun se trompe, comme lorsqu'il juge pur ce qui est impur.

7. Les choses ont été enseignées par le Maître comme introduction à la vacuité, non comme la vérité vraie. — Pourtant, quand les choses sont dites « momentanées », n'est-ce pas du point de vue de la vérité vraie ? — Non. — C'est donc du point de vue de la vérité enveloppée ? Mais ceci est contradictoire.

8. — Il n'y a pas de faute dans la vérité enveloppée des contemplatifs ; en comparaison des hommes ordinaires, c'est la vérité qu'ils voient. Vous le niez ?

Pourtant, vous-mêmes vous vous écartez de la croyance commune, en supposant la femme impure.

9-10. — En ce cas, le Buddha lui-même est une illusion. Alors quel mérite peut-on tirer de son culte? — N'en serait-il pas de même si son existence était réelle?

— Mais si un être est illusoire, comment peut-il mourir et renaître? — Une illusion dure autant que la combinaison des causes qui l'ont produite; l'être forme une longue continuité : est-ce suffisant pour prétendre qu'il existe réellement?

11. — En ce cas, il n'y a pas de péché dans le meurtre d'une apparence humaine, puisqu'elle est dépourvue de conscience. — Si! car elle est revêtue de l'apparence de la conscience; c'est pourquoi il y a production de mérite et de démérite.

12-13ª. — Une conscience purement apparente est impossible : les formules magiques sont impuissantes à la créer. — Mais cette apparence est diverse et peut procéder de causes différentes : une cause unique n'a pas nécessairement une efficacité universelle.

13ᵇ-15ª. — Si l'être, en réalité dans le Nirvâna, ne transmigre qu'en apparence, le Buddha, lui aussi, transmigre. Alors, à quoi bon la marche à la Bodhi? — Tant que les causes n'en sont pas coupées, l'illusion elle-même ne l'est pas; mais dès que les causes sont coupées, elle cesse de se produire, même au point de vue de la vérité enveloppée.

15ᵇ-16ª. — Si rien n'a de réalité, pas même la pensée visionnaire, qui donc perçoit l'illusion[24]? — Et si pour vous l'illusion même n'existe pas, qu'est-ce qui est perçu?

16ᵇ-18ª. — C'est une forme de la pensée, qui peut différer de la réalité. — Mais si l'illusion est la pensée elle-même, alors qui voit et que voit-il? Car le Buddha a dit : « La pensée ne voit pas la pensée; l'esprit est comme le tranchant du sabre, qui ne se coupe pas lui-même. »

18ᵇ-19ª. — Elle s'éclaire elle-même comme une

lampe. — Une lampe ne s'éclaire pas elle-même, puisqu'elle n'est pas obscure.

19[b]-23. — Nous voulons dire qu'elle est lumineuse par elle-même. Le bleu, pour être bleu, ne dépend pas d'un autre bleu, à la différence du cristal. Ainsi certaines choses sont indépendantes, d'autres dépendantes. — Le bleu n'est pas indépendant, car s'il n'était pas bleu, il ne le deviendrait pas par lui-même. L'intelligence constate et affirme que la lampe éclaire. Mais qui donc constate et affirme que l'intelligence éclaire ? Lumineuse ou obscure, puisque l'intelligence n'est vue par personne, il est aussi vain d'en parler que de la coquetterie de la fille d'une femme stérile.

24. — Mais s'il n'y a pas conscience de soi, comment peut-on se souvenir de sa connaissance ? — La mémoire vient de l'association avec un objet extérieur — comme le poison du rat[25].

25. — Puisqu'on voit la pensée d'autrui lorsqu'elle est mise en relation avec différents facteurs (prescience, clairvoyance surnaturelle), ne peut-on voir aussi sa propre pensée ? — Non : la jarre cachée qu'on aperçoit par l'application d'un onguent magique n'est pas cet onguent lui-même.

26. Nous ne contestons pas les données des sens, du témoignage, de l'intelligence ; mais qu'elles soient vraies d'une vérité absolue, c'est une thèse que nous repoussons comme étant la cause de la douleur.

27. Si on prétend que l'objet illusoire est autre chose que la pensée, c'est faux ; si on prétend qu'il n'est autre chose que la pensée, c'est également faux. S'il existe réellement, comment serait-il identique à la pensée ? S'il est identique à la pensée, comment est-il réel ?

28[a-b]. Inexistant, l'objet illusoire est visible ; inexistant, l'esprit le voit.

28[c-d]-30. Si vous dites que le Samsâra * irréel a pour point d'appui une réalité : la pensée, il s'ensuit qu'il en est différent, donc irréel comme l'espace. De plus, comment une chose irréelle serait-elle douée d'activité parce qu'elle s'appuie sur un objet réel ? Non ! dans votre système, la pensée ne peut avoir qu'un compagnon : le néant. Et si la pensée est dépourvue d'objet, alors toutes les créatures sont des Buddhas. Quelle vertu peut-on désormais acquérir, si on n'admet que la pensée pure ?

31. — Mais si même on pénètre le caractère illusoire de la pensée, la passion en serait-elle pour cela éliminée ? Ne voit-on pas le créateur d'une femme magique s'éprendre d'elle ?

32. — Oui : mais pour le magicien, la fausse impression de la réalité du connaissable n'est pas détruite. Au moment où il voit sa création, l'impression du vide est trop faible en lui pour qu'il la reconnaisse inexistante.

33-35. Mais quand on est imprégné de l'idée du vide, la fausse impression de l'existence disparaît ; en se répétant que rien n'existe, l'idée même du vide finit par disparaître.

En effet, quand on n'imagine plus une existence dont on puisse dire qu'elle n'est pas, comment l'inexistence, ainsi privée de support, se présenterait-elle à l'esprit ?

Lorsque ni l'existence ni l'inexistence ne se présentent plus à l'esprit, alors, en l'absence de toute autre démarche possible, l'esprit sans support est apaisé.

36. De même que la Pierre merveilleuse et l'Arbre des souhaits comblent les vœux des créatures, ainsi apparaît le corps du Buddha par suite de ses vœux antérieurs et des actes des fidèles eux-mêmes.

37-38. De même qu'un charmeur de serpents peut mourir après avoir consacré un pilier : bien longtemps encore après sa mort, ce pilier détruira l'influence du venin — de même ce « Pilier du Vainqueur », exécuté conformément à la Pratique de la Bodhi, même après que le Bodhisattva s'est éteint, continue à remplir toutes ses fonctions.

39-40. — Comment le culte rendu à un être inconscient produirait-il des fruits ? — Parce que, d'après l'Écriture, le culte du Buddha vivant et celui du Buddha éteint sont égaux, et que tous deux portent des fruits, soit au point de vue de la vérité relative, soit à celui de la vérité absolue. [Si le culte du Buddha illusoire n'était fécond], comment celui du Buddha vrai le serait-il ?

41. — On obtient la délivrance par la vue des Vérités Saintes ; à quoi bon la vue de la Vacuité[26] ? — Parce que, d'après l'Écriture, la Bodhi ne s'obtient pas en dehors de ce chemin.

42. — Mais le Mahâyâna n'est pas prouvé. — Et vos propres Écritures, comment le sont-elles ? — Parce que nous les admettons tous deux. — Elles n'étaient donc pas prouvées avant vous !

43. La croyance que vous avez en vos Écritures, vous devez l'avoir dans le Mahâyâna. Et si l'authenticité dépend de l'adhésion des incrédules, il en résulte l'authenticité du Veda et autres textes brahmaniques.

44. — Les Mahâyânistes sont en désaccord ! — Alors, abandonnez vos propres Écritures ; car chaque secte est en désaccord non seulement avec les incrédules, mais avec ses propres adhérents et ceux des autres sectes.

45. La religion a pour racine la vie monastique. Or, la vie monastique est, comme le Nirvâna lui-même, difficile pour ceux dont l'esprit repose sur un objet.

46. Si la délivrance résulte de la destruction des passions, elle devrait la suivre immédiatement : or nous voyons que ceux en qui les passions sont détruites sont capables d'actes sans passion.

47. Si on soutient que la Soif, l'Attachement n'existent plus pour eux, nous le nions : n'y a-t-il pas une Soif, comme une erreur, exempte de passion ?

48. La Soif a pour origine la sensation : or la sensation se rencontre chez les saints. La pensée, ayant un objet, doit s'attacher çà et là.

49. Sans la Vacuité, la pensée entravée se reproduit toujours, témoin l'extase inconsciente. Donc, cultivons la Vacuité.

53[27]. Mais, dira-t-on, si les entraves de l'attachement et de la peur ont pour effet de maintenir les êtres dans le cercle des transmigrations, le seul fruit de la

Vacuité est de les y faire rester par l'illusion de sauver les malheureuses créatures.

54. Cette critique contre la Vacuité n'est pas fondée. Donc il faut sans hésitation cultiver la Vacuité.

55. La Vacuité est l'antidote de la cécité mentale causée par la passion et par la croyance au connaissable. Comment ne pas la cultiver au plus vite, si on désire l'omniscience ?

56. Qu'on craigne ce qui cause la douleur, soit ! Mais la Vacuité apaise la douleur. Pourquoi la craindre ?

57. Qu'on ait peur de ceci ou de cela, tant qu'on croit que le moi est quelque chose, soit ! Mais celui qui se dit : « Je ne suis rien », que peut-il craindre ?

58-60. Je ne suis pas les dents, les cheveux, les ongles, les os, le sang, le mucus, le phlegme, le pus, la salive, la graisse, la sueur, la lymphe, les viscères..., les excréments, l'urine, les tendons, la chaleur, les ouvertures du corps, les six perceptions.

61. Si la connaissance auditive était le moi, le son serait constamment perçu. D'autre part, en l'absence d'objet connaissable, comment parler de connaissance ?

62. Si on attribue la connaissance à ceux qui ne connaissent pas, alors une bûche sera « connaissance ». Donc il est établi qu'il n'y a pas de connaissance sans un objet connaissable.

63. Pourquoi le moi, au moment où il perçoit la forme, n'entend-il pas le son ? Parce qu'il n'est pas en rapport avec le son, dira-t-on. Mais alors il n'est pas connaissance auditive.

64-65[a]. Ce qui a pour nature de percevoir le son, comment percevrait-il la forme ? Le même homme est, il est vrai, imaginé comme père et fils, mais non au point de vue de la vérité vraie.

Si vous n'admettez en réalité que les trois Gunas, il n'y a ni père ni fils.

65[b]-66[a]. — Quand le moi est en train de percevoir le son, sa nature de perception visuelle ne se constate pas. C'est en effet par une autre nature qu'il perçoit la forme : il est momentané, comme un acteur qui change de rôle.

66[b]. — Donc, selon vous, c'est bien le même moi qui perçoit, mais il a une autre nature. Voilà une unité sans précédent !

67. Direz-vous que cette « autre nature » est irréelle ? Alors dites-nous quelle est sa nature réelle. Est-ce sa faculté de connaître ? Alors tous les hommes sont une seule et même chose !

68. Et même il faudra admettre l'unité des êtres conscients et inconscients, puisqu'ils ont en commun l'existence. Si les différences spécifiques sont déclarées irréelles, quel est le support de l'identité ?

69. Le moi n'est pas inconscient par naturelle inconscience, comme une étoffe, etc. — Il est conscient, dira-t-on, par suite de son union avec la conscience. — Alors, dès qu'il est privé de conscience, il est détruit !

70. Vous répliquez que le moi est immuable. Alors, quel est l'effet produit par son union avec la conscience ?

À l'espace inconscient et immuable, on pourrait attribuer aussi la qualité de moi !

71. Mais, dira-t-on, le rapport de l'acte au fruit est impossible sans le moi. Si l'auteur de l'acte disparaît après l'avoir accompli, à qui écherra le fruit ?

72. Nous sommes d'accord sur ce point que l'acte et le fruit ont un support différent. Vous prétendez d'autre part que le moi est inactif : la discussion est donc superflue.

73. « C'est l'auteur de l'acte qui en recueille le fruit. » Voilà qui n'est pas évident ! Si le Buddha a dit que l'auteur de l'acte était le dégustateur du fruit, c'est en attribuant une unité fictive à la série des phénomènes.

74. Ni la pensée passée, ni la pensée future ne peuvent être le moi, car elles n'existent pas. La pensée présente sera-t-elle le moi ? Mais alors, cette pensée disparaissant, il n'y a plus de moi.

75. De même que la tige du bananier, décomposée

en ses parties, n'existe pas, de même le moi, poursuivi avec critique, est reconnu comme un pur néant.

76. — Si l'individu n'existe pas, sur quoi s'exerce la compassion ? — Il est imaginé par une illusion qu'on adopte en vue du but à atteindre.

77. — Le but de qui, puisque l'individu n'existe pas ? — Il est vrai que l'effort procède de l'illusion ; mais, comme elle a pour but l'apaisement de la douleur, l'illusion du but n'est pas interdite.

78. Le sentiment du moi, au contraire, est cause de douleur et s'accroît par l'illusion du moi ; et comme il ne peut être aboli autrement, il faut cultiver l'idée de l'inexistence du moi.

79-80. Le corps n'est pas les pieds, les jambes, les cuisses, les hanches, le ventre, le dos, la poitrine, les bras, les mains, les côtés, les aisselles, les épaules, le cou, la tête. Qu'est-ce que le corps ?

81. Si le corps se trouve partiellement dans tous les membres, ce sont des parties qui se trouvent dans des parties : mais le corps lui-même, où est-il ?

82. Et s'il se trouve tout entier dans chaque membre, il y aura autant de corps qu'il y a de membres.

83. Le corps n'est ni à l'intérieur ni à l'extérieur. Comment serait-il dans les membres ? Il n'est pas non plus en dehors des membres. Comment donc existe-t-il ?

84. Donc il n'y a pas de corps. Mais, par suite d'une illusion, l'idée de corps est attribuée aux membres par une sorte d'implication, comme celle d'homme à un poteau.

85. Tant que dure une certaine réunion de causes, le corps est considéré comme un homme ; de même, tant que cette réunion de causes dure dans les membres, on y voit un corps.

86. De même il n'y a pas de pied : c'est une réunion d'orteils. L'orteil n'est qu'un groupe de phalanges ; la phalange est formée de parties.

87. Les parties à leur tour sont composées d'atomes, l'atome se divise en six sections correspondant aux

points cardinaux ; chaque section étant indivisible n'est que l'espace vide. Donc il n'y a pas d'atome.

88. Ainsi la forme est semblable à un rêve : quel homme sage voudrait s'y attacher ? Et puisque le corps n'existe pas, qu'est-ce que l'homme ou la femme ?

89. Si la douleur existe réellement, pourquoi n'affecte-t-elle pas ceux qui sont dans la joie ? Pourquoi le plaisir d'un aliment savoureux laisse-t-il insensible celui qui est en proie au chagrin ?

90. Dira-t-on que le plaisir ou la douleur n'est pas senti parce qu'il est éclipsé par une sensation plus forte ? Mais comment appeler sensation ce qui a pour caractère de n'être pas senti ?

91. Alléguera-t-on que la douleur est à l'état subtil et que son état développé lui a été ravi par une sensation plus forte ? Mais il se peut que l'autre sensation ne soit que du plaisir pur réduit aussi à l'état subtil.

92. Si la douleur n'apparaît pas en présence d'une cause contraire, n'en résulte-t-il pas que ce qu'on appelle « sensation » n'est qu'un parti pris de l'imagination ?

93. C'est pourquoi la présente critique est développée comme l'antidote de ce parti pris. Car les yogins ont pour unique aliment les contemplations nées dans le champ de l'imagination.

94. [La sensation étant définie comme un effet du contact], si l'organe et son objet sont séparés par un intervalle, comment entreraient-ils en contact ? Et s'ils n'ont aucun intervalle, ils forment une unité : comment parler de conjonction ?

95. Il ne peut s'agir d'une pénétration de l'atome ; car l'atome, ne présentant ni vide ni inégalité, ne peut être pénétré. S'il n'y a pas pénétration, il n'y a pas mélange ; s'il n'y a pas mélange, il n'y a pas contact.

96. Comment s'opérerait le contact de ce qui est sans parties ? S'il y a des exemples d'indivisibilité dans le contact, montrez-les !

97. La conscience, étant sans forme, ne peut entrer

en contact. Les corps ne le peuvent pas davantage, puisqu'ils ne sont pas réels, comme on l'a démontré.

98-99. Or, en l'absence de contact, comment la sensation serait-elle possible ? Mais alors dans quel but notre effort ? D'où viendrait la souffrance et qui peut-elle atteindre ? Puisqu'il n'y a ni sujet sentant, ni sensation, pourquoi, ô Soif, en présence de cette situation, ne te dissipes-tu pas ?

100. On voit, on touche : mais la sensation est fonction de la pensée, qui elle-même est semblable à une illusion ou à un rêve ; donc la sensation n'existe pas.

101. La connaissance antérieure ou postérieure est un souvenir et non une sensation. Elle ne se perçoit pas elle-même et n'est pas perçue par une autre.

102. Il n'existe pas de sujet de la sensation : donc la sensation n'a pas d'existence réelle. Tout ce faisceau étant sans substance, qui peut être opprimé par lui ?

103. Le sens interne n'est ni dans les organes des sens, ni dans leurs objets, ni dans l'intervalle. La pensée ne se rencontre ni à l'intérieur, ni à l'extérieur du corps, ni ailleurs.

104. Ce qui n'est ni dans le corps, ni ailleurs, ni combiné, ni isolé, cela n'est rien. C'est pourquoi les êtres sont, par nature, en état de Parinirvâna.

105-106. Si la connaissance est antérieure au connaissable, quel est son point d'appui pour naître ? Si elle est simultanée, quel est-il encore ? Et si elle est postérieure, d'où viendrait la connaissance ? Ainsi la production de tous les phénomènes psychiques est impossible.

107. S'il en est ainsi, il n'y a pas « enveloppement » : comment donc y aurait-il deux vérités ? Ou bien si cet « enveloppement » est créé par un autre, comment les êtres arriveraient-ils au Nirvâna ?

108. L'être en état de Nirvâna existe par l'imagination d'autrui, non par sa propre illusion. Là où il y a un effet déterminé postérieurement, il y a « enve-

loppement » ; le premier faisant défaut, le dernier n'existe pas.

109. L'imagination et la chose imaginée reposent l'une sur l'autre. Toute critique s'appuie sur ces données empiriques.

110-111. — Mais si la critique critiquée critique à son tour, c'est un cercle vicieux. — Non : car la critique de ce qui est critiquable une fois faite, il n'y a plus de point d'appui pour la critique ; faute de point d'appui, elle ne se produit plus : c'est ce qu'on appelle le Nirvâna.

112-114. Mais celui qui admet comme vraie cette dualité est en fort mauvaise posture. Si en effet l'objet procède de la connaissance, comment expliquer celle-ci ? Si la connaissance procède de l'objet, comment expliquer celui-ci ? Si ces deux éléments procèdent réciproquement l'un de l'autre, ni l'un ni l'autre n'existe. Par exemple : s'il n'y a pas de père sans fils, comment le fils naît-il ? Or, en l'absence de fils, il n'y a pas de père : donc ni l'un ni l'autre n'existe.

115. — La plante naît de la graine ; la graine est révélée par la plante. Pourquoi la connaissance née du connaissable ne prouverait-elle pas l'existence de celui-ci ?

116. — L'existence de la graine est inférée par suite d'une notion autre que la plante ; mais d'où vient la notion de l'existence de la connaissance, qui permet de conclure à celle de l'objet ?

117. Le monde, par la seule perception, reconnaît la cause comme complexe : la division du lotus en tige, fleur, etc., provient de la diversité de la cause.

118. Quelle est l'origine de la variété de la cause ? La variété de la cause antérieure. Pourquoi la cause produit-elle tel ou tel résultat ? Par l'influence de la cause antérieure.

119. « Dieu est la cause du monde. » Dites, qu'est-ce que Dieu ? Si ce sont les éléments, soit ! Inutile de se travailler pour un simple nom.

120. Mais ces éléments — terre, eau, feu, vent —

sont multiples, transitoires, sans volonté, sans caractère divin, négligeables, impurs : ils ne sauraient être Dieu.

121. L'espace n'est pas Dieu, puisqu'il est inactif; l'Âtman est éliminé par notre réfutation antérieure (VIII, 27). « Dieu est inconcevable ? » Mais alors sa qualité de Créateur l'est aussi : qu'en dire ?

122-123[a]. Qu'est-ce que Dieu a pu désirer créer ? L'Âtman ? Il est éternel. Les éléments ? Ils sont éternels de nature. Dieu lui-même ? Il l'est aussi. La connaissance ? Elle procède du connaissable. Le plaisir et la douleur ? Ils procèdent de l'acte. Qu'a-t-il donc pu créer ?

123[b]. Si la cause n'a pas de commencement, comment l'effet en aurait-il un ?

124. Pourquoi Dieu n'agit-il pas sans cesse ? Il n'a pas en effet à tenir compte d'un autre : puisqu'il n'existe aucun être qui n'ait été créé par lui, de qui serait-il obligé de tenir compte ?

125. Serait-ce de la combinaison des conditions ? Alors il n'est pas la cause. Il ne peut s'abstenir quand la combinaison est réalisée, ni agir quand elle fait défaut.

126. Si Dieu agit sans le désirer, il en résulte qu'il est dépendant. S'il le désire, il est dépendant de son désir, et alors que devient sa qualité de Seigneur ?

127[a]. Ceux qui affirment que les atomes sont éternels ont été réfutés plus haut [28].

127[b]-128. Les Sâmkhyas * postulent la matière primitive comme cause éternelle du monde. Elle est constituée par l'équilibre des trois Gunas ; le monde résulte de la rupture de cet équilibre.

129. Un être *un* ne peut avoir une nature *triple* : donc la matière primitive n'existe pas. De même les Gunas ne sauraient exister, car chacun d'eux aussi est triple.

130. Les Gunas n'existant pas, le son et autres objets des sens n'existent pas davantage. En outre il est impossible que le plaisir, la douleur, l'égarement existent dans les choses inconscientes, telles que les vêtements.

131. Voulez-vous dire que ces choses ont pour

nature d'être cause de plaisir, etc. ? Nous avons démontré l'inexistence des choses. Et pour vous, d'ailleurs, c'est le plaisir qui est la cause et non le vêtement.

132[a]. Or, en fait, le plaisir vient du vêtement ; si celui-ci fait défaut, il n'y a pas de plaisir.

132[b]-133. On ne constate jamais la permanence du plaisir. S'il existe constamment à l'état développé, pourquoi n'est-il pas constamment senti ? S'il passe à l'état subtil, comment peut-il être successivement développé et subtil ?

134-135[a]. S'il abandonne l'état de développement pour passer à l'état subtil, ces deux états sont transitoires. Pourquoi alors ne pas admettre l'impermanence de tout ce qui existe ? Si l'état développé n'est pas différent du plaisir, il est clair que le plaisir est impermanent.

135[b]-136[a]. Mais, direz-vous, ce qui est inexistant ne peut naître, en raison de son inexistence. Cependant vous êtes forcés d'admettre la naissance de l'état développé, lequel n'existait pas.

136[b]-137[a]. Si l'effet est dans la cause, celui qui mange du riz mange de l'ordure. On peut acheter, en guise d'étoffe, de la graine de coton pour s'en vêtir.

137[b]. — Le monde par aveuglement ne le voit pas. — Mais l'attitude du monde est aussi celle de vos philosophes.

138. D'ailleurs la faculté de connaître appartient aussi au monde : pourquoi ne verrait-il pas ce qui est ? — Le jugement du monde n'est pas un critère de la vérité. — Mais alors l'apparence des choses manifestées elle-même n'existe pas.

139. — Mais si ce qu'on appelle les moyens de connaissance ne sont pas de vrais moyens de connaissance, les notions qu'ils procurent sont fausses : donc la vacuité des choses est, en réalité, une thèse fausse.

140. — Si on fait complètement abstraction de l'existence supposée, on ne peut en concevoir l'inexistence. Donc si une existence est fausse, son inexistence l'est évidemment aussi.

141. Un homme rêve que son fils est mort : l'idée fausse de son inexistence élimine celle de son existence, idée également fausse.

142-143. Il résulte de cette critique que rien n'existe dans les antécédents pris à part ou dans leur ensemble, que rien ne vient d'ailleurs, ne subsiste ou ne disparaît. En quoi donc diffère d'une illusion magique ce que les sots prennent pour la réalité ?

144. Ce qui est créé par la magie et ce qui est créé par les causes, d'où cela vient-il, où cela va-t-il ? Voilà ce qu'il faut rechercher.

145. Ce qui apparaît par le concours d'autres éléments et qui disparaît s'ils sont absents, ce phénomène artificiel, pareil à un reflet, comment aurait-il le caractère de la réalité ?

146-147. Pour la chose qui existe, à quoi bon une cause ? Et si une chose n'existe pas, à quoi bon encore une cause ? Des milliards de causes ne modifieraient pas le néant. Ce qui est dans cet état ne peut exister, et quel autre cependant peut arriver à l'existence ?

148-149[a]. Si l'être n'est pas au temps du néant, quand naîtra-t-il ? Car le néant ne disparaîtra pas tant que l'être ne sera pas né, et celui-ci ne peut se produire tant que le néant n'a pas disparu.

149[b]. De même, l'être ne peut passer au néant, car une même chose posséderait cette double nature.

150-151. Donc il n'y a ni cessation ni existence. L'univers ne connaît ni naissance ni destruction. Les destinées des êtres sont pareilles à un rêve, à la tige du bananier. Il n'y a aucune différence réelle entre ceux qui sont dans le Nirvâna et ceux qui n'y sont pas.

152-153. Les choses étant vides, que pourrait-on recevoir ou prendre ? Qui pourrait être honoré ou méprisé, et par qui ? D'où viendrait le plaisir et la douleur ? Qu'est-ce qui peut être agréable ou odieux ? Qu'est-ce que la Soif ? Et où trouver cette Soif dont on cherche la nature ?

154. Si on examine le monde des vivants, qui meurt ? qui naîtra ? qui est né ? qui est un parent ou un ami ?

155-156. Comprenons, mes frères, que tout est vide comme l'espace. On s'irrite ou on se réjouit, en querelles ou en fêtes. Désirant notre bonheur, nous passons péniblement notre vie dans le chagrin, la lutte, le découragement, en nous blessant les uns les autres, en maux de toutes sortes.

157-158. Les morts tombent dans les enfers pour y endurer de longues, de cuisantes tortures, et retournent de temps en temps aux cieux pour y prendre l'habitude du bonheur. Le Samsâra comporte des chutes multiples : il n'y a rien d'aussi peu existant. Tout y est contradiction : il ne saurait être vrai.

159-161. Il renferme des océans de douleur, sans pareils, terribles, infinis. Il est le domaine des forces débiles et des existences brèves. Là, on use rapidement ses jours inutiles dans les soins de sa vie et de sa santé, parmi la faim, la maladie, la fatigue, le sommeil, les accidents, les relations stériles avec les sots : il est ardu d'y atteindre le discernement. Où trouver, au milieu de tout cela, le moyen de refréner l'habitude de la dissipation ?

162-163. Là, Mâra * s'efforce de nous précipiter dans les enfers. Là, les mauvaises destinées sont nombreuses ; la perplexité est invincible. Et il est bien difficile d'obtenir à nouveau l'instant opportun, l'apparition d'un Buddha ; difficile d'endiguer le torrent des passions. Ah ! quelle succession de douleurs !

164-165. Hélas ! qu'ils sont à plaindre ces malheureux entraînés par le torrent de la douleur, qui ne voient pas leur triste condition et qui n'en sont que plus infortunés ! Comme celui qui chaque fois qu'il s'est baigné entrerait dans le feu, ainsi, en croyant que leur condition est bonne, ils ne font que l'empirer.

166. Agissant comme s'ils ne devaient ni vieillir ni mourir, ils se trouvent en butte à de terribles calamités, la mort en tête.

167. À ces hommes tourmentés par le feu de la douleur, quand pourrai-je apporter l'apaisement par des pluies de bonheur issues du nuage de mes mérites ?

Quand pourrai-je, au moyen de la vérité apparente, enseigner la Vacuité à ceux qui croient à l'existence réelle, leur enseigner avec soin l'approvisionnement du mérite spirituel affranchi de toute foi dans la réalité des choses !

X

Application du mérite

1. Par le mérite que j'ai acquis en composant le *Bodhicharyâvatâra*, puissent tous les hommes se parer de la pratique des Bodhisattvas !

2. Puissent tous ceux qui, à tous les coins du monde, souffrent les douleurs du corps ou de l'esprit, obtenir par mes mérites des océans de plaisir et de joie !

3. Tant que durera pour eux la transmigration, que leur bonheur ne subisse aucune éclipse ! Que les hommes parviennent sans cesse à la félicité des Bodhisattvas !

4. Que dans tous les enfers de tous les mondes les êtres jouissent des plaisirs et des joies de Sukhâvatî * !

5. Que les damnés du froid obtiennent la chaleur ! Que les damnés de la chaleur soient rafraîchis par les ondes immenses versées par ces grands nuages que sont les Bodhisattvas !

6. Que la forêt des lames d'épées devienne pour eux aussi belle que le parc Nandana *, et que les arbres Kûtaçâlmalî aux épines aiguës se changent en autant d'arbres des souhaits !

7. Que les régions infernales connaissent le charme des lacs égayés par le joyeux tumulte des oiseaux d'eau et le parfum des lotus luxuriants !

8. Que le monceau de charbons ardents devienne un monceau de gemmes ! Que le sol brûlant devienne un pavé de cristal ! Que les « montagnes écrasantes » deviennent des palais célestes peuplés de Buddhas !

9. Que la pluie de charbons, de pierres brûlantes et d'épées soit désormais une pluie de fleurs ! Que la bataille au sabre soit une joyeuse bataille de fleurs !

10. Que les êtres plongés dans la Vaitaranî * aux ondes brûlantes comme le feu, avec leurs chairs en lambeaux, leurs corps et leurs os pâles comme le jasmin, obtiennent, par la puissance de mes mérites, une nature céleste et jouent dans la Mandâkinî * avec les Apsaras * !

11. Que les serviteurs de Yama, que les corbeaux et les vautours horribles, voyant tout à coup avec crainte les ténèbres partout dissipées, se disent : « Quelle est cette douce, charmante et délicieuse lumière ? »

Et que, levant les yeux, à la vue du flamboyant Vajrapâni * debout dans le ciel, ils se sentent délivrés de leurs péchés et volent le rejoindre avec un joyeux empressement !

12. Voici que tombe une pluie de lotus mêlée d'eau parfumée ; ô bonheur ! on voit s'éteindre sous son onde le feu des enfers. « Qu'est-ce que cela ? » se disent les damnés brusquement inondés de plaisir. C'est l'apparition de Padmapâni * : puisse-t-elle se montrer à eux !

13. « Frères, s'écrient-ils, venez, venez vite ! Bannissez toute crainte ! Nous sommes rappelés à la vie ! Voici venir à nous, apportant la paix dans la géhenne, un jeune prince coiffé de bandelettes [29]. Celle dont la puissance élimine toutes les calamités et fait couler les torrents de la joie, la Pensée de la Bodhi est née et, avec elle, la Compassion, mère du salut de tous les hommes.

14. « Regardez-le ! Sur les lotus de ses pieds, brillent les diadèmes de centaines de dieux prosternés ; ses yeux sont humides de pitié ; sur sa tête, une pluie de fleurs tombe des palais charmants où résonnent les chants de milliers d'Apsaras célébrant ses louanges :

c'est Mañjughosha ! En le voyant devant eux, que les damnés l'acclament ! »

15. Par l'effet de mes mérites, que les damnés aient la joie de voir Samantabhadra et les autres Bodhisattvas, nuages qui versent des pluies et suscitent des brises délicieuses, fraîches et parfumées !

16. Puissent s'apaiser les souffrances cuisantes et les épouvantes des damnés ! Que tous ceux qui demeurent dans les mauvaises destinées en soient affranchis !

17. Que les animaux cessent de se dévorer entre eux ! Que les Pretas * soient heureux comme les hommes de l'Uttarakuru * !

18. Que les Pretas soient rassasiés ! Qu'ils soient baignés et rafraîchis par les ruisseaux de lait coulant des doigts d'Avalokiteshvara !

19. Que les aveugles voient, que les sourds entendent, que les femmes enfantent sans douleur, comme Mâyâ Devî * !

20. Que les hommes reçoivent vêtements, nourriture, boisson, guirlandes, santal, parures, tout ce qui flatte leur cœur, tout ce qui leur est bienfaisant !

21. Que les peureux se rassurent, que les affligés reçoivent la joie, que les cœurs troublés soient sans trouble et paisibles !

22. La santé aux malades, la liberté aux captifs, la force aux débiles, l'affection réciproque à tous les hommes !

23. Que toutes les Régions soient propices aux voyageurs et qu'elles les aident au succès de leur voyage !

24. Que les navigateurs réalisent leurs désirs ! Qu'ils rentrent paisiblement au port et se réjouissent avec leurs parents !

25. Que les voyageurs égarés dans la jungle rencontrent une caravane et qu'ils fassent route sans fatigue, à l'abri du danger des voleurs et des tigres !

26. Que les Génies gardent les dormeurs, les fous, les négligents, les abandonnés, les faibles, les vieillards, dans les périls des maladies et des forêts !

27. Que les hommes soient toujours exempts de tout contretemps, doués de foi, de sagesse, de compassion, de bonne mine et de bonne conduite, se souvenant de leurs naissances antérieures !

28. Qu'ils aient des trésors inépuisables comme Gaganagañja* ; qu'ils vivent dans la concorde, le repos, l'indépendance !

29. Que les ascètes sans énergie deviennent énergiques ! S'ils sont laids, qu'ils deviennent beaux !

30. Que toutes les femmes arrivent au sexe masculin ! Que les humbles deviennent grands, mais qu'ils demeurent sans orgueil !

31. Que, par la puissance de mes mérites, tous les êtres sans exception, se détournant du péché, pratiquent toujours le bien !

32. Qu'ils ne se séparent jamais de la pensée de la Bodhi ; qu'ils s'appliquent toujours à la pratique de la Bodhi ; qu'ils soient favorisés de la grâce des Buddhas et exempts des entreprises de Mâra !

33. Que tous les êtres jouissent d'une vie illimitée ! Qu'ils vivent éternellement heureux ! Que le nom même de la mort disparaisse !

34. Que toutes les régions de l'espace soient remplies de Buddhas et de Bodhisattvas, embellies de parcs plantés d'arbres merveilleux et enchantés par le son de la Loi !

35. Que la terre soit partout sans gravier et autres aspérités, unie comme la paume de la main, douce, remplie de pierres précieuses !

36. Que de grandes assemblées de Bodhisattvas siègent partout, décorant la terre de leur éclat.

37. Que les oiseaux, les arbres, les rayons, le ciel fassent entendre sans cesse aux hommes la voix de la Loi !

38. Que les hommes soient sans cesse en compagnie des Buddhas et des Bodhisattvas et qu'ils honorent par des nuages d'offrandes le Précepteur du monde !

39. Qu'il pleuve dans la saison, que les moissons

soient abondantes, que le monde soit prospère, que le roi soit juste !

40. Que les plantes soient des remèdes efficaces, que les formules magiques réussissent, que les Dâkinîs, les Râkshasas et autres démons soient pitoyables !

41. Qu'aucun être ne soit malheureux, pécheur, malade, abject, vaincu, méchant !

42. Que les monastères soient de florissants asiles d'étude ! Que l'harmonie règne dans l'Église et que son œuvre réussisse !

43. Que les religieux acquièrent le discernement et aient l'amour de l'étude ! Qu'ils méditent avec un esprit diligent, exempts de toute dissipation !

44. Que les religieuses reçoivent des dons ; qu'elles demeurent sans querelles et sans troubles ! Que tous les religieux observent exactement les règles morales !

45. Que les moines vicieux s'émeuvent et s'appliquent à détruire en eux le péché ! Que ceux qui sont fidèles à leurs vœux atteignent l'état de Buddha !

46. Qu'ils soient sages, bien élevés, honorés de dons, nourris par l'aumône, d'un caractère pur, d'une réputation universelle !

47. Que, sans avoir subi les tourments de l'enfer, sans une carrière pénible, par un unique corps divin, les hommes atteignent l'état de Buddha !

48. Que tous les Buddhas soient honorés de toutes manières par tous les êtres et qu'ils soient souverainement heureux de leur inconcevable félicité de Buddha !

49. Que les vœux formés par les Bodhisattvas pour le monde s'accomplissent ! Que les pensées de ces Protecteurs se réalisent pour les êtres !

50. Que les Pratyekabuddhas * et les Auditeurs soient heureux, toujours honorés avec respect par les dieux, les Asuras *, les hommes !

51. Puissé-je arriver à la mémoire de mes vies antérieures et obtenir pour toujours la Terre de Joie[30] par la grâce de Mañjughosha !

52. Dans quelque posture que je passe le temps,

puissé-je garder mes forces ! Dans toutes mes naissances, puissé-je obtenir le discernement complet !

53. Lorsque je désirerai le voir ou l'interroger, puissé-je voir sans obstacle mon protecteur Mañjughosha !

54. Comme Mañjuçrî * marche dans les dix directions et jusqu'aux extrémités du ciel pour le bien des êtres, puissé-je, moi aussi, parcourir ma carrière !

55. Aussi longtemps que durera l'espace et le monde, aussi longtemps puissé-je travailler à détruire les douleurs du monde !

56. Que toute la douleur du monde mûrisse en moi, et que le monde soit heureux par les bonnes œuvres des Bodhisattvas !

57. Unique remède à la douleur du monde, source de toute prospérité et de tout bonheur, que la religion dure longtemps, investie de profits et d'honneurs !

58. Je salue Mañjughosha, par la grâce de qui ma pensée est dirigée vers le bien. J'honore le saint Ami par la grâce de qui elle se développe !

Sûttânta

Les Sûttânta sont les « Entretiens » du Bouddha avec ses disciples. La traduction faite par Paule Reuss de ces textes a été éditée en 1941 sans la moindre introduction ni aucune note. Il apparaît cependant qu'il s'agit là d'un choix de textes puisés dans les Suttapîtaka, *incorporés dans le corpus appelé* Tipitaka* *(Les Trois Corbeilles).*

*Ces textes sont parmi les plus anciens du bouddhisme et nombre d'entre eux ont conservé une tradition qui remonte au Bouddha lui-même. Car, comme Jésus, comme la plupart des fondateurs de religion, le Bouddha n'a jamais rien écrit, son enseignement a toujours été oral. Ce serait Ânanda qui aurait retenu par cœur les nombreux entretiens du Bouddha et les aurait conservés par écrit. Il est possible que ce disciple favori du Maître soit à l'origine de la compilation du noyau originel de ces suttas *, mais ils ont été bientôt remaniés, augmentés, et, surtout, transcrits dans la langue qui va devenir la langue sacrée du bouddhisme du Theravâda, le pâli.*

*Le pâli a d'abord été considéré comme un prâkrit * parlé au Magadha à l'époque du Bouddha. Les indianistes s'accordent maintenant à penser que le pâli est une langue artificielle, un magadhi évolué devenu langue littéraire, dans laquelle ont été traduits les textes constituant les écrits primitifs du bouddhisme. Ce n'est cependant qu'au tout début de notre ère, c'est-à-dire près de cinq siècles après la mort du Bouddha, qu'a été fixé le pâli en tant que langue du Theravâda, et dans laquelle ont été traduits des textes postérieurs au Bouddha et rédigés dans des prâkrits divers.*

Dans sa traduction, Paule Reuss a visiblement tenté de rendre le rythme et la syntaxe des textes originaux, ce qui peut surprendre dans un premier temps le lecteur habitué à la structure de la phrase en français. Ce parti pris confère cependant au texte une couleur exotique et une sorte de poésie qui n'est pas sans quelque charme, même si cette lecture requiert une attention et une « gymnastique » de l'esprit qui peuvent paraître un peu contraignantes.

GR

La pâture

Voilà ce que j'ouïs. Dans un temps, l'Exalté se trouvait près de Savatthi *, dans la Forêt du Vainqueur, au Jardin d'Anathapindiko *. Or est-ce là que l'Exalté s'adressa aux moines : « Mes moines ! » — « Auguste ! » répondirent ces moines prêtant attention à l'Exalté. L'Exalté s'exprima ainsi :

« Ne donne le trappeur, mes moines, dans cette intention la pâture au gibier : " De la pâture que je donne là, puisse jouir le gibier afin de rester bien portant et d'atteindre un grand âge, puisse-t-il durant un long temps s'en nourrir ", mais c'est, mes moines, là son intention : " Tenté par la pâture que je donne là, le gibier tombera dans l'aveugle jouissance ; tenté, tombé dans l'aveugle jouissance en prendra-t-il à l'aise ; en prenant à l'aise se laissera-t-il aller ; et s'il se laisse aller, sera-t-il livré dans cet enclos à mon bon plaisir. "

« Or vint, mes moines, le premier troupeau de gibier, tenté par la pâture, que le trappeur avait donnée, et tomba dans l'aveugle jouissance ; tentés, tombés dans l'aveugle jouissance les animaux en prirent à l'aise ; en prenant à l'aise se laissèrent-ils aller ; et alors qu'ils se laissaient aller, furent-ils livrés dans cet enclos au bon plaisir du trappeur. Et ne put de la sorte, mes moines, le premier troupeau de gibier échapper à l'empire du trappeur.

« Or réfléchit, mes moines, le deuxième troupeau de gibier : " Ces premiers furent tentés par la pâture que le trappeur a donnée, sont tombés dans l'aveugle jouissance; tentés, tombés dans l'aveugle jouissance en prirent-ils à l'aise; en prenant à l'aise se laissèrent-ils aller; et alors qu'ils se laissaient aller, furent-ils livrés dans cet enclos au bon plaisir du trappeur. Et ne purent de la sorte ces premiers échapper à l'empire du trappeur. Or voulons-nous de toute pâture donnée nous tenir loin, loin du mets de malheur nous retirer au fond de la forêt. " Et se tinrent-ils loin de toute pâture donnée, loin du mets de malheur se retirèrent au fond de la forêt. Et au dernier mois de l'été, l'herbe et l'eau taries, devinrent-ils extraordinairement maigres; devenus extraordinairement maigres, perdirent-ils des forces; ayant perdu des forces, vinrent-ils ensuite à cette pâture, que le trappeur avait donnée. Tentés, tombèrent-ils dans l'aveugle jouissance; tentés, tombés dans l'aveugle jouissance en prirent-ils à l'aise; en prenant à l'aise se laissèrent-ils aller; et comme ils se laissaient aller, furent-ils livrés dans cet enclos au bon plaisir du trappeur. Et ne put de la sorte, mes moines, tout autant le deuxième troupeau de gibier échapper à l'empire du trappeur.

« Or réfléchit, mes moines, le troisième troupeau de gibier : " Ces premiers tout autant que ces deuxièmes ne purent échapper à l'empire du trappeur. Quoi, si nous restions tout près du lieu où le trappeur donne la pâture? Nous y tenant jouirons-nous non tentés et non aveuglément de la nourriture; jouissant non tentés et non aveuglément de la nourriture n'en prendrons-nous à l'aise; n'en prenant à l'aise ne nous laisserons-nous aller; et si nous ne nous laissons aller ne serons-nous livrés dans cet enclos au bon plaisir du trappeur. " Et restèrent-ils tout près du lieu où le trappeur donnait la pâture; s'y tenant jouirent-ils non tentés et non aveuglément de la nourriture; jouissant non tentés et non aveuglément de la nourriture n'en prirent-ils à l'aise; n'en prenant à l'aise ne se laissèrent-ils aller; et comme ils ne se laissaient aller, ne furent-ils livrés dans cet enclos au bon plaisir du trappeur. Voici que se dirent alors, mes moines, le trappeur et ses compagnons : " Rusée, vraiment, prudente est cette troisième, étrangère harde, douée d'un pouvoir magique doit être cette troisième, étrangère harde, qu'elle savoure ainsi la pâture donnée et que nul de nous ne puisse découvrir, d'où elle vient, et où elle va. Nous allons maintenant entourer le lieu de pâture de grands pieux, tout à la ronde, pour que nous découvrions peut-être de la sorte où la troisième harde se tient, où elle se cache ! " Et plantèrent-ils autour du lieu de pâture, tout à la ronde, de grands pieux. Et le trappeur et ses compagnons, mes moines, virent alors où le troisième troupeau de gibier se tenait, où il se cachait. Et ne put de la sorte, mes moines, tout autant le troisième troupeau de gibier échapper à l'empire du trappeur.

« Or réfléchit, mes moines, le quatrième troupeau de gibier : " Ces premiers tout autant que ces deuxièmes et même ces troisièmes ne purent échapper à l'empire du trappeur. Quoi, si nous cherchions un lieu, demeurant inaccessible au trappeur et à ses compagnons ? De là pourrions-nous aller et venir et jouir non tentés et non aveuglément de la nourriture ; jouissant non tentés et non aveuglément de la nourriture n'en prendrons-nous à l'aise ; n'en prenant à l'aise ne nous laisserons-nous aller ; et si nous ne nous laissons aller ne serons-nous livrés dans cet enclos au bon plaisir du trappeur. " Et cherchèrent-ils un lieu, demeurant inaccessible au trappeur et à ses compagnons ; de là vinrent-ils et jouirent non tentés et non aveuglément de la nourriture ; jouissant non tentés et non aveuglément de la nourriture n'en prirent-ils à l'aise ; n'en prenant à l'aise ne se laissèrent-ils aller ; et comme ils ne se laissaient aller, ne furent-ils livrés dans cet enclos au bon plaisir du trappeur. Voici que se dirent, mes moines, le trappeur et ses compagnons : " Rusée, vraiment, prudente est cette quatrième, étrangère harde, douée d'un pouvoir magique doit être cette quatrième, étrangère harde, qu'elle savoure ainsi la pâture donnée et que nul de nous ne puisse découvrir d'où elle vient, et où elle va.

Nous allons maintenant entourer ce lieu de pâture de grands pieux, tout à la ronde, et épier avec succès où la quatrième harde se tient, où elle se cache ! " Et bordèrent-ils le lieu de pâture de grands pieux tout à la ronde et de tous côtés. Mais le trappeur et ses compagnons, mes moines, ne trouvèrent pas trace de ce lieu, où la quatrième harde se tenait, où elle se cachait. Voici que se dirent, mes moines, le trappeur et ses compagnons : " Si nous effarouchions la quatrième harde, celle-ci, effarouchée, en effaroucherait d'autres, d'autres ces autres, et voici que la pâture, que nous donnons là, pourrait être évitée par tout le gibier : ne faisons donc plus attention à la quatrième harde ! " Et le trappeur et ses compagnons, mes moines, ne firent plus attention au quatrième troupeau de gibier. Et put de la sorte, mes moines, le quatrième troupeau de gibier échapper à l'empire du trappeur.

« Une allégorie ai-je, mes moines, donnée, afin d'en expliquer le sens. Voici quel en est le sens. La pâture : c'est, mes moines, une désignation des cinq convoitises. Le trappeur : c'est, mes moines, une désignation de la nature, de la mauvaise. Les compagnons du trappeur : c'est, mes moines, une désignation des compagnons de la nature. Le troupeau de gibier : c'est, mes moines, une désignation des ascètes et pénitents.

« Or sont, mes moines, les premiers ascètes et pénitents, tentés par la pâture, que la nature donne, par l'appât temporel, tombés dans l'aveugle jouissance ; tentés, tombés dans l'aveugle jouissance en prirent-ils à l'aise ; en prenant à l'aise se laissèrent-ils aller ; et alors qu'ils se laissaient aller, furent-ils livrés dans cet enclos, dans cet appât temporel, au bon plaisir de la nature. Et ne purent de la sorte, mes moines, les premiers ascètes et pénitents échapper à l'empire de la nature. Tel le premier troupeau de gibier, mes moines, me semblent ces premiers ascètes et pénitents.

« Or réfléchirent, mes moines, les deuxièmes ascètes et pénitents : " Ces premiers ascètes et pénitents furent tentés par la pâture, que la nature donne, par l'appât temporel, sont tombés dans l'aveugle jouissance; tentés, tombés dans l'aveugle jouissance en prirent-ils à l'aise; en prenant à l'aise se laissèrent-ils aller; et alors qu'ils se laissaient aller, furent-ils livrés dans cet enclos, dans cet appât temporel, au bon plaisir de la nature. Et ne purent de la sorte ces premiers ascètes et pénitents échapper à l'empire de la nature. Or voulons-nous de toute jouissance de pâture, de tout appât temporel, loin nous tenir, loin du mets de malheur nous retirer au fond de la forêt. " Et vécurent-ils de plantes et de champignons, de riz et de blé sauvages, de graines et d'amandes, de lait végétal et de résine, d'herbes, de bouse de vache, se soutinrent de racines et de fruits des bois, vécurent de fruits tombés. Et le dernier mois de l'été, l'herbe et l'eau taries, devinrent-ils extraordinairement maigres; devenus extraordinairement maigres perdirent-ils des forces; ayant perdu des forces vinrent-ils ensuite à cette pâture, que la nature donne, à cet appât temporel. Tentés, tombèrent-ils dans l'aveugle jouissance; tentés, tombés dans l'aveugle jouissance en prirent-ils à l'aise; en prenant à l'aise se laissèrent-ils aller; et comme ils se laissaient aller, furent-ils livrés dans cet enclos, dans cet appât temporel, au bon plaisir de la nature. Et ne purent de la sorte, mes moines, tout autant les deuxièmes ascètes et pénitents échapper à l'empire de la nature. Tel le deuxième troupeau de gibier, mes moines, me semblent ces deuxièmes ascètes et pénitents.

« Or réfléchirent, mes moines, les troisièmes ascètes et pénitents : " Ces premiers tout autant que ces deuxièmes ne purent échapper à l'empire de la nature. Quoi, si nous restions tout près de la pâture, que la nature donne, tout près de l'appât temporel? Nous y tenant jouirons-nous non tentés et non aveuglément de la nourriture; jouissant non tentés et non aveuglément de la nourriture n'en prendrons-nous à l'aise; n'en prenant à l'aise ne nous laisserons-nous aller; et si nous ne nous laissons aller, ne serons-nous livrés dans cet enclos, dans cet appât temporel, au bon plaisir de la nature. " Et restèrent-ils tout près de la pâture, que la nature donne, tout près de l'appât temporel ; s'y tenant jouirent-ils non tentés et non aveuglément de la nourriture ; jouissant non tentés et non aveuglément de la nourriture n'en prirent-ils à l'aise ; n'en prenant à l'aise ne se laissèrent-ils aller ; et comme ils ne se laissaient aller, ne furent-ils livrés dans cet enclos, dans cet appât temporel, au bon plaisir de la nature. Mais eurent-ils des opinions telles qu'" Éternel est le monde " ou " Temporaire est le monde ", " Fini est le monde " ou " Infini est le monde ", " Âme et corps sont une seule et même chose " ou " Autre est l'âme, autre le corps ", " L'Accompli subsiste après la mort " ou " L'Accompli ne subsiste après la mort ", ou " L'Accompli ni ne subsiste pas après la mort ". Et ne purent de la sorte, mes moines, tout autant les troisièmes ascètes et pénitents échapper à l'empire de la nature. Tel le troisième troupeau de gibier, mes moines, me semblent ces troisièmes ascètes et pénitents.

« Or réfléchirent, mes moines, les quatrièmes ascètes et pénitents : " Ces premiers tout autant que ces deuxièmes et même ces troisièmes ne purent échapper à l'empire de la nature. Quoi, si nous cherchions un lieu, demeurant inaccessible à la nature et à ses compagnons ? De là pourrions-nous approcher de la pâture, que la nature donne, de l'appât temporel, et jouir non tentés et non aveuglément de la nourriture ; jouissant non tentés et non aveuglément de la nourriture n'en prendrons-nous à l'aise ; n'en prenant à l'aise ne nous laisserons-nous aller ; et si nous ne nous laissons aller ne serons-nous livrés dans cet enclos, dans cet appât temporel, au bon plaisir de la nature. " Et cherchèrent-ils un lieu, demeurant inaccessible à la nature et à ses compagnons ; de là vinrent-ils et jouirent non tentés et non aveuglément de la nourriture ; jouissant non tentés et non aveuglément de la nourriture n'en prirent-ils à l'aise ; n'en prenant à l'aise ne se laissèrent-ils aller ; et comme ils ne se laissaient aller, ne furent-ils livrés dans cet enclos, dans cet appât temporel, au bon plaisir de la nature. Et purent de la sorte, mes moines, les quatrièmes ascètes et pénitents échapper à l'empire de la nature. Tel le quatrième troupeau de gibier, mes moines, me semblent ces quatrièmes ascètes et pénitents.

« Mais comment, mes moines, l'accès de la nature est-il interdit ? Le moine, loin des convoitises, des non salutaires objets, demeure en radieuse sérénité pensive et réfléchie de paix native, en consécration de la première contemplation. Un tel est, mes moines, moine appelé : la nature a-t-il aveuglée, anéanti son œil, au mal a-t-il échappé.

« Or plus avant, mes moines : le moine, ayant accompli pensée et réflexion, atteint à la tranquillité en soi, à l'union de l'âme, à la radieuse sérénité non pensive, non réfléchie, consécration de la deuxième contemplation. Un tel est, mes moines, moine appelé : la nature a-t-il aveuglée, anéanti son œil, au mal a-t-il échappé.

« Or plus avant, mes moines : le moine en radieuse paix demeure d'âme égale, méditant, conscient, éprouvant un bonheur corporel, dont les saints disent : " Le Méditant d'âme égale vit bienheureux " ; ainsi est-il consacré de la troisième contemplation. Un tel est, mes moines, moine appelé : la nature a-t-il aveuglée, anéanti son œil, au mal a-t-il échappé.

« Or plus avant, mes moines : le moine, ayant banni gaie et triste humeur, anéanti bonheur et malheur d'antan, est consacré de la ni triste, ni gaie, d'âme égale, méditante pureté parfaite, la quatrième contemplation. Un tel est, mes moines, moine appelé : la nature a-t-il aveuglée, anéanti son œil, au mal a-t-il échappé. »

Ainsi s'exprima l'Exalté. Satisfaits, ces moines se réjouissaient de la parole de l'Exalté.

VACCHAGOTTO *

Voilà ce que j'ouïs. En un temps, l'Exalté se trouvait près de Savatthi, dans la Forêt du Vainqueur, au Jardin d'Anathapindiko. Voici que Vacchagotto le pèlerin se rendit là où l'Exalté se trouvait, échangea un salut courtois et d'aimables, mémorables paroles avec l'Exalté et s'assit de côté. Assis de côté, Vacchagotto le pèlerin dit ceci à l'Exalté :

« Comment donc, ô Gotamo * : Éternel est le monde ; cela seul est vrai, fol est le reste : est-ce l'opinion de Maître Gotamo ? »

« Point n'est-ce, Vaccho, mon opinion : Éternel est le monde ; cela seul est vrai, fol est le reste. »

« Comment, ô Gotamo : Temporaire est le monde ; cela seul est vrai, fol est le reste : est-ce l'opinion de Maître Gotamo ? »

« Point n'est-ce, Vaccho, mon opinion : Temporaire est le monde ; cela seul est vrai, fol est le reste. »

« Et comment, ô Gotamo : Fini est le monde ; cela seul est vrai, fol est le reste : est-ce l'opinion de Maître Gotamo ? »

« Point n'est-ce, Vaccho, mon opinion : Fini est le monde ; cela seul est vrai, fol est le reste. »

« Comment, ô Gotamo : Infini est le monde ; cela seul est vrai, fol est le reste : est-ce l'opinion de Maître Gotamo ? »

« Point n'est-ce, Vaccho, mon opinion : Infini est le monde ; cela seul est vrai, fol est le reste. »

« Et comment, ô Gotamo : Vie et corps sont une et même chose ; cela seul est vrai, fol est le reste : est-ce l'opinion de Maître Gotamo ? »

« Point n'est-ce, Vaccho, mon opinion : Vie et

corps sont une même chose ; cela seul est vrai, fol est le reste. »

« Comment, ô Gotamo : Autre est la vie et autre le corps ; cela seul est vrai, fol est le reste : est-ce l'opinion de Maître Gotamo ? »

« Point n'est-ce, Vaccho, mon opinion : Autre est la vie et autre le corps ; cela seul est vrai, fol est le reste. »

« Et comment, ô Gotamo : L'Accompli subsiste après la mort : cela seul est vrai, fol est le reste : est-ce l'opinion de Maître Gotamo ? »

« Point n'est-ce, Vaccho, mon opinion : L'Accompli subsiste après la mort ; cela seul est vrai, fol est le reste. »

« Comment, ô Gotamo : L'Accompli ne subsiste après la mort : cela seul est vrai, fol est le reste : est-ce l'opinion de Maître Gotamo ? »

« Point n'est-ce, Vaccho, mon opinion : L'Accompli ne subsiste après la mort ; cela seul est vrai, fol est le reste. »

« Et comment, ô Gotamo : L'Accompli subsiste et ne subsiste après la mort ; cela seul est vrai, fol est le reste : est-ce l'opinion de Maître Gotamo ? »

« Point n'est-ce, Vaccho, mon opinion : L'Accompli subsiste et ne subsiste après la mort ; cela seul est vrai, fol est le reste. »

« Et comment, ô Gotamo : L'Accompli ni ne subsiste ni ne subsiste pas après la mort ; cela seul est vrai, fol est le reste : est-ce l'opinion de Maître Gotamo ? »

« Point n'est-ce, Vaccho, mon opinion : L'Accompli ni ne subsiste ni ne subsiste pas après la mort ; cela seul est vrai, fol est le reste. »

« Comment donc, ô Gotamo : d'aucune de ces opinions tu ne te reconnais ! En quoi Maître Gotamo trouve-t-il mauvais de se ranger entièrement à ces opinions ? »

« Éternel est le monde : c'est, Vaccho, voie des opinions, antre des opinions, gorge des opinions, dard des opinions, fourré des opinions, réseau des opinions, pleins de peine et de tourment, de désespoir et de chagrin, ne mène à l'abstinence, à la conversion, à la cessation, à l'évanouissement, à la pénétration, à l'illumination, à l'extinction. C'est en quoi, Vaccho, je trouve mauvais de me ranger entièrement à ces opinions. »

« Maître Gotamo reconnaît-il une opinion quelconque ? »

« Une opinion, Vaccho, point ne survient à l'Accompli. Parce que l'Accompli, Vaccho, a reconnu : Ainsi est la forme, ainsi naît, ainsi s'évanouit ; ainsi est la sensation, ainsi naît, ainsi s'évanouit ; ainsi est la perception, ainsi naît, ainsi s'évanouit ; ainsi sont les distinctions, ainsi naissent, ainsi s'évanouissent ; ainsi est la conscience, ainsi naît, ainsi s'évanouit.

« C'est pourquoi, dis-je, l'Accompli est sans adhérence libéré par tarissement, bannissement, dépouillement, déracinement de toutes opinions et suppositions, passions et possessions et présomptions. »

« Et un moine ainsi libéré, ô Gotamo, où ressuscite-t-il ? »

« Ressuscite, Vaccho, ça ne s'applique. »

« Eh bien, ô Gotamo, ne ressuscite-t-il ? »

« Ne ressuscite, Vaccho, ça ne s'applique. »

« Eh bien, ô Gotamo, ressuscite et ne ressuscite-t-il ? »

« Ressuscite autant que ne ressuscite, Vaccho, ça ne s'applique. »

« Tu donnes toujours, ô Gotamo, cette réponse à mes questions : ça ne s'applique. À présent, ô Gotamo, suis-je tombé dans l'incertitude, suis-je tombé dans le désarroi, et la confiance que dans de précédents entretiens avec Maître Gotamo j'avais gagnée, la voici qui de moi s'est éloignée. »

« Lors assez, Vaccho, de ton incertitude, de ton désarroi : Profonde est, Vaccho, cette doctrine, ardue à sonder, ardue à comprendre, coite, rare, incritiquable, profonde, ouverte aux sages ; tu la comprendras malaisément sans indication, sans patience, sans don de toi, sans effort, sans guide. Or là-dessus, Vaccho, je veux te poser des questions : comme cela t'agrée y peux-tu répondre. Que t'en semble, Vaccho ; si devant toi brûlait un feu, saurais-tu : " Un feu brûle devant moi ? " »

« Si devant moi, ô Gotamo, brûlait un feu, je saurais : " Un feu brûle devant moi. " »

« Si quelqu'un, Vaccho, te questionnait : " Ce feu qui brûle devant toi, que brûle-t-il ? " Ainsi questionné, Vaccho, que répondrais-tu ? »

« Si quelqu'un, ô Gotamo, me questionnait : " Ce feu qui brûle devant toi, que brûle-t-il ? ", je répondrais ainsi à cette question : " Ce feu, qui brûle devant moi, brûle du foin et du bois qui le viennent entretenir. " »

« Si, Vaccho, ce feu devant toi venait à s'éteindre, saurais-tu : " Ce feu devant moi vient à s'éteindre ? " »

« Si, Gotamo, ce feu devant moi venait à s'éteindre, je saurais : " Ce feu devant moi vient à s'éteindre. " »

« Si maintenant, Vaccho, quelqu'un te questionnait : " Ce feu, qui devant toi vint à s'éteindre, où donc s'en est-il allé, dans quelle direction, vers l'est ou vers l'ouest, vers le nord ou vers le sud ? " Or ainsi questionné, Vaccho, que répondrais-tu ? »

« Ça ne s'applique, ô Gotamo, parce que ce feu, ô Gotamo, qui de foin et de bois entretenu brûlait, a dévoré ceux-ci et, n'étant plus nourri, est sans nourriture dit éteint. »

« De la sorte aussi, Vaccho, toute forme, désignant l'Accompli dont on voudrait désigner l'Accompli, a par l'Accompli été surmontée, coupée à la racine, tel un bourgeon de palmier, pour qu'elle ne puisse plus germer, plus se développer : de l'espèce forme délié, Vaccho, est l'Accompli, profond, incommensurable, ardu à scruter, tel l'océan ; Ressuscite, ça ne s'applique, Ne ressuscite, ça ne s'applique, Ressuscite et ne ressuscite, ça ne s'applique, Ressuscite autant que ne ressuscite, ça ne s'applique. Toute sensation, désignant l'Accompli dont on voudrait désigner l'Accompli, a par l'Accompli été surmontée, coupée à la racine, tel un bourgeon de palmier, pour qu'elle ne puisse plus germer, plus se développer : de l'espèce sensation délié, Vaccho, est l'Accompli, profond, incommensurable, ardu à scruter, tel l'océan ; Ressuscite, ça ne s'applique, Ne ressuscite, ça ne s'applique, Ressuscite et ne ressuscite, ça ne s'applique, Ressuscite autant que ne ressuscite, ça ne s'applique. Toute perception, désignant l'Accompli dont on voudrait désigner l'Accompli, a par l'Accompli été surmontée, coupée à la racine, tel un bourgeon de palmier, pour qu'elle ne puisse plus germer, plus se développer : de l'espèce perception délié, Vaccho, est l'Accompli, profond, incommensurable, ardu à scruter, tel l'océan ; Ressucite, ça ne s'applique, Ne ressuscite, ça ne s'applique, Ressuscite et ne ressuscite, ça ne s'applique, Ressuscite autant que ne ressuscite, ça ne s'applique. Toute distinction, désignant l'Accompli dont on voudrait désigner l'Accompli, a par l'Accompli été surmontée, coupée à la racine, tel un bourgeon de palmier, pour qu'elle ne puisse plus germer, plus se développer : de l'espèce distinction délié, Vaccho, est l'Accompli, profond, incommensurable, ardu à scruter, tel l'océan ; Ressuscite, ça ne s'applique, Ne ressuscite, ça ne s'applique, Ressuscite et ne ressuscite, ça ne s'applique, Ressuscite autant que ne ressuscite, ça ne s'applique. Toute conscience, désignant l'Accompli dont on voudrait désigner l'Accompli, a par l'Accompli été surmontée, coupée à la racine, tel un bourgeon de palmier, pour qu'elle ne puisse plus germer, plus se développer : de l'espèce conscience délié, Vaccho, est l'Accompli, profond, incommensurable, ardu à scruter, tel l'océan ; Ressuscite, ça ne s'applique, Ne ressuscite, ça ne s'applique, Ressuscite et ne ressuscite, ça ne s'applique, Ressuscite autant que ne ressuscite, ça ne s'applique. »

À ces paroles, Vacchagotto le pèlerin dit ceci à l'Exalté :

« De même que, ô Gotamo, si près d'un village ou d'une ville se trouvait un grand arbre, et feuilles et ramilles en tomberaient, menu bois et morceaux d'écorce et de bois vert en tomberaient, pour qu'ensuite, débarrassé de feuilles et de ramilles, débarrassé de menu bois et d'écorce, débarrassé de bois vert, il ne soit que de pur bois de cœur : de la sorte aussi l'exposé de Maître Gotamo, débarrassé de feuilles et de ramilles, débarrassé de menu bois et d'écorce, débarrassé de bois vert, n'est fait que de bois de cœur. Excellent, ô Gotamo, excellent, ô Gotamo : De même que, ô Gotamo, si l'on relevait une ruine, ou révélait un secret, ou montrait la route à des égarés, ou tenait une lumière dans les ténèbres : “ Qui a des yeux verra ces choses ” : de la sorte aussi Maître Gotamo approfondit la doctrine. Aussi je mets en Maître Gotamo mon refuge, en la doctrine et en les disciples : Que Maître Gotamo daigne en moi voir un disciple, fidèle toute ma vie. »

LES BRAHMANES DE SALA *

Voilà ce que j'ouïs. Dans un temps, l'Exalté cheminait au pays de Kosalo * ; il allait de lieu en lieu, et s'en vint, accompagné d'une grande troupe de moines, aux environs d'un village brahmanique du nom de Sala. Et les brahmanes, bourgeois de Sala, ouïrent dire : l'ascète, eh oui, Maître Gotamo, le fils des Shâkyas *, lequel a renoncé à l'héritage des Shâkyas, chemine dans notre pays ; il va de lieu en lieu, et vient d'arriver avec une grande troupe de moines à Sala. On salue partout Maître Gotamo de la joyeuse renommée : Voilà l'Exalté, le Saint, le Possesseur de la Lumière, le Premier de la Science et de la Conduite, le Bienvenu, le Connaisseur du Monde, l'incomparable Guide du troupeau des hommes, le Maître des dieux et des hommes, l'Illuminé, l'Exalté. Il montre ce monde avec ses dieux, ses saints et ses mauvais esprits, sa troupe de prêtres et de pénitents, de dieux et d'hommes, après qu'il les a lui-même compris et pénétrés. Il annonce la vérité dont le commencement bénit, dont le milieu bénit, dont la fin bénit; il annonce la vérité fidèle en parole et en pensée, il montre l'ascétisme parfaitement pur, parfaitement épuré. Heureux ceux qui peuvent contempler de tels saints.

Et voici que ces brahmanes, bourgeois de Sala, se rendirent là où l'Exalté se trouvait. Arrivés là, quelques-uns d'entre eux s'inclinèrent révérencieusement devant l'Exalté, d'autres échangèrent avec l'Exalté d'aimables et mémorables paroles et s'assirent de côté, quelques-uns levèrent leurs mains croisées vers l'Exalté, d'autres donnèrent à entendre à l'Exalté leurs noms et conditions, et quelques-uns s'assirent silencieusement de côté. Et ces brahmanes, bourgeois de Sala, dirent ceci à l'Exalté :

« Quelle est la raison, ô Gotamo, quelle est la cause de ce que maints êtres, après la rupture du corps, après la mort, déchoient, échoient à de mauvais périples, à la perte et au malheur ? Et puis, ô Gotamo, quelle est la raison, quelle est la cause de ce que maints êtres, après la rupture du corps, après la mort, échoient à de bons périples, au monde céleste ? »

« Parce que fausse est leur vie, parce qu'injuste est leur vie, ô bourgeois, maints êtres, après la rupture du corps, après la mort, déchoient, échoient à de mauvais périples, à la perte et au malheur. Parce que vraie est leur vie, parce que juste est leur vie, ô bourgeois, maints êtres, après la rupture du corps, après la mort, échoient à de bons périples, au monde céleste. »

« Le sens exact des paroles succinctes du vénérable Gotamo, nous ne le comprenons pas ; si le vénérable Gotamo voulait nous exposer la vérité de la sorte que nous puissions comprendre le sens exact de ces paroles succinctes, voici que ce serait une bonne chose. »

« Eh bien soit, ô bourgeois, prêtez soin et attention à ma parole. »

« Oui, ô Maître ! » répondirent alors les bourgeois

brahmaniques de Sala, prêtant attention à l'Exalté. L'Exalté s'exprima ainsi :

« Trois fois différente est en actions la fausse vie, l'injuste vie, ô bourgeois, quatre fois différente est en paroles la fausse vie, l'injuste vie, trois fois différente est en pensées la fausse vie, l'injuste vie. Mais comment, ô bourgeois, est en actions trois fois différente la fausse vie, l'injuste vie? Voici que, ô bourgeois, tel est un meurtrier, que cruel et sanguinaire est-il, que voué à la violence et à mettre à mort est-il, que de ses compagnons point il n'a pitié. Il ravit le bien d'autrui ; ce qui dans le village ou dans la forêt constitue l'avoir, constitue le bien de quelqu'un d'autre, voici qu'il s'en empare, qu'il se l'approprie, qu'il se l'attribue. Et des écarts commet-il : il a commerce avec une jeune fille, qui est sous la protection de père ou mère, sous la protection de frère ou sœur, sous la protection de parents, il noue des relations avec celle qui obéit à l'époux ou qui à servir est vouée, il va jusqu'à entretenir des relations avec une danseuse parée de fleurs. C'est ainsi, ô bourgeois, qu'est en actions trois fois différente la fausse vie, l'injuste vie.

« Mais comment, ô bourgeois, est en paroles quatre fois différente la fausse vie, l'injuste vie? Voici que, ô bourgeois, tel est un menteur. Appelé, interrogé comme témoin par le tribunal, par des gens, par la famille, par la société, par des envoyés du roi : Eh bien, brave homme, ce que tu sais, dis-le, il répond, ne sachant pas : Je sais, et sachant : Je ne sais pas, ne voyant pas : Je vois, et voyant : Je ne vois pas. C'est ainsi qu'en sa faveur ou qu'en faveur d'autrui ou que mû par quelqu'une intention, il rend consciemment un faux témoignage. Et puis il aime répéter. Ce qu'il entendit ici raconte-t-il là-bas, pour diviser ceux-ci ; et ce que là-bas entendit-il raconte-t-il ici, pour diviser ceux-là. Ainsi désunit-il ceux qui sont unis et soulève-t-il l'un contre l'autre ceux qu'il désunit. La dispute le réjouit, la dispute le ravit, la dispute le satisfait, il éveille la dispute dans les cœurs. Il se sert de coupantes, malveillantes, irritantes, offensantes, blessantes paroles de mésentente. Et il se livre à des discours oiseux, parle à contretemps, sans objet, sans but, et pas selon la vérité, pas suivant l'ordre ; sa parole ne vaut pas la peine que l'on pense à elle, elle est inappropriée, elle est confuse, incongrue, incompréhensible. C'est ainsi, ô bourgeois, qu'est en paroles quatre fois différente la fausse vie, l'injuste vie.

« Mais comment, ô bourgeois, est en pensées trois fois différente la fausse vie, l'injuste vie ? Voici que tel, ô bourgeois, convoite. Le bien, l'avoir d'un autre, il l'envie : Ah ! si ce qui est à lui était à moi ! La haine l'emplit, son cœur est plein de pensées perfides : Que ces êtres soient détruits, qu'on les tue, qu'on les fasse disparaître, qu'on les anéantisse, qu'ils ne demeurent ainsi ! Et sournoises sont ses intentions, injustes sont ses opinions : Faire l'aumône, renoncer, dispenser, tout ça c'est vain, il n'y a pas de semence et de récolte des bonnes et des mauvaises actions. En Deçà, Au-Delà sont des mots vides ; père et mère en esprit, et naissance en esprit ne sont que des noms ; le monde n'a pas d'ascètes et prêtres, parfaits et accomplis, pouvant s'ouvrir, réaliser et conquérir l'esprit de ce monde-ci et de ce monde-là. Parce que fausse est leur vie, parce qu'injuste est leur vie, maints êtres après la rupture du corps, après la mort, déchoient, échoient à de mauvais périples, à la perte et au malheur.

« Trois fois différente est en actions la parfaite vie, la juste vie, ô bourgeois, quatre fois différente est en paroles la parfaite vie, la juste vie, trois fois différente est en pensées la parfaite vie, la juste vie. Mais comment, ô bourgeois, est en actions trois fois différente la parfaite vie, la juste vie ? Voici que tel, ô bourgeois, le meurtre a quitté, qu'il s'est défait du meurtre : il a posé le bâton et l'épée, il est doux et compatissant, charitable et pitoyable envers toute vie, envers tout ce qui d'un souffle est animé ; le bien qu'autrui possède au village ou en forêt, point il ne se l'approprie, point il ne s'en gratifie, son intention est droite. Il ne commet pas d'écarts, il n'a pas commerce avec une jeune fille, qui est sous la protection de père ou mère, sous la protection de frère ou sœur, sous la protection de parents, avec celle qui obéit à l'époux ou qui à servir est vouée, il ne va point jusqu'à entretenir des relations avec une danseuse parée de fleurs. C'est ainsi, ô bourgeois, qu'est en actions trois fois différente la parfaite vie, la juste vie.

« Mais comment, ô bourgeois, est en paroles quatre fois différente la parfaite vie, la juste vie ? Voici que tel, ô bourgeois, a rejeté mentir. Appelé, interrogé comme témoin par le tribunal, par des gens, par la famille, par la société, par des envoyés du roi : Eh bien, brave homme, ce que tu sais, dis-le, il répond, ne sachant pas : Je ne sais pas, et sachant : Je sais, ne voyant pas : Je ne vois pas, et voyant : Je vois. C'est ainsi qu'en sa faveur ou qu'en faveur d'autrui ou que mû par quelqu'une intention, il ne rend pas consciemment de faux témoignage. Il n'aime pas répéter. Ce qu'il entendit ici ne raconte-t-il pas là-bas, pour diviser ceux-ci ; et ce que là-bas entendit-il ne raconte-t-il pas ici, pour diviser ceux-là. Ainsi unit-il les désunis et réunit-il les unis ; l'union le réjouit, l'union le ravit, l'union le satisfait, il prononce des paroles d'union. Il s'abstient de prononcer des paroles coupantes, de prononcer des paroles coupantes évite-t-il. Douces sont les paroles qu'il prononce, subjuguant l'oreille, subjuguant le cœur, bénies et puissantes, convenant au plus grand nombre, compatissantes au plus grand nombre, ce sont de telles paroles qu'il dit. Il a rompu bavardages et vain langage, des bavardages et du vain langage il se tient éloigné. Il parle à temps, selon qu'il faut ; riche en contenu est sa parole, fidèle à la vérité et à l'ordre ; sa parole vaut la peine que l'on pense à elle ; d'allégories elle est parfois ornée, elle est claire et précise, à son objet appropriée. C'est ainsi, ô bourgeois, qu'est en paroles quatre fois différente la parfaite vie, la juste vie.

« Et comment, ô moines, est en pensées trois fois différente la parfaite vie, la juste vie ? Voici que tel, ô bourgeois, ne convoite pas. Le bien, ou les richesses d'autrui, pas il n'envie : Ah ! si seulement j'avais ce qu'il a ! Il ne nourrit point de haine, il ne veut de mal à quiconque : Puissent ces êtres garder, au-delà de toute douleur, au-delà de tout tourment, joyeusement leur existence ! Et bonnes sont ses intentions, justes sont ses opinions : Faire l'aumône, renoncer, dispenser ne sont pas vains ; il y a une semence et une récolte des bonnes et des mauvaises actions ; il y a un En Deçà, et il y a un Au-Delà ; voici qu'existent parents et naissance en esprit ; le monde a des ascètes et prêtres, qui sont parfaits et accomplis, pouvant s'ouvrir, réaliser et conquérir l'esprit de ce monde-ci et de ce monde-là. Parce que parfaite est leur vie, parce que juste est leur vie, maints êtres, après la rupture du corps, échoient à de bons périples au monde céleste. »

Ainsi s'exprima l'Exalté. Satisfaits, ces bourgeois brahmaniques de Sala se réjouissaient de la parole de l'Exalté.

L'instruction à Rahoulo*

Voilà ce que j'ouïs. Dans un temps, l'Exalté se trouvait près de Rayagaham, dans le Parc des Bambous, sur la Hauteur des Écureuils. Or dans ce temps le vénérable Rahoulo se trouvait dans le Bois des Manguiers.

Or voici que lorsque l'Exalté eut vers le soir suspendu l'oraison il se rendit au Bois des Manguiers, là où se trouvait le vénérable Rahoulo. Et voici que le vénérable Rahoulo vit de loin l'Exalté s'en venir, et quand il l'eut vu, il prépara un siège et de l'eau pour l'ablution des pieds. L'Exalté s'assit sur le siège présenté, et quand il fut assis il se lava les pieds. Et le vénérable Rahoulo, lui aussi, s'assit, après la salutation de l'Exalté, de côté.

Et l'Exalté laissa une petite quantité d'eau dans le bassin, et se tourna vers le vénérable Rahoulo :

« Vois-tu bien, Rahoulo, cette petite quantité d'eau dans le bassin ? »

« Oui, ô Maître. »

« De la sorte est petit, Rahoulo, l'ascétisme de ceux-là, qui ne craignent pas de mentir consciemment. »

Et l'Exalté jeta cette petite quantité d'eau, et parla au vénérable Rahoulo :

« Vois-tu bien, Rahoulo, que cette petite quantité d'eau est jetée ? »

« Oui, ô Maître. »

« De la sorte est jeté, Rahoulo, l'ascétisme de ceux-là, qui ne craignent pas de mentir consciemment. »

Et l'Exalté renversa le bassin, et parla au vénérable Rahoulo :

« Vois-tu, Rahoulo, que ce bassin est renversé ?

« Oui, ô Maître. »

« De la sorte est renversé, Rahoulo, l'ascétisme de ceux-là, qui ne craignent pas de mentir consciemment. »

Et l'Exalté retourna le bassin, et demanda au vénérable Rahoulo :

« Vois-tu bien, Rahoulo, que vide et creux est ce bassin ? »

« Oui, ô Maître. »

« De la sorte est vide et creux, Rahoulo, l'ascétisme de ceux-là, qui ne craignent pas de mentir consciemment. »

« De même que, Rahoulo, si un éléphant royal, à double défense, un éléphant de combat, apte au combat, parvenu sur le champ de combat opère des pieds de devant son œuvre et des pieds de derrière opère son œuvre, opère du train de devant son œuvre et du train de derrière opère son œuvre, de la tête opère son œuvre, des oreilles opère son œuvre, des défenses opère son œuvre, de la queue opère son œuvre et n'en soustrait que la trompe : voilà que le cornac sait alors : L'éléphant royal n'a pas livré sa vie en proie. Cependant, Rahoulo, si un éléphant royal, à double défense, un éléphant de combat, apte au combat, parvenu sur le champ de combat opère des pieds de devant son œuvre et des pieds de derrière opère son œuvre, opère du train de devant son œuvre et du train de derrière opère son œuvre, de la tête opère son œuvre, des oreilles opère son œuvre, des défenses opère son œuvre, de la queue opère son œuvre et de la trompe opère son œuvre : voilà que le cornac sait alors : En proie livré sa vie a l'éléphant royal, rien dont l'éléphant royal maintenant ne soit capable. De la sorte aussi, Rahoulo, dis-je, que quiconque ne craint pas de mentir consciemment est capable de tout mal. C'est pourquoi comprends-le, Rahoulo : Même en plaisantant je ne veux pas mentir : ça avez-vous, Rahoulo, à bien pratiquer. »

« Que te semble, Rahoulo, à quoi sert un miroir ? »

« À se contempler, ô Maître. »

« De la sorte aussi doit-on, Rahoulo, contempler et contempler avant de commettre des actions, contempler et contempler avant de prononcer des paroles, contempler et contempler avant de consommer des pensées.

« Quelque action, Rahoulo, que tu veuilles commettre, précisément cette action dois-tu contempler : Quoi, si cette action, que je veux commettre, me faisait tort, faisait tort à un autre, faisait tort à tous les deux ? Ce serait une action non salutaire, semant de la souffrance, cultivant de la souffrance. Si, Rahoulo, contemplant tu remarques : Cette action, que je veux commettre, me fait tort, fait tort à un autre, fait tort à tous les deux : c'est une action non salutaire, semant de la souffrance, cultivant de la souffrance, dois-tu, Rahoulo, renoncer à une telle action. Mais si, Rahoulo, contemplant tu remarques : Cette action, que je veux commettre, ne me fait pas tort, ne fait pas tort à un autre, ne fait pas tort à tous les deux : c'est une action salutaire, semant du bien, cultivant du bien, dois-tu, Rahoulo, commettre une telle action.

« Et pendant que, Rahoulo, tu commets une action, précisément cette action dois-tu contempler : Cette action que je commets, me fait-elle tort, fait-elle tort à un autre, fait-elle tort à tous les deux ? Est-ce une action non salutaire, semant de la souffrance, cultivant de la souffrance ? Si, Rahoulo, contemplant tu remarques : Cette action, que je commets, me fait tort, fait tort à un autre, fait tort à tous les deux : c'est une action non salutaire, semant de la souffrance, cultivant de la souffrance, dois-tu, Rahoulo, renoncer à une telle action. Mais si, Rahoulo, contemplant tu remarques : Cette action, que je commets, ne me fait pas tort, ne fait pas tort à un autre, ne fait pas tort à tous les deux : c'est une action salutaire, semant du bien, cultivant du bien, dois-tu, Rahoulo, cultiver une telle action.

« Et as-tu, Rahoulo, commis une action, précisément cette action dois-tu contempler : Quoi, cette action que j'ai commise, me fait-elle tort, fait-elle tort à un autre, fait-elle tort à tous les deux ? Est-ce une action non salutaire, semant de la souffrance, cultivant de la souffrance ? Si, Rahoulo, contemplant tu remarques : Cette action, que j'ai commise, me fait tort, fait tort à un autre, fait tort à tous les deux : c'est une action non salutaire, semant de la souffrance, cultivant de la souffrance, dois-tu, Rahoulo, confesser, annoncer, dénoncer une telle action au maître ou aux frères éclairés de l'ordre ; et l'as-tu confessée, annoncée, dénoncée, t'en garder désormais. Mais si, Rahoulo, contemplant tu remarques : Cette action, que j'ai commise, ne me fait pas tort, ne fait pas tort à un autre, ne fait pas tort à tous les deux : c'est une action salutaire, semant du bien, cultivant du bien, dois-tu, Rahoulo, cultiver nuit et jour ce réjouissant exercice béni.

« Quelque parole, Rahoulo, que tu veuilles prononcer, précisément cette parole dois-tu contempler : Quoi, si cette parole, que je veux prononcer, me faisait tort, faisait tort à un autre, faisait tort à tous les deux ? Ce serait une parole non salutaire, semant de la souffrance, cultivant de la souffrance. Si, Rahoulo, contemplant tu remarques : Cette parole, que je veux prononcer, me fait tort, fait tort à un autre, fait tort à tous les deux, c'est une parole non salutaire, semant de la souffrance, cultivant de la souffrance, dois-tu, Rahoulo, renoncer à une telle parole. Mais si, Rahoulo, contemplant tu remarques : Cette parole, que je veux prononcer, ne me fait pas tort, ne fait pas tort à un autre, ne fait pas tort à tous les deux : c'est une parole salutaire, semant du bien, cultivant du bien, dois-tu, Rahoulo, prononcer une telle parole.

« Et pendant que, Rahoulo, tu prononces une parole, précisément cette parole dois-tu contempler : Cette parole que je prononce, me fait-elle tort, fait-elle tort à un autre, fait-elle tort à tous les deux ? Est-ce une parole non salutaire, semant de la souffrance, cultivant de la souffrance ? Si, Rahoulo, contemplant tu remarques : Cette parole, que je prononce, me fait tort, fait tort à un autre, fait tort à tous les deux : c'est une parole non salutaire, semant de la souffrance, cultivant de la souffrance, dois-tu, Rahoulo, renoncer à une telle parole. Mais si, Rahoulo, contemplant tu remarques : Cette parole, que je prononce, ne me fait pas tort, ne fait pas tort à un autre, ne fait pas tort à tous les deux : c'est une parole salutaire, semant du bien, cultivant un bien, dois-tu, Rahoulo, cultiver une telle parole.

« Et as-tu, Rahoulo, prononcé une parole, précisément cette parole dois-tu contempler : Cette parole, que j'ai prononcée, me fait-elle tort, fait-elle tort à un autre, fait-elle tort à tous les deux ? Est-ce une parole non salutaire, semant de la souffrance, cultivant de la souffrance ? Si, Rahoulo, contemplant tu remarques : Cette parole, que j'ai prononcée, me fait tort, fait tort à un autre, fait tort à tous les deux, c'est une parole non salutaire, semant de la souffrance, cultivant de la souffrance, dois-tu, Rahoulo, confesser, annoncer, dénoncer une telle parole au maître ou aux frères éclairés de l'ordre ; et l'as-tu confessée, annoncée, dénoncée, à t'en garder désormais. Mais si, Rahoulo, contemplant tu remarques : Cette parole, que j'ai prononcée, ne me fait pas tort, ne fait pas tort à un autre, ne fait pas tort à tous les deux : c'est une parole salutaire, semant du bien, cultivant du bien, dois-tu, Rahoulo, cultiver nuit et jour ce réjouissant exercice béni.

« Quelque pensée, Rahoulo, que tu veuilles consommer, précisément cette pensée dois-tu contempler : Quoi, si cette pensée, que je veux consommer, me faisait tort, faisait tort à un autre, faisait tort à tous les deux ? Ce serait une pensée non salutaire, semant de la souffrance, cultivant de la souffrance. Si, Rahoulo, contemplant tu remarques : Cette pensée, que je veux consommer, me fait tort, fait tort à un autre, fait tort à tous les deux : c'est une pensée non salutaire, semant de la souffrance, cultivant de la souffrance, dois-tu, Rahoulo, renoncer à une telle pensée. Mais si, Rahoulo, contemplant tu remarques : Cette pensée, que je veux consommer, ne me fait pas tort, ne fait pas tort à un autre, ne fait pas tort à tous les deux : c'est une pensée salutaire, semant du bien, cultivant du bien, dois-tu, Rahoulo, consommer une telle pensée.

« Et pendant que, Rahoulo, tu consommes une pensée, précisément cette pensée dois-tu contempler : Cette pensée que je consomme, me fait-elle tort, fait-elle tort à un autre, fait-elle tort à tous les deux ? Si, Rahoulo, contemplant tu remarques : Cette pensée, que je consomme, me fait tort, fait tort à un autre, fait tort à tous les deux : c'est une pensée non salutaire, semant de la souffrance, cultivant de la souffrance, dois-tu, Rahoulo, renoncer à une telle pensée. Mais si, Rahoulo, contemplant tu remarques : Cette pensée, que je consomme, ne me fait pas tort, ne fait pas tort à un autre, ne fait pas tort à tous les deux : c'est une pensée salutaire, semant du bien, cultivant du bien, dois-tu, Rahoulo, cultiver une telle pensée.

« Et as-tu, Rahoulo, consommé une pensée, précisément cette pensée dois-tu contempler : Cette pensée que j'ai consommée, me fait-elle tort, fait-elle tort à un autre, fait-elle tort à tous les deux ? Est-ce une pensée non salutaire, semant de la souffrance, cultivant de la souffrance ? Si, Rahoulo, contemplant tu remarques : Cette pensée, que j'ai consommée, me fait tort, fait tort à un autre, fait tort à tous les deux : c'est une pensée non salutaire, semant de la souffrance, cultivant de la souffrance, dois-tu, Rahoulo, devant une telle pensée être saisi d'horreur, de terreur, de rancœur, et saisi d'horreur, de terreur, de rancœur, t'en garder désormais. Mais si, Rahoulo, contemplant tu remarques : Cette pensée que j'ai consommée, ne me fait pas tort, ne fait pas tort à un autre, ne fait pas tort à tous les deux : c'est une pensée salutaire, semant du bien, cultivant du bien, dois-tu, Rahoulo, cultiver nuit et jour ce réjouissant exercice béni.

« Quels que furent, Rahoulo, les ascètes ou les prêtres des temps passés, qui purifièrent leurs actions, qui purifièrent leurs paroles, qui purifièrent leurs pensées, contemplant et contemplant purifièrent-ils leurs actions, contemplant et contemplant purifièrent-ils leurs paroles, contemplant et contemplant purifièrent-ils leurs pensées. Quels que seront, Rahoulo, les ascètes ou les prêtres des temps futurs, qui purifieront leurs actions, qui purifieront leurs paroles, qui purifieront leurs pensées, contemplant et contemplant purifieront-ils leurs actions, contemplant et contemplant purifieront-ils leurs paroles, contemplant et contemplant purifieront-ils leurs pensées. Quels que soient, Rahoulo, les ascètes ou les prêtres des temps présents, qui purifient leurs actions, qui purifient leur paroles, qui purifient leurs pensées, contemplant et contemplant purifient-ils leurs actions, contemplant et contemplant purifient-ils leurs paroles, contemplant et contemplant purifient-ils leurs pensées.

« C'est pourquoi remarque, Rahoulo : Contemplant et contemplant voulons-nous purifier nos actions, contemplant et contemplant voulons-nous purifier nos paroles, contemplant et contemplant voulons-nous purifier nos pensées : ça avez-vous, Rahoulo, à bien pratiquer. »

Ainsi s'exprima l'Exalté. Satisfait, le vénérable Rahoulo se réjouissait de la parole de l'Exalté.

VEKHÂNASO *

Voilà ce que j'ouïs. Dans un temps, l'Exalté se trouvait près de Savatthi, dans la Forêt du Vainqueur, au Jardin d'Anathapindiko.

Voici que Vekhânaso, un pèlerin, se rendit là où l'Exalté se trouvait, échangea une courtoise salutation et d'aimables, mémorables paroles avec l'Exalté et se tint de côté. De côté se tenant Vekhânaso, le pèlerin, donna à entendre à l'Exalté.

« C'est l'éclat suprême, c'est l'éclat suprême. »

« Pourquoi donc, Kaccano *, dis-tu : " C'est l'éclat suprême, c'est l'éclat suprême ? " Qu'est-ce que cet éclat suprême ?

« L'éclat, ô Gotamo, hors lequel il n'en est de plus grand et de plus brillant, c'est l'éclat suprême. »

« Et qu'est-ce, Kaccano, que cet éclat suprême, hors lequel il n'en est de plus grand et de plus brillant ? »

« L'éclat, ô Gotamo, hors lequel il n'en est de plus grand et de plus brillant, c'est l'éclat suprême. »

« Longtemps encore ainsi, Kaccano, peux-tu poursuivre, si tu dis : L'éclat, hors lequel il n'en est de plus grand et de plus brillant, c'est l'éclat suprême, et n'expliques pas cet éclat. De même que, Kaccano, si un homme parlait ainsi : J'ai pour celle qui dans tout le pays est la plus belle, désir, je soupire pour elle ; et si on lui demandait : Cher homme, la plus belle du pays, pour laquelle tu as désir et soupir, la connais-tu, est-ce une princesse ou une fille de prêtre, une fille de bourgeois ou une servante ? et il répondrait Non ; et on lui demanderait : Cher homme, la plus belle du pays, pour laquelle tu as désir et soupir, la connais-tu, sais-tu comment elle s'appelle, d'où elle est issue ou à qui elle appartient, si elle est de taille grande ou petite ou moyenne, si la teinte de sa peau est foncée ou brune ou jaune, dans quel village ou dans quel château ou dans quelle ville elle demeure ? et il répondrait Non ; et on lui demanderait : Cher homme, pour celle que tu ne connais pas et ne vois pas, tu as désir et soupir ? et il répondrait Oui ; que te semble, Kaccano : cet homme aurait-il, en la circonstance, donné une réponse incompréhensible ? »

« Certes, ô Gotamo, cet homme aurait, en la circonstance, donné une réponse incompréhensible. »

« De la sorte aussi, Kaccano, as-tu dit : L'éclat, ô Gotamo, hors lequel il n'en est de plus grand et de plus brillant, c'est l'éclat suprême, et n'as-tu pas expliqué cet éclat. »

« De même que, ô Gotamo, un bijou, une pierre précieuse, à belle eau, à huit facettes, à fine taille, sur un fond clair scintille et rayonne et flamboie, de même l'âme brille, guérie après la mort. »

« Que te semble, Kaccano : un bijou, une pierre précieuse, à belle eau, à huit facettes, à fine taille, qui sur un fond clair scintille et rayonne et flamboie, ou un ver luisant, un lampyre[31], dans une sombre, obscure nuit : lequel de ces deux a plus grand et plus brillant éclat ? »

« Un ver luisant, ô Gotamo, un lampyre, dans une sombre, obscure nuit, lui de ces deux a plus grand et plus brillant éclat. »

« Que te semble, Kaccano : un ver luisant dans une sombre, obscure nuit, un lampyre, ou une lampe à huile dans une sombre, obscure nuit : lequel de ces deux a plus grand et plus brillant éclat ? »

« Une lampe à huile, ô Gotamo, dans une sombre,

obscure nuit, elle de ces deux a plus grand et plus brillant éclat. »

« Que te semble, Kaccano : une lampe à huile dans une sombre, obscure nuit, ou une torche embrasée dans une sombre, obscure nuit : laquelle de ces deux a plus grand et plus brillant éclat ? »

« Une torche allumée, ô Gotamo, dans une sombre, obscure nuit, elle de ces deux a plus grand et plus brillant éclat. »

« Que te semble, Kaccano : une torche embrasée dans une sombre, obscure nuit, ou l'étoile du Berger à l'aurore, quand dissipés ont disparu brumes et nuages : laquelle de ces deux a plus grand et plus brillant éclat ? »

« L'étoile du Berger, ô Gotamo, à l'aurore, quand dissipés ont disparu brumes et nuages, elle de ces deux a plus grand et plus brillant éclat. »

« Que te semble, Kaccano : l'étoile du Berger à l'aurore, quand dissipés ont disparu brumes et nuages, ou la lune incommensurable à minuit, à la fête de la mi-mois, quand dissipés ont disparu brumes et nuages : laquelle de ces deux a plus grand et plus brillant éclat ? »

« La lune, ô Gotamo, incommensurable à minuit, à la fête de la mi-mois, quand dissipés ont disparu brumes et nuages, elle de ces deux a plus grand et plus brillant éclat. »

« Que te semble, Kaccano : la lune incommensurable à minuit, à la fête de la mi-mois, quand dissipés ont disparu brumes et nuages, ou au dernier mois de la saison des pluies, à l'automne, quand dissipés ont disparu brumes et nuages, le soleil incommensurable à midi : lequel de ces deux a plus grand et plus brillant éclat ? »

« Le soleil, ô Gotamo, incommensurable à midi, au dernier mois de la saison des pluies, à l'automne, quand dissipés ont disparu brumes et nuages, lui de ces deux a plus grand et plus brillant éclat. »

« Or il y a, Kaccano, plus de maints dieux, dont

l'éclat peut se comparer au soleil ou à la lune, et je les connais : mais je ne dis pas : Un éclat, hors lequel il n'en est de plus grand et de plus brillant; quand, Kaccano, de cet éclat qui après le ver luisant, le lampyre, a rang, lui est inférieur, tu dis : C'est l'éclat suprême, c'est l'éclat suprême, et n'expliques pas cet éclat. »

« Il y a, Kaccano, cinq convoitises : lesquelles? Formes entrant par la vue dans la conscience, formes plaisantes, séduisantes, captivantes, fascinantes, agréant à la convoitise, formes émouvantes; sons entrant par l'ouïe dans la conscience, sons plaisants, séduisants, captivants, fascinants, agréant à la convoitise, sons émouvants; odeurs entrant par l'odorat dans la conscience, odeurs plaisantes, séduisantes, captivantes, fascinantes, agréant à la convoitise, odeurs émouvantes; goûts entrant par le goût dans la conscience, goûts plaisants, séduisants, captivants, fascinants, agréant à la convoitise, goûts émouvants; contacts entrant par le tact dans la conscience, contacts plaisants, séduisants, captivants, fascinants, agréant à la convoitise, contacts émouvants. Ce sont, Kaccano, les cinq convoitises. Les cinq convoitises, bonnes, désirables, Kaccano, on les appelle jouissance en les convoitises. Ainsi vient des convoitises la jouissance en les convoitises, de la jouissance en les convoitises la grande jouissance en les convoitises, que l'on estime d'un grand prix. »

À ces paroles, Vekhânaso le pèlerin dit ceci à l'Exalté :

« Étonnante, ô Gotamo, la justesse avec laquelle Maître Gotamo a dit : Des convoitises vient la jouissance en les convoitises, de la jouissance en les convoitises la grande jouissance en les convoitises, que l'on estime d'un grand prix. »

« À peine, Kaccano, comprends-tu sans indications, sans patience, sans don de toi, sans effort, sans guide, les convoitises et la jouissance des convoitises et la grande jouissance des convoitises. Les moines saints, Kaccano, des offenses taries, de la fin, de l'œuvre opérée, du faix déposé, du salut remporté, des liens d'existence rompus, les déliés par la juste connaissance peuvent comprendre les convoitises et la jouissance en les convoitises et la grande jouissance en les convoitises. »

Instruit ainsi, Vekhânaso le pèlerin fut indigné et insatisfait ; et diffamant l'Exalté et mettant en garde l'Exalté « Si le fit Maître Gotamo » — il dit ceci à l'Exalté :

« De la sorte aussi discourent maints ascètes et prêtres[32] ; ne sachant rien du commencement, ne voyant pas la fin, et prétendant d'eux-mêmes : Tarie est la naissance, accompli l'ascétisme, opérée l'œuvre, ce monde n'est plus : ce discours ne tourne qu'à la dérision de ceux-là, sonne creux, n'atteste que néant et vanité. »

« Quant à ceux-là, Kaccano, ascètes et prêtres, ne sachant rien du commencement, ne voyant pas la fin, et prétendant d'eux-mêmes : Tarie est la naissance, accompli l'ascétisme, opérée l'œuvre, ce monde n'est plus, à ceux-là vraiment cette semonce s'applique. Mais, Kaccano, qu'il en soit du commencement, qu'il en soit de la fin : Je fais bienvenue à un homme sensé, point simulateur, point hypocrite, à un homme sincère : je l'instruis, lui ouvre la vérité. S'il la suit, il apprendra dans très peu de temps, verra lui-même, qu'on est ainsi tout à fait délivré de ce lien, de ce lien du non-savoir.

« De même que, Kaccano, si un nourrisson, un petit enfant sans défense avait, roulés autour du cou, des liens par cinq fois ; et comme il grandirait et que ses sens se développeraient, on le délivrerait de ces liens ; et voici qu'il verrait Je suis libre, et sans liens : de la sorte aussi, Kaccano, je fais bienvenue à un homme sensé, point simulateur, point hypocrite, à un homme sincère. Je l'instruis, lui ouvre la vérité. S'il la suit, il apprendra dans très peu de temps, verra lui-même, qu'on est ainsi tout à fait délivré de ce lien, de ce lien du non-savoir. »

À ces paroles, Vekhânaso le pèlerin s'adressa à l'Exalté ainsi :

« Excellent, ô Gotamo, excellent, ô Gotamo. Qu'un adepte daigne en moi voir, Maître Gotamo, dès aujourd'hui fidèle pour la vie. »

Angoulimalo *

PREMIER FRAGMENT

Voilà ce que j'ouïs. Dans un temps, l'Exalté se trouvait près de Savatthi, dans la Forêt du Vainqueur, au Jardin d'Anathapindiko.

Dans ce temps vivait dans le royaume du roi Pasênadi de Kosalo un brigand, nommé Angoulimalo, cruel et sanguinaire, meurtrier, sans pitié envers homme et bête. Il rendait les villages non villageois, les cités non citadines, les campagnes non campagnardes. Il tuait et suspendait les anneaux à son cou.

Et l'Exalté, tout de suite ceint, prit le manteau et le bol et se rendit à Savatthi pour l'aumône d'aliments. Et lorsque l'Exalté, entrant de maison en maison, eut reçu les aumônes, il s'en revint et prit le repas ; puis il leva le camp et suivit, de manteau et de bol muni, le chemin, vers la contrée où Angoulimalo le brigand gîtait.

Cependant des bergers et des paysans virent l'Exalté suivre le chemin, vers la contrée où Angoulimalo le brigand gîtait ; et lorsqu'ils eurent vu l'Exalté, ils lui parlèrent ainsi :

« Là-bas, ascète, ne t'en va ! Dans cette contrée, ascète, gîte un brigand, nommé Angoulimalo, cruel et sanguinaire, meurtrier, sans pitié envers homme et bête. Il rend les villages non villageois, les cités non citadines, les campagnes non campagnardes. Il tue et suspend les anneaux à son cou. Vers cette contrée, ascète, dix hommes, et vingt hommes, et trente hommes, et quarante hommes sont allés, mais ils sont tous tombés en la puissance d'Angoulimalo le brigand ! »

Ainsi apostrophé, l'Exalté poursuivit en silence.

Et une deuxième, et troisième fois, les bergers et les paysans parlèrent à l'Exalté ainsi : mais en silence l'Exalté poursuivit.

Et Angoulimalo le brigand vit de loin s'approcher l'Exalté et lorsqu'il l'eut vu il pensa à part lui : « Miraculeux, en vérité, extraordinaire est-ce ! Voici que sur ce chemin dix hommes, et vingt hommes, et trente hommes, et quarante hommes s'en sont allés ensemble et sont tous tombés en ma puissance : et cet ascète-là s'en vient à part lui, tout seul, ainsi qu'un conquérant. Quoi, si je donnais le coup de grâce à cet ascète ? »

Et Angoulimalo le brigand prit glaive et bouclier, ceignit arc et carquois et suivit l'Exalté pas à pas.

Voici qu'alors l'Exalté fit apparaître une apparition magique de telle sorte qu'Angoulimalo le brigand, courant de toutes ses forces, ne put rattraper l'Exalté qui calme cheminait. Et Angoulimalo le brigand pensa à part lui : « Miraculeux, en vérité, extraordinaire est-ce ! Voici qu'ai-je autrefois surpris et atteint un éléphant en fuite, surpris et atteint un cheval en fuite, surpris et atteint une voiture en fuite, surpris et atteint un chevreuil en fuite : mais cet ascète-là, qui calme chemine, je ne le puis rattraper en courant de toutes mes forces ! » Et il s'arrêta et cria à l'Exalté :

« Arrête, ascète ! Arrête, ascète ! »

« J'arrête, Angoulimalo, arrête aussi. »

Angoulimalo le brigand eut alors cette pensée : « Ces ascètes du fils des Sakyer * disent la vérité, confessent la vérité : pourtant cet ascète dit, qui là chemine, “ J’arrête, Angoulimalo, arrête aussi. ” Quoi, si j’interrogeais donc cet ascète ? » Et Angoulimalo le brigand adressa la parole à l’Exalté :

« Cheminant, pénitent, tu te présumes stable,
Moi, le stable, présumes cheminant ;
Je t’interroge, ô pénitent, dis-le-moi :
Comment es-tu stable, comment suis-je ins-
[table ? »

Le Maître :
« Stable dorénavant, Angoulimalo,
Suis-je, qui ne fais de mal à nul être ;
Mais tu t’es déchaîné contre les êtres :
Ainsi suis-je stable, ainsi es-tu instable. »

DEUXIÈME FRAGMENT

Il y a longtemps, qu’une fois le grand Maître,
Que le moine m’apparut dans la forêt :
Je m’écriai : « Renoncer à mille fautes
Je veux pour un seul mot de ta vérité ! »

Brigand j’étais, oui, j’étais meurtre et tourment,
Cruel, hideux, comme le fond de l’enfer :
Aux pieds du Bienvenu le brigand se coucha,
Demande à l’Illuminé consécration.

Et Lui, qui est illuminé, doux et saint,
Et le Maître du monde et de tous ses dieux,
« Eh bien, viens, ô disciple ! » me dit le Maître,
M’admit ainsi dans l’ordre des disciples.

TROISIÈME FRAGMENT

Et voici que l’Exalté, suivi par le vénérable Angoulimalo, prit le chemin de Savatthi, cheminant d’endroit en endroit il s’approcha de la ville.

À Savatthi se trouvait l'Exalté, dans la Forêt du Vainqueur, au Jardin d'Anathapindiko.

Or dans ce temps voici qu'une multitude s'était rassemblée devant le palais du roi Pasênadi de Kosalo, et elle se plaignait et criait :

« Dans ton pays, ô roi, vit un brigand, nommé Angoulimalo, cruel et sanguinaire, meurtrier, sans pitié envers homme et bête. Il rend les villages non villageois, les cités non citadines, les campagnes non campagnardes. Il tue et suspend les anneaux à son cou. Que le roi le rende inoffensif ! »

Le roi Pasênadi de Kosalo partit alors de Savatthi avec cinq cents cavaliers et arriva encore l'après-midi au Jardin. Allé aussi loin qu'on pouvait aller en voiture, il descendit et s'en vint ensuite à pied là où l'Exalté se trouvait, fit une salutation révérencieuse et s'assit de côté. Et le roi Pasênadi de Kosalo, qui était assis de côté, s'adressa ainsi à l'Exalté :

« Que t'arrive-t-il, grand roi : le roi de Magadha, Senyio Bimbisaro, t'a-t-il menacé, ou les princes de Vesâli Licchafir, ou d'autres de tes corégents ? »

« Menacé, ô Maître, ne m'a le roi de Magadha, Senyio Bimbisaro, ni les princes de Vesâli Licchafir ou d'autres de mes corégents : dans mon pays, ô Maître, vit un brigand, nommé Angoulimalo, cruel et sanguinaire, meurtrier, sans pitié envers homme et bête. Il rend les villages non villageois, les cités non citadines, les campagnes non campagnardes. Il tue et suspend les anneaux à son cou. Je le veux, ô Maître, rendre inoffensif. »

« Cependant, grand roi, si tu voyais Angoulimalo, les cheveux et la barbe rasés, vêtu de l'habit terne, du foyer passé à l'absence de foyer, défait de tuer, défait de voler, défait de mentir, satisfait d'un repas, se conduisant chastement, vertueusement, noblement, comment disposerais-tu de lui ? »

« Nous le saluerions, ô Maître, révérencieusement. Nous nous lèverions devant lui et l'inviterions à s'asseoir, le prierions d'accepter vêtement, nourriture, couche et médecine en cas de maladie, lui ferions dispenser comme il se doit asile et refuge et protection : mais comment, ô Maître, un homme si mauvais, si rusé peut-il passer par telle purification ? »

Or voici qu'en ce temps le vénérable Angoulimalo se trouvait assis non loin de l'Exalté. Et l'Exalté leva vers lui le bras droit et parla ainsi au roi Pasênadi de Kosalo :

« Celui-ci, grand roi, est Angoulimalo. »

Voici que vinrent au roi Pasênadi de Kosalo crainte, terreur, ses cheveux se hérissèrent. Et l'Exalté vit le roi Pasênadi de Kosalo terrifié et hors de lui, les cheveux hérissés, et lui parla ainsi :

« Ne t'inquiète pas, grand roi, ne t'inquiète pas, grand roi : nul danger ne te menace. »

Et le roi Pasênadi de Kosalo devint de nouveau tranquille et pacifié ; et il s'avança vers le vénérable Angoulimalo et lui parla ainsi :

« Est-ce donc, Maître, Angoulimalo ? »

« En effet, grand roi. »

« À quelle souche, Maître, appartient le père du Vénérable, la mère du Vénérable ? »

« Gaggo, était, grand roi, mon père, Manntani était ma mère. »

« Daigne, Maître, le vénérable Gaggo, le fils de Manntani, être content : j'aurai soin que, le vénérable Gaggo, le fils de Manntani soit pourvu de vêtement et de nourriture, de couche et de médecine en cas de maladie. »

Mais le vénérable Angoulimalo était devenu ermite sylvestre, mendiant de miettes, porteur de haillons, avait trois vêtements. Et le vénérable Angoulimalo parla ainsi au roi Pasênadi de Kosalo :

« C'est bon, grand roi, j'ai déjà mon triple pourpoint. »

Alors le roi Pasênadi de Kosalo vint de nouveau chez l'Exalté, fit une salutation révérencieuse et s'assit de côté. Assis de côté, le roi Pasênadi de Kosalo dit ceci à l'Exalté :

« Miraculeux, ô Maître, extraordinaire, ô Maître, est-ce comment, ô Maître, l'Exalté dompte des indomptés, calme des incalmables, unit des désunis ! Car lui, ô Maître, que nous ne pouvions de châtiment ou de glaive vaincre, l'Exalté sans châtiment et sans glaive l'a vaincu. Eh bien, ô Maître, partir allons-nous ! Quelque tâche nous attend, quelque obligation. »

« Fais donc de la sorte, grand roi, qu'il te plaira. »

Et le roi Pasênadi de Kosalo se leva de son siège, salua l'Exalté révérencieusement, fit le tour à droite et s'éloigna.

QUATRIÈME FRAGMENT

Et le vénérable Angoulimalo, tout de suite ceint, prit manteau et bol et vint à Savatthi pour l'aumône d'aliments. Le vénérable Angoulimalo, se tenant sur la route de maison en maison pour les aumônes, vit une femme : elle avait fait un accouchement précoce, une fausse couche. Lorsqu'il eut vu cela, il pensa à part lui : « Malheureux vraiment, sont les êtres, malheureux vraiment, sont les êtres. » Et lorsque le vénérable Angoulimalo, entrant de maison, eut reçu les aumônes, il revint, prit le repas et se rendit ensuite là où l'Exalté se trouvait. Arrivé là, il salua l'Exalté révérencieusement et s'assit de côté. Assis de côté, voici que le vénérable Angoulimalo dit ceci à l'Exalté :

« J'étais, ô Maître, tout de suite ceint, de manteau et de bol muni, allé à la ville pour l'aumône d'aliments. Voici que j'ai, me tenant sur la route de maison en maison pour les aumônes, vu une femme, qui avait fait un accouchement précoce, une fausse couche ; et lorsque je la vis pensai-je à part moi : Malheureux, vraiment, sont les êtres, malheureux, vraiment, sont les êtres. »

« Rends-toi donc, Angoulimalo, auprès de cette femme et parle-lui de la sorte : " Depuis que, ô sœur, je suis né, je n'ai pas connaissance, d'avoir avec intention ravi la vie d'un être : aussi vrai que je dis, sois guérie, soit guéri ton fruit. " »

« Ne dirai-je, ô Maître, un conscient mensonge : j'ai, ô Maître, avec intention à beaucoup d'êtres ravi la vie. »

« Rends-toi donc, Angoulimalo, auprès de cette femme et parle-lui de la sorte : " Depuis que, ô sœur, de sainte naissance je suis né, je n'ai pas connaissance, d'avoir avec intention ravi la vie d'un être : aussi vrai que je dis, sois guérie, soit guéri ton fruit. " »

« Bien, ô Maître », voici que répliqua le vénérable Angoulimalo, obéissant à l'Exalté. Et il se rendit auprès de cette femme et lui parla de la sorte :

« Depuis que, ô sœur, de sainte naissance je suis né, je n'ai pas connaissance, d'avoir avec intention ravi la vie d'un être : aussi vrai que je dis, sois guérie, soit guéri ton fruit. »

Et la femme fut guérie, et son fruit fut guéri.

Et le vénérable Angoulimalo, solitaire, en oraison, infatigable, de sérieuse, profonde ardeur demeurant, s'eut bientôt ouvert, réalisé et conquis dès cette vie, ce qui pousse de nobles fils du foyer vers l'absence de foyer, le plus haut but de l'ascétisme. « Tarie est la naissance, opérée l'œuvre, plus n'est ce monde », il comprit ça. Un des saints était maintenant aussi devenu le vénérable Angoulimalo.

CINQUIÈME FRAGMENT

Et le vénérable Angoulimalo, tout de suite ceint, prit bol et manteau et s'en vint à Savatthi pour l'aumône d'aliments. Or dans ce temps une pierre vola, qu'un avait jetée, sur le corps du vénérable Angoulimalo, un bâton vola, qu'un avait jeté, sur le corps du vénérable Angoulimalo, un tesson vola, qu'un avait jeté, sur le corps du vénérable Angoulimalo. Voici qu'à présent le vénérable Angoulimalo, la tête couverte de coupures et le sang ruisselant à flots, le bol brisé et le manteau déchiré, se dirigea vers l'Exalté. Et l'Exalté vit de loin le vénérable Angoulimalo s'en venir, et quand il l'eut vu voici que lui dit-il ceci :

« Supporte seulement, Saint, supporte seulement, Saint : En expiation de quelque œuvre tu souffris maintes années, maintes centaines d'années, maints milliers d'années tourment d'enfer, l'expiation de cette œuvre, tu la trouves dès cette vie. »

SIXIÈME FRAGMENT

Or fit entendre le vénérable Angoulimalo, en oraison, à l'écart, méditant, éprouvant le bienfait de la délivrance, dans ce temps les stances qui suivent :

« Qui fut jadis un insensé,
Mais enfin reconnaît sa faute,
Il luit dans le monde sombre
Telle la lune aux nuées des nuits.

Qui l'œuvre mauvaise commise
Regrette de vrai repentir,
Il luit dans le monde sombre
Telle la lune aux nuées des nuits.

Qui encore en pleine jeunesse
Disciple ici suit le vainqueur,
Il luit dans le monde sombre
Telle la lune aux nuées des nuits.

Que la brise prête l'oreille à mon chant,
Suave souffle autour de l'Illuminé,
Que la brise porte aux hommes mon salut,
Aux grands, soupirant après la vérité.

Je dis à la brise mon chant,
Louange d'amour, patience :
Oh ! soufflez en bas, penchez-vous,
Portez plus loin la vérité !

Que chacun me soit favorable
Et à tout autre objet qu'il voit :
Heureux joint la suprême paix
Qui aime toute créature.

Les paysans modèlent des canaux,
Les constructeurs d'arcs modèlent des flèches,
Les charpentiers modèlent des solives,
Eux-mêmes vraiment modèlent les sages.

Modelée est mainte querelle
Par bâton et lance, fouet, corde :
Mais sans bâton, mais sans épée,
Le Maître m'a bien modelé.

Un jour m'a-t-on doté d'un nom,
Je n'étais que tueur de paix :
Je porte aujourd'hui le vrai nom,
Heureux régent de paix guéri.

Fameuse tête de brigand,
Angoulimalo fut le crime :
Or le courant rompit la brèche,
M'entraîna vers l'Illuminé.

Ma main a souillure de sang,
Angoulimalo fut le crime :
Sauvé me vois reposer là,
La veine d'existence est sèche.

Moi qui ai fait de telles œuvres,
Lourd de mal, nauséeux de mal,
Je jouis d'un riche salaire,
Purifié je prends provende.

À l'insouciance se livrent
Des hommes faibles, sans courage ;

L'homme sage a du sérieux,
Chasse précieuse est meilleure.

Ne tombez dans l'insouciance.
Ne suivez pas la passion :
Le moine qui regarde en soi
Est proche du salut suprême.

Je l'ai touché, ne l'ai manqué,
Nul objet mauvais ne me souille,
Parmi tout ce qu'offre le monde
J'ai choisi ce qui vaut le mieux.

Je l'ai touché, ne l'ai manqué.
Nul objet mauvais ne me souille,
Trois sciences je connais bien,
Ce que le Maître veut est fait. »

À La passe des Dieux

Voilà ce que j'ouïs. Dans un temps, l'Exalté se trouvait au pays des Sakker *, près de la Passe des Dieux, tel se nomme un château du domaine des Sakker. Or est-ce là que l'Exalté s'adressa aux moines : « Mes moines ! » — « Auguste ! » répondirent ces moines, prêtant attention à l'Exalté. L'Exalté s'exprima ainsi : « Il y a, mes moines, maints ascètes et prêtres disant et enseignant : Quoi que ce soit qu'un homme éprouve, si c'est du bien, si c'est du mal, ou ni du bien ni du mal, c'est opéré par avant : l'affluence n'a plus lieu si l'on expie et l'on efface actions passées et évite ; neuves parce que l'affluence n'a plus lieu, les actions tarissent, les actions taries, la souffrance tarit, la souffrance tarie, la sensation tarit, et la sensation tarie, toute souffrance sera surmontée. Les frères mineurs[33], mes moines, l'affirment. À cette affirmation, mes moines, j'abordai les frères mineurs et leur parlai ainsi : Est-ce vraiment, chers frères mineurs, là votre opinion, là votre avis : Quoi que ce soit qu'un homme éprouve, si c'est du bien, si c'est du mal, ou ni du bien ni du mal, c'est opéré par avant : l'affluence n'a plus lieu si l'on expie et l'on efface actions passées et évite ; neuves parce que l'affluence n'a plus lieu, les actions tarissent, les actions taries, la souffrance tarit, la souffrance tarie, la sensation tarit, et la sensation tarie, toute souffrance sera surmontée ? Or comme, moines, les frères mineurs me répondirent Oui à cette question, je leur dis encore : Certes savez-vous bien, chers frères mineurs : Déjà fûmes-nous auparavant, non pas ne fûmes-nous pas ?

Nous ne le savons, frère.

Ou certes savez-vous bien, chers frères mineurs : Nous avons fait le mal auparavant, ne sommes demeurés innocents ?

Nous ne le savons, frère.

Ou certes savez-vous bien, chers frères mineurs : Telle et telle mauvaise action avons-nous commise ?

Nous ne le savons, frère.

Ou peut-être savez-vous bien, chers frères mineurs : Un ordre de souffrance est surmonté, un autre reste à surmonter ; mais un ordre de souffrance est-il surmonté, toute souffrance sera surmontée ?

Nous ne le savons, frère.

Or sans doute savez-vous bien, chers frères mineurs, comment encore durant la vie on peut renier l'injustice et gagner le juste ?

Nous ne le savons, frère.

Vous avouez donc, chers frères mineurs, ne savoir Déjà fûmes-nous auparavant, non pas ne fûmes-nous pas, ne savoir Nous avons fait le mal auparavant, ne sommes demeurés innocents, ne savoir Un ordre de souffrance est surmonté, un autre reste à surmonter ; mais un ordre de souffrance est-il surmonté, toute souffrance sera surmontée, ne savoir, comment encore durant la vie on peut renier le faux et gagner le juste : est-ce ainsi, il ne peut pas convenir aux vénérables frères mineurs d'expliquer Quoi que ce soit qu'un homme éprouve, si c'est du bien, si c'est du mal, ou ni du bien ni du mal, c'est opéré par avant : l'affluence n'a plus lieu si l'on expie et l'on efface actions passées et évite; neuves parce que l'affluence n'a plus lieu, les actions tarissent, les actions taries, la souffrance tarit, la souffrance tarie, la sensation tarit, et la sensation tarie, toute souffrance sera surmontée. Si vraiment, chers frères mineurs, vous saviez Déjà fûmes-nous auparavant, non pas ne fûmes-nous pas, saviez Nous avons fait le mal auparavant, ne sommes demeurés innocents, saviez Telle et telle mauvaise action avons-nous commise, saviez Un ordre de souffrance est surmonté, un autre reste à surmonter; mais un ordre de souffrance est-il surmonté, toute souffrance sera surmontée, saviez, comment encore durant la vie on peut renier le faux et gagner le juste : ceci serait, pourrait-il convenir aux vénérables frères mineurs d'expliquer Quoi que ce soit qu'un homme éprouve, si c'est du bien, si c'est du mal, ou ni du bien ni du mal, c'est opéré par avant : l'affluence n'a plus lieu si l'on expie et l'on efface actions passées et évite; neuves parce que l'affluence n'a plus lieu, les actions tarissent, les actions taries, la souffrance tarit, la souffrance tarie, la sensation tarit, et la sensation tarie, toute souffrance sera surmontée.

De même que, chers frères mineurs, si un homme avait par une flèche été frappé, dont la pointe fût enduite de poison : la flèche aiguë lui ferait éprouver de douloureuses, brûlantes, poignantes sensations. Et ses amis, compagnons, parents, compères lui commanderaient un médecin averti, et le médecin averti lui ouvrirait d'un couteau les lèvres de la blessure : ouvrir d'un couteau les lèvres de la blessure lui ferait éprouver de douloureuses, brûlantes, poignantes sensations. Et le médecin averti chercherait d'une sonde la pointe : chercher d'une sonde la pointe lui ferait éprouver de douloureuses, brûlantes, poignantes sensations. Et le médecin averti mettrait contrepoison et fer rouge dans la blessure : contrepoison et fer rouge dans la blessure lui feraient éprouver de douloureuses, brûlantes, poignantes sensations. Et puis la blessure fermerait et cicatriserait, et voilà qu'il serait guéri, se sentirait bien, indépendant, libre, pourrait aller où bon lui semble. Or il penserait : Jadis ai-je été frappé par une flèche, dont la pointe fut enduite de poison : la flèche aiguë me fit éprouver de douloureuses, brûlantes, poignantes sensations. Et mes amis, parents, compagnons, compères me commandèrent un médecin averti, et le médecin averti m'ouvrit d'un couteau les lèvres de la blessure : ouvrir d'un couteau les lèvres de la blessure me fit éprouver de douloureuses, brûlantes, poignantes sensations. Et le médecin averti chercha d'une sonde la pointe : chercher d'une sonde la pointe me fit éprouver de douloureuses, brûlantes, poignantes sensations. Et le médecin averti retira la pointe : retirer la pointe me fit éprouver de douloureuses, brûlantes, poignantes sensations. Et le médecin averti mit contrepoison et fer rouge dans la blessure : contrepoison et fer rouge dans la blessure me firent éprouver de douloureuses, brûlantes, poignantes sensations. Mais à présent la blessure est fermée et cicatrisée, je me sens bien, indépendant, libre, peux aller où bon me semble.

De la sorte aussi, chers frères mineurs, si vous saviez Déjà fûmes-nous auparavant, non pas ne fûmes-nous pas, saviez Nous avons fait le mal auparavant, ne sommes demeurés innocents, saviez. Telle et telle mauvaise action avons-nous commise. Un ordre de souffrance est surmonté, un autre reste à surmonter ; mais un ordre de souffrance est-il surmonté, toute souffrance sera surmontée, saviez, comment encore durant la vie on peut renier le faux et gagner le juste : serait-ce ainsi, pourrait-il convenir aux vénérables frères mineurs d'expliquer Quoi que ce soit qu'éprouve un homme, si c'est du bien, si c'est du mal, ou ni du bien ni du mal, c'est opéré par avant : l'affluence n'a plus lieu si l'on expie et l'on efface actions passées et évite ; neuves parce que l'affluence n'a plus lieu, les actions tarissent, les actions taries, la souffrance tarit, la souffrance tarie, la sensation tarit, et la sensation tarie, toute souffrance sera surmontée. Mais parce que, chers frères mineurs, vous ne savez Déjà fûmes-nous auparavant, non pas ne fûmes-nous pas, ne savez Nous avons fait le mal auparavant, ne sommes demeurés innocents, ne savez Telle et telle mauvaise action avons-nous commise, ne savez Un ordre de souffrance est surmonté, un autre reste à surmonter ; mais un ordre de souffrance est-il surmonté, toute souffrance sera surmontée, ne savez, comment encore durant la vie on peut renier le faux et gagner le juste : à cause de ça ne peut-il convenir aux vénérables frères mineurs d'expliquer Quoi que ce soit qu'un homme éprouve, si c'est du bien, si c'est du mal, ou ni du bien ni du mal, c'est opéré par avant : l'affluence n'a plus lieu si l'on expie et l'on efface actions passées et évite ; neuves parce que l'affluence n'a plus lieu, les actions tarissent, les actions taries, la souffrance tarit, la souffrance tarie, la sensation tarit, et la sensation tarie, toute souffrance sera surmontée.

« Ainsi apostrophés, mes moines, les frères mineurs me parlèrent :

Le frère mineur Nathapoutto *, mon cher, sait tout, comprend tout, confesse le tout de la certitude ! Que je chemine ou que je m'arrête, dorme ou veille, en tout temps ai-je présent le tout de la certitude ! Et il dit : Vous avez, frères mineurs, fait le mal auparavant ; par cette amère et douloureuse ascèse l'expiez-vous. Or parce que maintenant vous domptez actions, paroles et pensées, ne laissez-vous monter un mal ultérieur. L'affluence n'a plus lieu si l'on expie et l'on efface actions passées et n'en fait de neuves ; parce que l'affluence n'a plus lieu, les actions tarissent, les actions taries, la souffrance tarit, la souffrance tarie, la sensation tarit, et la sensation tarie, toute souffrance sera surmontée. Or ceci nous éclaire, et nous l'approuvons et nous déclarons satisfaits de cela.

« À ces paroles, mes moines, voici que je dis aux frères

mineurs : Cinq objets y a-t-il, chers frères mineurs, qui déjà dans la vie ont un double résultat : lesquels ? Confiance, abandon, ouï-dire, examen critique, patiente méditation. Ce sont là, chers frères mineurs, cinq objets, qui déjà dans la vie ont un double résultat. Or quelle confiance les vénérables frères mineurs ont-ils témoignée jusqu'ici au Maître, quel abandon, qu'ont-ils ouï dire, examiné critiquement, patiemment médité ?

À cette question, mes moines, je ne pus obtenir des frères mineurs aucune réponse acceptable, et parlai-je encore, mes moines, avec les frères mineurs ainsi : Que vous semble, chers frères mineurs : en un temps qu'ardemment vous vous efforcez, qu'ardemment vous peinez, vous surviennent dans ce temps d'ardentes, douloureuses, brûlantes, poignantes sensations ? Et dans un temps qu'ardemment vous ne vous efforcez pas, qu'ardemment vous ne peinez pas, ne vous surviennent pas dans ce temps d'ardentes, douloureuses, brûlantes, poignantes sensations ?

Dans un temps, frère Gotamo, qu'ardemment nous nous efforçons, qu'ardemment nous peinons, dans ce temps nous surviennent d'ardentes, douloureuses, brûlantes, poignantes sensations : et dans un temps qu'ardemment nous ne nous efforçons pas, qu'ardemment nous ne peinons pas, dans ce temps ne nous surviennent pas d'ardentes, douloureuses, brûlantes, poignantes sensations.

Vous avouez donc, chers frères mineurs : dans un temps qu'ardemment vous vous efforcez, qu'ardemment vous peinez, dans ce temps vous surviennent d'ardentes, douloureuses, brûlantes, poignantes sensations : et dans un temps qu'ardemment vous ne vous efforcez pas, qu'ardemment vous ne peinez pas, dans ce temps ne vous surviennent pas d'ardentes, douloureuses, brûlantes, poignantes sensations ; est-ce ainsi, est-ce qu'il peut convenir aux vénérables frères mineurs d'expliquer Quoi que ce soit qu'un homme éprouve, si c'est du bien, si c'est du mal, ou ni du bien ni du mal, c'est opéré par avant : l'affluence n'a plus lieu si l'on expie et l'on efface actions passées et évite; neuves parce que l'affluence n'a plus lieu, les actions tarissent, les actions taries, la souffrance tarit, la souffrance tarie, la sensation tarit, et la sensation tarie, toute souffrance sera surmontée. Or si, chers frères mineurs, dans un temps qu'ardemment vous vous efforcez, qu'ardemment vous peinez, dans ce même temps cessaient les ardentes, douloureuses, brûlantes, poignantes sensations : et dans un temps qu'ardemment vous ne vous efforcez pas, qu'ardemment vous ne peinez pas, dans ce même temps ne cessaient pas les ardentes, douloureuses, brûlantes, poignantes sensations; serait-ce ainsi, pourrait-il convenir aux vénérables frères mineurs d'expliquer Quoi que ce soit qu'un homme éprouve, si c'est du bien, si c'est du mal, ou ni du bien ni du mal, c'est opéré par avant : l'affluence n'a plus lieu si l'on expie et l'on efface actions passées et évite; neuves parce que l'affluence n'a plus lieu, les actions tarissent, les actions taries, la souffrance tarit, la souffrance tarie, la sensation tarit, et la sensation tarie, toute souffrance sera surmontée. Or parce que, chers frères mineurs, dans un temps qu'ardemment vous vous efforcez, qu'ardemment vous peinez, dans ce temps vous surviennent d'ardentes, douloureuses, brûlantes, poignantes sensations : et dans un temps qu'ardemment vous ne vous efforcez pas, qu'ardemment vous ne peinez pas, dans ce temps ne vous surviennent pas d'ardentes, douloureuses, brûlantes, poignantes sensations, mettez-vous, alors que précisément vous surviennent d'ardentes, douloureuses, brûlantes, poignantes sensations, sans savoir, sans comprendre, sottement, en avant l'affirmation Quoi que ce soit qu'un homme éprouve, si c'est du bien, si c'est du mal, ou ni du bien ni du mal, c'est opéré par avant : l'affluence n'a plus lieu si l'on expie et l'on efface actions passées et évite; neuves parce que l'affluence n'a plus lieu, les actions tarissent, les actions taries, la souffrance tarit, la souffrance tarie, la sensation tarit, et la sensation tarie, toute souffrance sera surmontée.

« À ces paroles, mes moines, je ne pus obtenir des frères mineurs aucune réponse acceptable, et parlai-je encore, mes moines, avec les frères mineurs ainsi :

“ Que vous semble, chers frères mineurs : qu'une action, qui est éprouvée comme En Deçà, devoir par un ardent effort être éprouvée comme Au-Delà, cela peut-il réussir ?

Ça non, ô frère !

En retour, qu'une action, qui est éprouvée comme Au-Delà, devoir par un ardent effort être éprouvée comme En Deçà, cela peut-il réussir ?

Ça non, ô frère !

Que vous semble, chers frères mineurs : qu'une action, qui est éprouvée comme un bien devoir par un ardent effort être éprouvée comme un mal, cela peut-il réussir ?

Ça non, ô frère !

En retour, qu'une action, qui est éprouvée comme un mal, devoir par un ardent effort être éprouvée comme un bien, cela peut-il réussir ?

Ça non, ô frère !

Que vous semble, chers frères mineurs : qu'une action, qui est éprouvée comme mûrie, devoir par un ardent effort être éprouvée comme non mûrie, cela peut-il réussir ?

Ça non, ô frère !

En retour, qu'une action, qui est éprouvée comme non mûrie, devoir par un ardent effort être éprouvée comme mûrie, cela peut-il réussir ?

Ça non, ô frère !

Que vous semble, chers frères mineurs : qu'une action, qui est éprouvée comme très douloureuse, devoir par un ardent effort être éprouvée comme peu douloureuse, cela peut-il réussir ?

Ça non, ô frère !

En retour, qu'une action, qui est éprouvée comme peu douloureuse, devoir par un ardent effort être éprouvée comme très douloureuse, cela peut-il réussir ?

Ça non, ô frère !

Que vous semble, chers frères mineurs : qu'une action, qui est éprouvée devoir par un ardent effort ne pas être éprouvée, cela peut-il réussir ?

Ça non, ô frère !

En retour, qu'une action, qui n'est pas éprouvée, devoir par un ardent effort être éprouvée, cela peut-il réussir ?

Ça non, ô frère !

Vous avouez donc, chers frères mineurs, qu'une action, qui est éprouvée comme En Deçà, devoir par un ardent effort être éprouvée comme Au-Delà, cela ne peut pas réussir ; et qu'une action, qui est éprouvée comme Au-Delà, devoir par un ardent effort être éprouvée comme En Deçà, cela ne peut pas réussir ; qu'une action, qui est éprouvée comme un bien, devoir par un ardent effort être éprouvée comme un mal, cela ne peut pas réussir ; et qu'une action, qui est éprouvée comme un mal, devoir par un ardent effort être éprouvée comme un bien, cela ne peut pas réussir ; qu'une action, qui est éprouvée comme mûrie, devoir par un ardent effort être éprouvée comme non mûrie, cela ne peut pas réussir ; et qu'une action, qui est éprouvée comme non mûrie, devoir par un ardent effort être éprouvée comme mûrie, cela ne peut pas réussir ; qu'une action, qui est éprouvée comme très douloureuse, devoir par un ardent effort être éprouvée comme peu douloureuse, cela ne peut pas réussir ; et qu'une action qui est éprouvée comme peu douloureuse, devoir par un ardent effort être éprouvée comme très douloureuse, cela ne peut pas réussir ; qu'une action, qui est éprouvée, devoir par un ardent effort ne pas être éprouvée, cela ne peut pas réussir ; et qu'une action, qui n'est pas éprouvée, devoir par un ardent effort être éprouvée, cela ne peut pas réussir. Est-ce ainsi, infructueux est l'effort des vénérables frères mineurs, infructueuse la peine. "

« Tel langage est celui, mes moines, des frères mineurs. Par tel langage des frères mineurs, mes moines, dix arguments acceptables ne se peuvent à leur avis avérer justes.

« Si, mes moines, les êtres éprouvent biens et maux par œuvre opérée par avant, alors, mes moines, les frères mineurs ont fait par avant œuvre mauvaise, qu'ils éprouvent maintenant de si douloureuses, brûlantes, poignantes sensations. Si, mes moines, les êtres éprouvent biens et maux par la création d'un créateur, alors, mes moines, les frères mineurs ont été créés par un méchant créateur, qu'ils éprouvent maintenant de si douloureuses, brûlantes, poignantes sensations. Si, mes moines, les êtres éprouvent biens et maux au choix du hasard, alors, mes moines, les frères mineurs ont rencontré un mauvais hasard, qu'ils éprouvent maintenant de si douloureuses, brûlantes, poignantes sensations. Si, mes moines, les êtres éprouvent biens et maux suivant leur naissance, alors, mes moines, les frères mineurs sont de fâcheuse naissance, qu'ils éprouvent maintenant de si douloureuses, brûlantes, poignantes sensations. Si, mes moines, les êtres éprouvent biens et maux par leur effort dans cette vie d'ici, alors, mes moines, l'effort des frères mineurs a mal tourné, qu'ils éprouvent maintenant de si douloureuses, brûlantes, poignantes sensations. Soit donc, mes moines, que les êtres éprouvent ou non biens et maux par œuvre opérée par avant : les frères mineurs ne voient pas juste. Soit donc, mes moines, que les êtres éprouvent ou non biens et maux par la création d'un créateur : les frères mineurs ne voient pas juste. Soit donc, mes moines, que les êtres éprouvent ou non biens et maux au choix du hasard : les frères mineurs ne voient pas juste. Soit donc, mes moines, que les êtres éprouvent ou non biens et maux suivant leur naissance : les frères mineurs ne voient pas juste. Soit donc, mes moines, que les êtres éprouvent ou non biens et maux par leur effort dans cette vie d'ici : les frères mineurs ne voient pas juste.

« Tel langage est celui, mes moines, des frères mineurs. Par tel langage des frères mineurs, mes moines, ces dix arguments acceptables ne se peuvent à leur avis avérer justes. Or sont ainsi, mes moines, infructueux l'effort, infructueuse la peine.

« Mais comment sont, mes moines, fructueux l'effort, fructueuse la peine ? Voici, mes moines, qu'un moine ne laisse pas son âme invaincue être vaincue par la souffrance, et un sentiment de vrai bien-être il ne renie pas, et quant à ce bien-être demeure non troublé. Il pense à part lui : Tandis que je garde présente l'image de cette cause de souffrance, par l'image gardée présente me remettrai-je de l'amour ; tandis qu'à nouveau contemplant j'achève la contemplation de cette cause de souffrance, me remettrai-je de l'amour. Ainsi garde-t-il, si gardant présente l'image d'une cause de souffrance il se remet de l'amour par l'image gardée présente, présente l'image que voilà ; et si contemplant à nouveau, achevant la contemplation d'une cause de souffrance il se remet de l'amour, achève la contemplation. Parce qu'il garde présente l'image de telle et telle cause de souffrance et par l'image gardée présente il se remet de l'amour, a-t-il d'abord ainsi surmonté cette souffrance ; et que contemplant, achevant la contemplation d'une cause de souffrance il se remet de l'amour, a-t-il ensuite ainsi surmonté cette souffrance.

« De même que, mes moines, si un homme était épris d'une femme, lui était tout dévoué, d'un ardent désir, d'un ardent soupir. Et il verrait cette femme avec un autre homme stationner et parler et plaisanter et rire. Que vous en semble, moines : est-ce qu'alors en cet homme qui aurait vu cette femme avec un autre homme stationner et parler et plaisanter et rire, monteraient peine et chagrin, douleur, tourment et désespoir ? »

« Si fait, ô Maître ! »

« Et pourquoi donc ? »

« Mais l'homme, ô Maître, est épris de cette femme, lui est tout dévoué, d'un ardent désir, d'un ardent soupir : or a-t-il vu cette femme avec un autre homme stationner et parler et plaisanter et rire, montent en lui pour cela peine et chagrin, douleur, tourment et désespoir. »

« Mais l'homme, mes moines, penserait à part lui : Je suis épris de cette femme, lui suis tout dévoué, d'un ardent désir, d'un ardent soupir. Et parce que j'ai vu cette femme avec un autre homme stationner et parler et plaisanter et rire, montent en moi peine et chagrin, douleur, tourment et désespoir. Eh bien, si je reniais le désir et l'amour que j'éprouve pour cette femme ? Et le désir et l'amour qu'il éprouve pour cette femme, ça renierait-il. Et il verrait, après quelque temps, cette femme avec un autre homme stationner et parler et plaisanter et rire : est-ce qu'alors en cet homme, qui aurait vu cette femme avec un autre homme stationner et parler et plaisanter et rire, monteraient peine et chagrin, douleur, tourment et désespoir ? »

« Non certes, ô Maître ! »

« Et pourquoi pas ? »

« Mais l'homme, ô Maître, n'est plus épris de cette femme : or a-t-il vu cette femme avec un autre homme stationner et parler et plaisanter et rire, ne montent plus en lui pour cela peine et chagrin, douleur, tourment et désespoir. »

« De la sorte aussi, mes moines, un moine ne laisse pas son âme invaincue être vaincue par la souffrance, et un sentiment de vrai bien-être ne renie-t-il pas, et quant à ce bien-être demeure non troublé. Il pense à part lui : Tandis que je garde présente l'image de cette cause de souffrance, par l'image gardée présente me remettrai-je de l'amour ; tandis qu'à nouveau contemplant j'achève la contemplation de cette cause de souffrance, me remettrai-je de l'amour. Ainsi garde-t-il, si gardant présente l'image d'une cause de souffrance il se remet de l'amour par l'image gardée présente, présente l'image que voilà ; et si contemplant, à nouveau, achevant la contemplation d'une cause de souffrance il se remet de l'amour, achève la contemplation. Parce qu'il garde présente l'image de telle et telle cause de souffrance et par l'image gardée présente il se remet de l'amour, a-t-il d'abord ainsi surmonté cette souffrance ; et que contemplant, achevant la contemplation d'une cause de souffrance il se remet de l'amour, a-t-il ensuite ainsi surmonté cette souffrance. Et sont ainsi, mes moines, fructueux l'effort, fructueuse la peine.

« Or plus avant, mes moines, le moine médite ainsi : " Si je suis fort réjoui, augmentent les objets non salutaires et diminuent les salutaires. Eh bien, si je gardais présente la souffrance ? " Et voici qu'il garde présente la souffrance. Et tandis qu'il garde présente la souffrance, diminuent les objets non salutaires et augmentent les salutaires. Et puis il ne garde plus ensuite présente la souffrance. Et pourquoi pas ? Ce pour quoi, mes moines, le moine pouvait bien garder présente la souffrance, ce but a-t-il atteint : c'est pourquoi il ne garde plus ensuite présente la souffrance.

« De même que, mes moines, un forgeur de flèches fond et refond entre deux flammes la pointe de la flèche et la rend droite à fin d'usage ; or après, mes moines, que le forgeur de flèches fondit et refondit entre deux flammes la pointe de la flèche et la rendit droite à fin d'usage, il ne le fait plus ensuite : et pourquoi pas ? Ce pour quoi, mes moines, le forgeur de flèches pouvait bien fondre et refondre entre deux flammes la pointe de la flèche et la rendre droite à fin d'usage, ce but a-t-il atteint : c'est pourquoi il ne le fait plus ensuite. De la sorte aussi, mes moines, le moine médite ainsi : Si je suis fort réjoui, augmentent les objets non salutaires et diminuent les salutaires. Eh bien, si je gardais présente la souffrance ? Et voici qu'il garde présente la souffrance. Et tandis qu'il garde présente la souffrance, diminuent les objets non salutaires et augmentent les salutaires. Et puis il ne garde plus ensuite présente la souffrance. Et pourquoi pas ? Ce pour quoi, mes moines, le moine pouvait bien garder présente la souffrance, ce but a-t-il atteint : c'est pourquoi il ne garde plus ensuite présente la souffrance. Et sont ainsi, mes moines, fructueux l'effort, fructueuse la peine.

« Or plus avant, mes moines : le moine, loin des convoitises, des non salutaires objets, demeure en radieuse sérénité pensive et réfléchie de paix native, en consécration de la première contemplation. Et sont ainsi, mes moines, fructueux l'effort, fructueuse la peine.

« Or plus avant, mes moines : ayant accompli pensée et réflexion, le moine atteint à la tranquillité en soi, à l'union de l'âme, à la radieuse sérénité non pensive, non réfléchie, d'union native, consécration de la deuxième contemplation. Et sont ainsi, mes moines, fructueux l'effort, fructueuse la peine.

« Or plus avant, mes moines : en radieuse paix, le moine demeure d'âme égale, méditant, conscient, éprouvant un bonheur corporel, dont les saints disent : Le Méditant d'âme égale vit bienheureux ; ainsi est-il consacré de la troisième contemplation. Et sont ainsi, mes moines, fructueux l'effort, fructueuse la peine.

« Or plus avant, mes moines : ayant banni gaie et triste humeur, anéanti bonheur et malheur d'antan, le moine est consacré de la ni triste, ni gaie, d'âme égale, méditante pureté parfaite, la quatrième contemplation. Et sont ainsi, mes moines, fructueux l'effort, fructueuse la peine.

« L'âme telle, fidèle, purifiée, épurée, éprouvée, sanctifiée, humble, flexible, ferme, invulnérable, l'âme incline-t-il vers la connaissance de formes d'existence antérieure. Ainsi peut-il se souvenir de mainte forme d'existence antérieure, telle que d'une vie, et puis de deux vies, et ainsi de suite, et des indices caractéristiques, et des corrélations particulières. Et sont ainsi, mes moines, fructueux l'effort, fructueuse la peine.

« L'âme telle, fidèle, purifiée, épurée, éprouvée, sanctifiée, humble, flexible, ferme, invulnérable, l'âme incline-t-il vers la connaissance de l'évanouir-apparaître des êtres. Ainsi peut-il du regard céleste, purifié, audelà des limites humaines s'étendant, voir les êtres s'évanouir et réapparaître, communs et nobles, beaux et laids, heureux et malheureux, il peut connaître comment les êtres reviennent selon leurs actions. Et sont ainsi, mes moines, fructueux l'effort, fructueuse la peine.

« L'âme telle, fidèle, purifié, épurée, éprouvée, sanctifiée, humble, flexible, ferme, invulnérable, l'âme incline-t-il vers connaître où tarissent les offenses. C'est souffrance connaît-il en vérité. C'est accroissement de souffrance connaît-il en vérité. C'est évanouissement de souffrance connaît-il en vérité. C'est voie d'évanouissement de souffrance connaît-il en vérité. C'est offenses connaît-il en vérité. C'est accroissement d'offenses connaît-il en vérité. C'est évanouissement d'offenses connaît-il en vérité. C'est voie d'évanouissement d'offenses connaît-il en vérité. Ainsi connaissant, ainsi voyant, son âme est délivrée des offenses de désir, des offenses de vouloir-être, des offenses de non-savoir. Dans le Délivré est la délivrance, cette connaissance s'ouvre. Tarie est la naissance, accompli l'ascétisme, opérée l'œuvre, plus n'existe ce monde il comprend ça. Et sont ainsi, mes moines, fructueux l'effort, fructueuse la peine.

« Tel langage est celui, mes moines, de l'Accompli. Voici que par tel langage de l'Accompli, mes moines, dix arguments acceptables s'avèrent justes.

« Si, mes moines, les êtres éprouvent biens et maux par œuvre opérée par avant, alors, mes moines, l'Accompli opéra par avant œuvre bonne, qu'il éprouve à présent un bien si dépourvu d'offenses. Si, mes moines, les êtres éprouvent biens et maux par la création d'un créateur, alors, mes moines, l'Accompli a été créé par un bon créateur, qu'il éprouve à présent un bien si dépourvu d'offenses. Si, mes moines, les êtres éprouvent biens et maux au choix du hasard, alors, mes moines, l'Accompli a rencontré un heureux hasard, qu'il éprouve à présent un bien si dépourvu d'offenses. Si, mes moines, les êtres éprouvent biens et maux suivant leur naissance, alors, mes moines, l'Accompli est d'avantageuse naissance, qu'il éprouve à présent un bien si dépourvu d'offenses. Si, mes moines, les êtres éprouvent biens et maux par leur effort dans cette vie d'ici, alors, mes moines, l'effort de l'Accompli a bien tourné qu'il éprouve à présent un bien si dépourvu d'offenses. Soit donc, mes moines, que les êtres éprouvent ou non biens et maux par œuvre opérée par avant : l'Accompli voit juste. Soit donc, mes moines, que les êtres éprouvent ou non biens et maux par la création d'un créateur : l'Accompli voit juste. Soit donc, mes moines que les êtres éprouvent ou non biens et maux au choix du hasard : l'Accompli voit juste. Soit donc, mes moines, que les êtres éprouvent ou non biens et maux suivant leur naissance : l'Accompli voit juste. Soit donc, mes moines, que les êtres éprouvent ou non biens et maux par leur effort dans cette vie d'ici : l'Accompli voit juste.

« Tel langage est celui, mes moines, de l'Accompli. Voici que par tel langage de l'Accompli, mes moines, ces dix arguments acceptables s'avèrent justes. »

Ainsi s'exprima l'Exalté. Satisfaits, ces moines se réjouissaient de la parole de l'Exalté.

SOUNAKKHATTO *

Voilà ce que j'ouïs. Dans un temps, l'Exalté se trouvait près de Vesâli, dans la Grande Forêt, dans la salle de l'ermitage.

Voici que dans ce temps-là la certitude avait par plus d'un moine avant l'Exalté été annoncée : Tarie est la naissance, accompli l'ascétisme, opérée l'œuvre, plus n'existe ce monde : je comprends ça.

Or Sounakkhatto le jeune Licchafir ouït dire : « Plus d'un moine doit avant l'Exalté avoir publié la certitude : " Tarie est la naissance, accompli l'ascétisme, opérée l'œuvre, plus n'existe ce monde : je comprends ça." »

Voici qu'alors Sounakkhatto le jeune Licchafir se rendit là où l'Exalté se trouvait, salua révérencieusement l'Exalté et s'assit de côté. Assis de côté, voilà que Sounakkhatto le jeune Licchafir dit ceci à l'Exalté :

« J'ai ouï dire, ô Maître : " Plus d'un moine a, dit-on, avant l'Exalté publié la certitude : Tarie est la naissance, accompli l'ascétisme, opérée l'œuvre, plus n'existe ce monde : je comprends ça. " Les moines, ô Maître, qui avant l'Exalté ont énoncé cela, ceux-ci n'ont-ils, ô Maître, publié que la certitude, ou y a-t-il quelques moines, qui l'ont fait avec présomption ? »

« Les moines, Sounakkhatto, qui avant moi ont publié la certitude : Tarie est la naissance, accompli l'ascétisme, opérée l'œuvre, plus n'existe ce monde : je comprends ça ; parmi ceux-ci se trouvent quelques moines, qui n'ont publié que la certitude, et se trouvent quelques moines, qui l'ont fait avec présomption. Or si, Sounakkhatto, des moines n'ont publié que la certitude, voici que ça leur en tiendra lieu ; et si des moines l'ont fait avec présomption, voici que l'Accompli, Sounakkhatto, pense : La vérité je veux leur montrer. Et si, Sounakkhatto, l'Accompli ainsi pense : La vérité je veux leur montrer, s'en viennent de nouveau un grand nombre de gens vaniteux et préparent des questions et les proposent à l'Accompli. Et parce que, Sounakkhatto, l'Accompli ainsi pense : La vérité je veux leur montrer, plus d'un trouve ça mal à propos. »

« Voici qu'il est, Exalté, temps, voici qu'il est, Bienvenu, temps, que l'Exalté montre la vérité : la parole de l'Exalté les moines garderont. »

« Eh bien soit, Sounakkhatto, prête garde et attention à ma parole. »

« Certes, ô Maître ! » répondit Sounakkhatto le jeune Licchafir prêtant attention à l'Exalté. L'Exalté s'exprima ainsi :

« Sounakkhatto, cinq convoitises y a-t-il : lesquelles ? Formes entrant par la vue dans la conscience, formes plaisantes, séduisantes, captivantes, fascinantes, agréant à la convoitise, formes émouvantes ; sons entrant par l'ouïe dans la conscience, sons plaisants, séduisants, captivants, fascinants, agréant à la convoitise sons émouvants ; odeurs entrant par l'odorat dans la conscience, odeurs plaisantes, séduisantes, captivantes, fascinantes, agréant à la convoitise, odeurs émouvantes ; goûts entrant par le goût dans la conscience, goûts plaisants, séduisants, captivants, fascinants, agréant à la convoitise, goûts émouvants ; contacts entrant par le tact dans la conscience, contacts plaisants, séduisants, captivants, fascinants, agréant à la convoitise, contacts émouvants. Ça c'est, Anândo *, les cinq convoitises.

« Trouvable est, Sounakkhatto, le cas de ce qu'il y ait un homme attiré par l'appât temporel. À un homme, Sounakkhatto, qui est attiré par l'appât temporel, un entretien sur ce point vient à propos, et ce qui s'y rapporte considère et pèse-t-il, fréquente l'homme, se lie avec lui ; et un entretien sur l'impassibilité est-il engagé, il n'écoute pas, ne prête pas oreille, ne tourne pas son cœur vers la connaissance, ne fréquente pas l'homme, ne se lie pas avec lui. De même que, Sounakkhatto, si un homme avait quitté son village ou sa ville depuis longtemps ; et il rencontrerait un autre homme, en allé depuis peu, et l'interrogerait sur l'état, sur la prospérité et l'avenir de ce village ou de cette ville, et l'homme lui louerait l'état, la prospérité et l'avenir de ce village ou de cette ville ; que t'en semble donc, Sounakkhatto : cet homme l'écouterait-il, lui prêterait-il oreille, tournerait-il son cœur vers la connaissance, fréquenterait-il l'homme, se lierait-il avec lui ? »

« Certes, ô Maître ! »

« De la sorte aussi, Sounakkhatto, trouvable est le cas de ce qu'il y ait un homme attiré par l'appât temporel. À un homme, Sounakkhatto, qui est attiré par l'appât temporel, un entretien sur ce point vient à propos, et ce qui s'y rapporte considère et pèse-t-il, fréquente l'homme, se lie avec lui ; et un entretien sur l'impassibilité est-il engagé, il n'écoute pas, ne prête pas oreille, ne tourne pas son cœur vers la connaissance, ne fréquente pas l'homme, ne se lie pas avec lui.

D'un tel serait à remarquer : Un homme, attiré par l'appât temporel.

« Trouvable est, Sounakkhatto, le cas de ce qu'il y ait un homme attiré par l'impassibilité. À un homme, Sounakkhatto, qui est attiré par l'impassibilité, un entretien sur ce point vient à propos, et ce qui s'y rapporte considère et pèse-t-il, fréquente l'homme, se lie avec lui ; et un entretien sur l'appât temporel est-il engagé, il n'écoute pas, ne prête pas oreille, ne tourne pas son cœur vers la connaissance, ne fréquente pas l'homme, ne se lie pas avec lui. De même que, Sounakkhatto, une feuille fanée, détachée de sa tige, ne peut plus verdir, de la sorte aussi, Sounakkhatto, est d'un homme attiré par l'impassibilité, détaché ce qui fut entrave de l'appât temporel. D'un tel serait à remarquer : Un homme, délié de l'entrave de l'appât temporel, attiré par l'impassibilité.

« Trouvable est, Sounakkhatto, le cas de ce qu'il y ait un homme attiré par le royaume du non-être. À un homme, Sounakkhatto, qui est attiré par le royaume du non-être, un entretien sur ce point vient à propos, et ce qui s'y rapporte considère et pèse-t-il, fréquente l'homme, se lie avec lui ; et un entretien sur l'impassibilité est-il engagé, il n'écoute pas, ne prête pas oreille, ne tourne pas son cœur vers la connaissance, ne fréquente pas l'homme, ne se lie pas avec lui. De même que, Sounakkhatto, un bloc de pierre, en deux rompu, ne se laisse plus joindre, de la sorte aussi, Sounakkhatto, est d'un homme, attiré par le royaume du non-être, disjoint ce qui fut entrave de l'impassibilité. D'un tel serait à remarquer : Un homme délié de l'entrave de l'impassibilité, attiré par le royaume du non-être.

« Trouvable est, Sounakkhatto, le cas de ce qu'il y ait un homme attiré par la limite de la perception possible. À un homme, Sounakkhatto, qui est attiré par la limite de la perception possible, un entretien sur ce point vient à propos, et ce qui s'y rapporte considère et pèse-t-il, fréquente l'homme, se lie avec lui ; et un entretien sur le royaume du non-être est-il engagé, il n'écoute pas, ne prête pas oreille, ne tourne pas son cœur vers la connaissance, ne fréquente pas l'homme, ne se lie pas avec lui. De même que, Sounakkhatto, si un homme, rassasié d'un plat succulent, le repoussait de devant lui ; que t'en semble donc, Sounakkhatto : l'homme serait-il repris par l'envie de goûter à ce plat ? »

« Non certes, ô Maître ! »

« Et pourquoi pas ? »

« Voici que ce plat, ô Maître, alors lui répugnerait. »

« De la sorte aussi, Sounakkhatto, est un homme, attiré par la limite de la perception possible, révolu ce qui fut entrave du royaume du non-être. D'un tel serait à observer : Un homme, délié du royaume du non-être, attiré par la limite de la perception possible.

« Trouvable est Sounakkhatto, le cas de ce qu'il y ait un homme attiré par l'extinction parfaite. À un homme, Sounakkhatto, qui est attiré par l'extinction parfaite, un entretien sur ce point vient à propos, et ce qui s'y rapporte considère et pèse-t-il, fréquente l'homme, se lie avec lui ; et un entretien sur la limite de la perception possible est-il engagé, il n'écoute pas, ne prête pas oreille, ne tourne pas son cœur vers la connaissance, ne fréquente pas l'homme, ne se lie pas avec lui. De même que, Sounakkhatto, un palmier, dont on a tranché le bourgeon, ne peut continuer à croître, de la sorte aussi, Sounakkhatto, est d'un homme, attiré par l'extinction parfaite, tranché ce qui fut entrave de la limite de la perception possible, tranché à la racine, fait tel une souche de palmier, que ce ne puisse plus germer, plus se développer. D'un tel serait à remarquer : Un homme, délié de l'entrave de la limite de la perception possible, attiré par l'extinction parfaite.

« Trouvable est, Sounakkhatto, le cas de ce qu'il y ait un moine qui pense à part lui : La soif, a dit l'ascète, est la flèche, le non-savoir l'onguent empoisonné, haine et convoitise excitent ; cette flèche de soif ai-je éloignée, ôté l'onguent empoisonné du non-savoir, l'extinction parfaite m'a attiré : ainsi lui semble un semblant de salut. Et ce qui ne convient au dévot de l'extinction parfaite, il se le permettrait : se permettrait de voir avec la vue ce qui ne lui convient, se permettrait d'ouïr avec l'ouïe ce qui ne lui convient, se permettrait d'odorer avec l'odorat ce qui ne lui convient, se permettrait de goûter avec le goût ce qui ne lui convient, se permettrait de toucher avec le toucher ce qui ne lui convient, se permettrait de penser avec la pensée ce qui ne lui convient. Et parce qu'il s'est permis de voir avec la vue ce qui ne lui convient, s'est permis d'ouïr avec l'ouïe ce qui ne lui convient, s'est permis d'odorer avec l'odorat ce qui ne lui convient, s'est permis de goûter avec le goût ce qui ne lui convient, s'est permis de toucher avec le toucher ce qui ne lui convient, s'est permis de penser avec la pensée ce qui ne lui convient, la convoitise peut enfler son cœur, peut-il le cœur enflé de convoitise rencontrer la mort ou la douleur mortelle.

« De même que, Sounakkhatto, si un homme avait par une flèche été frappé, dont la pointe fût enduite de poison, et ses amis, ses compagnons, ses parents, ses proches lui commanderaient un médecin averti, et le médecin averti lui ouvrirait d'un couteau les lèvres de la blessure, puis il chercherait d'une sonde la pointe, et après qu'il l'aurait trouvée, la retirerait, ôterait l'onguent empoisonné, non sans un reste, sachant bien qu'un reste encore est demeuré, et il parlerait ainsi : Cher homme, retirée est la flèche, ôté l'onguent empoisonné, non sans un reste, et voici que le danger te peut encore menacer. Que nourriture qui te convient dois-tu goûter, afin qu'au goût de nourriture, qui ne te convient, la blessure ne suppure. De temps en temps peux-tu laver la blessure, de temps en temps oindre les lèvres de la blessure, à temps que, si tu le négligeais, les lèvres de la blessure n'enflent de pus et de sang. Veuille au vent et grand soleil ne pas sortir, à temps que poussière et chaleur n'enflamment les lèvres de la blessure. Prends bien garde, cher homme, à la blessure, aies-en bien soin. Pourtant il penserait : Retirée est la flèche, ôté l'onguent empoisonné, non sans un reste, mais voici qu'aucun danger ne me peut plus menacer.

Et la nourriture qui ne lui convient goûterait-il, et au goût de nourriture, qui ne lui convient, la blessure suppurerait. Au vent et grand soleil sortirait-il, si bien que poussière et chaleur enflammeraient les lèvres de la blessure. Il ne prendrait garde à la blessure, n'en aurait pas soin. Et parce qu'il a fait cela même, qui ne lui convient, avec les restes impurs, non ôtés de l'onguent empoisonné, voici que la blessure se développerait deux fois plus vite, et avec son développement ultérieur rencontrerait-il la mort ou la douleur mortelle.

« De la sorte aussi, Sounakkhatto, est trouvable le cas de ce qu'il y ait un moine qui pense à part lui : La soif, a dit l'ascète, est la flèche , le non-savoir l'onguent empoisonné, haine et convoitise déchirent ; cette flèche de soif ai-je éloignée, ôté l'onguent empoisonné du non-savoir, l'extinction parfaite m'a attiré : ainsi lui semble un semblant de salut. Et ce qui ne convient au dévot de l'extinction parfaite, il se le permettrait : se permettrait de voir avec la vue ce qui ne lui convient, se permettrait d'ouïr avec l'ouïe ce qui ne lui convient, se permettrait d'odorer avec l'odorat ce qui ne lui convient, se permettrait de goûter avec le goût ce qui ne lui convient, se permettrait de toucher avec le toucher ce qui ne lui convient, se permettrait de penser avec la pensée ce qui ne lui convient. Et parce qu'il s'est permis de voir avec la vue ce qui ne lui convient, s'est permis d'ouïr avec l'ouïe ce qui ne lui convient, s'est permis d'odorer avec l'odorat ce qui ne lui convient, s'est permis de goûter avec le goût ce qui ne lui convient, s'est permis de toucher avec le toucher ce qui ne lui convient, s'est permis de penser avec la pensée ce qui ne lui convient, la convoitise peut enfler son cœur, peut-il le cœur enflé de convoitise rencontrer la mort ou la douleur mortelle. Or c'est de mort qu'on qualifie, Sounakkhatto, dans l'ordre du Saint, renoncer à l'ascèse et retourner à l'habitude : de douleur mortelle, Sounakkhatto, qu'on qualifie commettre une action impure.

« Trouvable est, Sounakkhatto, souvent, le cas de ce

qu'il y ait un moine qui pense à part lui : La soif, a dit l'ascète, est la flèche, le non-savoir l'onguent empoisonné, haine et convoitise déchirent ; cette flèche de soif ai-je éloignée, ôté l'onguent empoisonné du non-savoir, l'extinction parfaite m'a attiré. À l'extinction parfaite entièrement voué ne se permettrait-il pas ce qui ne convient à un dévot de l'extinction parfaite, ne se permettrait pas de voir avec la vue ce qui ne lui convient, ne se permettrait pas d'ouïr avec l'ouïe ce qui ne lui convient, ne se permettrait pas d'odorer avec l'odorat ce qui ne lui convient, ne se permettrait pas de goûter avec le goût ce qui ne lui convient, ne se permettrait pas de toucher avec le toucher ce qui ne lui convient, ne se permettrait pas de penser avec la pensée ce qui ne lui convient. Et parce qu'il ne s'est pas permis de voir avec la vue ce qui ne lui convient, ne s'est pas permis d'ouïr avec l'ouïe ce qui ne lui convient, ne s'est pas permis d'odorer avec l'odorat ce qui ne lui convient, ne s'est pas permis de goûter avec le goût ce qui ne lui convient, ne s'est pas permis de toucher avec le toucher ce qui ne lui convient, ne s'est pas permis de penser avec la pensée ce qui ne lui convient, la convoitise ne peut enfler son cœur, n'a-t-il le cœur enflé de convoitise à rencontrer la mort ou la douleur mortelle.

« De même que, mes moines, si un homme avait par une flèche été frappé, dont la pointe fût enduite de poison, et ses amis, ses parents, ses compagnons, ses proches lui commanderaient un médecin averti, et le médecin averti lui ouvrirait d'un couteau les lèvres de la blessure, puis il chercherait d'une sonde la pointe, et après qu'il l'aurait trouvée, la retirerait, ôterait l'onguent empoisonné, sans un reste, sachant bien qu'aucun reste n'est plus demeuré, et il parlerait ainsi : Cher homme, retirée est la flèche, ôté l'onguent empoisonné, et voici qu'aucun danger ne te peut plus menacer. Cependant ne dois-tu goûter que la nourriture qui te convient, à temps qu'au goût de nourriture qui ne te convient, la blessure ne suppure. De temps en temps peux-tu laver la blessure, de temps en temps oindre les lèvres de la blessure, afin que, si tu le négligeais, les lèvres de la blessure n'enflent de pus et de sang. Veuille au vent et grand soleil ne pas sortir, afin que poussière et chaleur n'enflamment les lèvres de la blessure. Prends bien garde, cher homme, à la blessure, prends-en bien soin. Et il penserait : Retirée est la flèche, ôté l'onguent empoisonné, mais voici que le danger me peut encore menacer. De temps en temps laverait-il la blessure, de temps en temps oindrait-il les lèvres de la blessure, à temps que les lèvres de la blessure n'enflent de pus et de sang. Au vent et grand soleil ne sortirait-il, afin que poussière et chaleur n'enflamment les lèvres de la blessure. Il prendrait garde à la blessure, il en aurait soin. Et parce qu'il a fait cela même, qui lui convient, sans restes impurs, restes quels qu'ils soient de l'onguent empoisonné, la blessure guérirait deux fois plus vite, fermerait et cicatriserait, si bien qu'il ne rencontrerait ni la mort ni la douleur mortelle.

« De la sorte aussi, Sounakkhatto, est trouvable le cas de ce qu'il y ait un moine qui pense à part lui : La soif, a dit l'ascète, est la flèche, le non-savoir l'onguent empoisonné, haine et convoitise déchirent ; cette flèche de soif ai-je éloignée, ôté l'onguent empoisonné du non-savoir, l'extinction parfaite m'a attiré. À l'extinction parfaite entièrement voué ne se permettrait-il pas ce qui ne convient à un dévot de l'extinction parfaite : ne se permettrait pas de voir avec la vue ce qui ne lui convient, ne se permettrait pas d'ouïr avec l'ouïe ce qui ne lui convient, ne se permettrait pas d'odorer avec l'odorat ce qui ne lui convient, ne se permettrait pas de goûter avec le goût ce qui ne lui convient, ne se permettrait pas de toucher avec le toucher ce qui ne lui convient, ne se permettrait pas de penser avec la pensée ce qui ne lui convient. Et parce qu'il ne s'est pas permis de voir avec la vue ce qui ne lui convient, ne s'est pas permis d'ouïr avec l'ouïe ce qui ne lui convient, ne s'est pas permis d'odorer avec l'odorat ce qui ne lui convient, ne s'est pas permis de goûter avec le goût ce qui ne lui convient, ne s'est pas permis de toucher avec le toucher ce qui ne lui convient, ne s'est pas permis de penser avec la pensée ce qui ne lui convient, la convoitise ne peut enfler son cœur, n'a-t-il le cœur empli de convoitise à rencontrer la mort ou la douleur mortelle.

« Une allégorie ai-je, Sounakkhatto, donnée, afin d'en éclairer le sens. Voici quel en est le sens. La blessure : c'est, Sounakkhatto, une image des six domaines du dedans. L'onguent empoisonné : c'est, Sounakkhatto, une image du non-savoir. La flèche : c'est, Sounakkhatto, une image de la soif. La sonde : c'est, Sounakkhatto, une image de la méditation. Le couteau : c'est, Sounakkhatto, une image de la sainte sagesse. Le médecin averti : c'est, Sounakkhatto, une image de l'Accompli, du Saint, du Juste Illuminé.

« Or que, Sounakkhatto, un moine, qui se garde des six domaines des sens et a découvert : L'attachement est la racine de la souffrance, qui sans s'attacher est libéré par fusion de l'attachement, laisse approcher le corps, le cœur, de l'attachement : un tel cas n'est pas trouvable.

« De même que, Sounakkhatto, si on avait, là, une coupe à l'odoriférant, merveilleux, savoureux contenu, mais mêlé de poison, et un homme s'approcherait, qui veut vivre, non mourir, qui cherche le bien et fuit la douleur ; que t'en semble donc, Sounakkhatto : cet homme viderait-il cette coupe, dont il saurait : Lorsque j'aurai bu ceci, devrai-je mourir ou souffrir de douleur mortelle ? »

« Certes non, ô Maître ! »

« De la sorte aussi, Sounakkhatto : qu'un moine, qui se garde des six domaines des sens et a découvert : L'attachement est la racine de la souffrance, qui sans s'attacher est délivré par fusion de l'attachement, laisse approcher le corps, le cœur de l'attachement : un tel cas n'est pas trouvable.

« De même que, Sounakkhatto, s'il était un serpent

venimeux, dardant du venin, et il viendrait un homme, qui veut vivre, non mourir, qui cherche le bien et fuit la douleur ; que t'en semble donc, Sounakkhatto : est-ce que cet homme tendrait au serpent venimeux, dardant du venin, la main ou le pouce, tout en sachant : Si ce serpent-là me mord, devrai-je mourir ou souffrir de douleur mortelle ? »

« Certes non, ô Maître ! »

« De la sorte aussi, Sounakkhatto : qu'un moine, qui se garde des six domaines des sens et a découvert : L'attachement est la racine de la souffrance, qui sans s'attacher est délivré par fusion de l'attachement, laisse approcher le corps, le cœur, de l'attachement : un tel cas n'est pas trouvable. »

Voilà ce que dit l'Exalté. Satisfait, Sounakkhatto le jeune Licchafir se réjouissait de la parole de l'Exalté.

Pleine lune

Voilà ce que j'ouïs. Dans un temps, l'Exalté se trouvait près de Savatthi, au Bois Oriental, sur la terrasse de la Mère Migaro *.

Or en ce temps-là l'Exalté avait — c'était un jour de fête, la mi-mois, par une nuit de pleine lune — pris place au milieu de la communauté des moines à même le ciel.

Voici qu'un des moines se leva, rabattit le manteau sur une épaule, salua révérencieusement l'Exalté et il lui dit :

« M'est-il, ô Maître, permis de poser une question à l'Exalté, si toutefois l'Exalté veut agréer de répondre à la question ? »

« Eh bien soit, ô moine, assieds-toi à ta place et me questionne à volonté. »

Et ce moine s'assit à sa place et il dit ceci à l'Exalté :

« Sont-ce, ô Maître, les cinq ordres d'attachement, un attachement à la forme, un attachement à la sensation, un attachement à la perception, un attachement à la distinction, un attachement à la conscience ? »

« Ce sont, moine, les cinq ordres d'attachement. »

« Bien, ô Maître ! » dit ce moine, réjoui et satisfait par la parole de l'Exalté, et posa encore une question :

« Et ces cinq ordres d'attachement, ô Maître, où poussent-ils ? »

« Ces cinq ordres d'attachement, moine, poussent du vouloir. »

« L'attachement, ô Maître, et les cinq ordres d'attachement, sont-ce une et même chose, ou y a-t-il un attachement hors des cinq ordres d'attachement ? »

« Point ne sont, moine, l'attachement et les cinq ordres d'attachement une et même chose, mais il n'y a pas d'attachement hors des cinq ordres d'attachement : l'émotion, moine, en les cinq ordres d'attachement, c'est ce qui en est l'attachement. »

« Et peut-il, ô Maître, en les cinq ordres d'attachement se produire une différence d'émotion ? »

« Il se peut, moine », dit l'Exalté. « Voici qu'un tel, moine, a ce vœu :

Qu'ainsi soit ma forme future, ainsi ma sensation future, ainsi ma perception future, ainsi ma distinction future, ainsi ma conscience future. Ainsi peut, moine, en les cinq ordres d'attachement se produire une différence d'émotion. »

« Mais jusqu'à quel point, ô Maître, revient aux ordres la désignation d'ordres ? »

« Quelque forme, moine, passée, future, présente, propre ou étrangère, commune ou noble, grossière ou subtile, lointaine ou proche, est un ordre forme ; quelque sensation, passée, future, présente, propre ou étrangère, commune ou noble, grossière ou subtile, lointaine ou proche, est un ordre sensation ; quelque perception, passée, future, présente, propre ou étrangère, commune ou noble, grossière ou subtile, lointaine ou proche, est un ordre perception ; quelque distinction, passée, future, présente, propre ou étrangère, commune ou noble, grossière ou subtile, lointaine ou proche, est un ordre distinction ; quelque conscience, passée, future, présente, propre ou étrangère, commune ou noble, grossière ou subtile, lointaine ou proche, est un ordre conscience. Jusqu'à ce point, Anândo, revient aux ordres la désignation d'ordres. »

« Quelle est, ô Maître, la raison, quelle est la cause, qu'un ordre forme puisse apparaître, quelle est la raison, quelle est la cause, qu'un ordre sensation puisse apparaître, quelle est la raison, quelle est la cause, qu'un ordre perception puisse apparaître, quelle est la raison, quelle est la cause, qu'un ordre distinction puisse apparaître, quelle est la raison, quelle est la cause, qu'un ordre conscience puisse apparaître ? »

« Les quatre éléments, moine, sont la raison, les quatre éléments sont la cause, qu'un ordre forme puisse apparaître, la relation est la raison, la relation est la cause, qu'un ordre sensation puisse apparaître, la relation est la raison, la relation est la cause, qu'un ordre perception puisse apparaître, la relation est la raison, la relation est la cause, qu'un ordre distinction puisse apparaître, image et nom sont la raison, image et nom sont la cause, qu'un ordre conscience puisse apparaître. »

« Mais que peut, ô Maître, lever la croyance en la personnalité ? »

« Voici que celui-ci, moine, n'a pas d'expérience, est un homme ordinaire, sans goût pour la sainteté, ignorant la sainteté, inaccessible à la sainteté, sans goût pour la noblesse, ignorant la doctrine des nobles, inaccessible à la doctrine des nobles et tient qu'il est la forme, ou qu'il est semblable à la forme, ou qu'en la forme il est, ou qu'en lui est la forme ; il tient qu'il est la sensation, la perception, les distinctions, la conscience, ou qu'il leur est semblable, ou qu'en elles il est, ou qu'en lui elles sont. Ainsi peut, moine, lever la croyance en la personnalité. »

« Et que peut, ô Maître, ne pas lever la croyance en la personnalité ? »

« Voici que celui-ci, moine, saint disciple expérimenté a compris la sainteté, est versé dans la sainteté, accessible à la sainteté, a compris la noblesse, est versé dans la noblesse, accessible à la noblesse et ne tient pas qu'il est la forme, ou qu'il est semblable à la forme, ou qu'en la forme il est, ou qu'en lui est la forme ; il ne tient pas qu'il est la sensation, la perception, les distinctions, la conscience, ou qu'il leur est semblable, ou qu'en elles il est, ou qu'en lui elles sont. Ainsi peut, moine, ne pas lever la croyance en la personnalité. »

« Qu'est donc, ô Maître, jouissance en la forme, misère en la forme, maîtrise en la forme ? Qu'est jouissance, qu'est misère, qu'est maîtrise en la sensation, en la perception, en les distinctions, en la conscience ? »

« La forme, moine, bonne et désirable, est jouissance en la forme ; la forme, impermanente, faisant mal, changeante, est misère en la forme ; nier l'émotion, renier l'émotion en la forme, est maîtrise en la forme. La sensation, la perception, les distinctions, la conscience, bonnes et désirables, sont jouissance en celles-ci ; la sensation, la perception, les distinctions, la conscience, impermanentes, faisant mal, changeantes, sont misère en celles-ci ; nier, renier l'émotion en la sensation, en la perception, en les distinctions, en la conscience, est maîtrise en celles-ci. »

« Mais que peuvent, ô Maître, à un savant, à un voyant, en toutes les impressions extérieures sur ce corps atteint de conscience, ne pas survenir de présomptueuses atteintes du Moi et du Mien ? »

« Quelque forme, moine, que ce soit, passée, future, présente, propre ou étrangère, grossière ou subtile, commune ou noble, lointaine ou proche : toute forme est, en vérité, avec sagesse même, ainsi regardée : Ça ne m'appartient pas, ça ne suis-je pas, ça n'est pas moi. Quelque sensation, quelque perception, quelque distinction, quelque conscience que ce soit, passée, future, présente, propre ou étrangère, grossière ou subtile, commune ou noble, lointaine ou proche : toute sensation, toute perception, toute distinction, toute conscience est, en vérité, avec sagesse même ainsi regardée : Ça ne m'appartient pas, ça ne suis-je pas, ça n'est pas moi. Ainsi peuvent, moine, à un savant, à un voyant, en toutes les impressions extérieures sur ce corps atteint de conscience, ne pas survenir de présomptueuses atteintes du Moi et du Mien. »

Cette pensée vint alors à l'esprit d'un de ces moines : Ainsi la forme n'aurait pas de soi, la sensation pas de soi, la perception pas de soi, la distinction pas de soi, la conscience pas de soi, et des actions non faites par soi donneraient la maîtrise de l'action ? Et l'Exalté, spirituellement averti en esprit de la pensée de ce moine-là, s'adressa aux moines :

« Il se peut que, mes moines, par non-savoir, ayant chu dans le non-savoir, l'esprit dominé par la soif, quelque personne vaniteuse suppose devoir enchérir sur l'instruction du Maître : Ainsi la forme n'aurait pas de soi, la sensation pas de soi, la perception pas de soi, la distinction pas de soi, la conscience pas de soi, et des actions non faites par soi donneraient la maîtrise de l'action ? demande-t-il. Instruits êtes-vous, moines, par moi en telle et telle matière. Que vous semble, moines : est-ce que la forme est permanente ou impermanente ? »

« Impermanente, ô Maître. »

« Est-ce que l'impermanent fait mal ou du bien ? »

« Mal, ô Maître. »

« Or de ce qui est impermanent faisant mal, changeant, peut-on prétendre : Ça m'appartient, ça je suis, ça c'est moi ?

« Non certes, ô Maître. »

« Que vous semble, moines : est-ce que la sensation, la perception, la distinction, la conscience sont impermanentes ou permanentes ? »

« Impermanentes, ô Maître. »

« Or de ce qui est impermanent, faisant mal, changeant, peut-on prétendre : Ça m'appartient, ça je suis, ça c'est moi ?

« Non certes, ô Maître. »

« C'est pourquoi donc, ô moines : Quelque forme que ce soit, passée, future, présente, propre ou étrangère, grossière ou subtile, commune ou noble, lointaine ou proche est, en vérité, avec sagesse même à regarder ainsi : Ça ne m'appartient pas, ça ne suis-je pas, ça n'est pas moi. Quelque sensation, quelque perception, quelque distinction, quelque conscience que ce soit, passée, future, présente, propre ou étrangère, grossière ou subtile, commune ou noble, lointaine ou proche : toute sensation, toute perception, toute distinction, toute conscience est, en vérité, avec sagesse même à regarder ainsi : Ça ne m'appartient pas, ça ne suis-je pas, ça n'est pas moi. À tel regard, mes moines, le saint disciple éprouvé dans la sainteté se dégoûte de la forme, se dégoûte de la sensation, se dégoûte de la perception, se dégoûte de la distinction, se dégoûte de la conscience. Dégoûté il se détourne. Se détournant il se délivre. Dans le Délivré est la Délivrance, cette connaissance s'ouvre. Tarie est la naissance, accompli l'ascétisme, opérée l'œuvre, ce monde n'est plus : il comprend ça. »

Ainsi s'exprima l'Exalté. Satisfaits, ces moines se réjouissaient de la parole de l'Exalté.

Tandis que cet exposé avait lieu, voici que le cœur d'environ soixante moines s'était sans attachement délié des offenses.

Quantités d'espèces

Voilà ce que j'ouïs. Dans un temps, l'Exalté se trouvait près de Savatthi, dans la Forêt du Vainqueur, au Jardin d'Anathapindiko. Or est-ce là que l'Exalté s'adressa aux moines : « Mes moines ! » — « Auguste ! » répondirent ces moines prêtant attention à l'Exalté. L'Exalté s'exprima ainsi :

« Toute peur, mes moines, qui se lève, ne se lève que du sot et pas du sage, toute anxiété, qui se lève, ne se lève que du sot, et pas du sage, toute frayeur, qui se lève, ne se lève que du sot, et pas du sage. De même que, mes moines, au toit de roseaux ou de chaume d'une maison le feu crépite et qu'il attaque déjà faîte et parois et murs et chevrons des portes et des fenêtres : de la sorte aussi, mes moines, toute peur, qui se lève, ne se lève que du sot, et pas du sage, toute anxiété, qui se lève, ne se lève que du sot, et pas du sage, toute frayeur, qui se lève, ne se lève que du sot, et pas du sage. Ainsi donc est, mes moines, peureux le sot, sans peur le sage, anxieux le sot, sans anxiété le sage, effrayé le sot, sans frayeur le sage. Point ne peut, mes moines, le sage être peureux, point ne peut le sage être anxieux, point ne peut le sage être effrayé. Voilà pourquoi, mes moines, soyons des sages et des chercheurs : ainsi avez-vous, moines, à bien pratiquer. »

À ces paroles, le vénérable Anândo s'adressa ainsi à l'Exalté :

« Mais jusqu'à quel point peut-on, ô Maître, juger qu'un moine et un chercheur est un sage ? »

« Aussitôt, Anândo, qu'un moine se montre versé dans les espèces, versé dans les domaines, versé dans l'effet causé, versé dans le possible et l'impossible, peut-on jusqu'à ce point, Anândo, juger qu'un moine et un chercheur est un sage. »

« Et jusqu'à quel point peut-on, ô Maître, juger qu'un moine est versé dans les espèces ? »

« Dix-huit espèces, Anândo, y a-t-il : espèce œil, espèce forme, espèce conscience de voir ; espèce oreille, espèce son, espèce conscience d'ouïr ; espèce nez, espèce odeur, espèce conscience d'odorer ; espèce langue, espèce saveur, espèce conscience de goûter ; espèce corps, espèce contact, espèce conscience de toucher ; espèce pensée, espèce objet, espèce conscience de penser. Ce sont, Anândo, dix-huit espèces. Autant qu'il les connaît et les comprend peut-on jusqu'à ce point, Anândo, juger qu'un moine est versé dans les espèces. »

« Mais y a-t-il, ô Maître, encore un autre moyen de juger qu'un moine est versé dans les espèces ? »

« Assurément, Anândo. Six espèces, Anândo, y a-t-il : espèce terre, espèce eau, espèce feu, espèce air, espèce étendue, espèce conscience. Ce sont, Anândo, six espèces. Autant qu'il les connaît et les comprend peut-on aussi jusqu'à ce point, Anândo, juger qu'un moine est versé dans les espèces. »

« Mais y a-t-il, ô Maître, encore un autre moyen de juger qu'un moine est versé dans les espèces ? »

« Assurément, Anândo. Six espèces, Anândo, y a-t-il : espèce joie, espèce tristesse, espèce gaieté, espèce mélancolie, espèce âme égale, espèce non-savoir. Ce sont, Anândo, six espèces. Autant qu'il les connaît et les comprend peut-on aussi jusqu'à ce point, Anândo, juger qu'un moine est versé dans les espèces. »

« Mais y a-t-il, ô Maître, encore un autre moyen de juger qu'un moine est versé dans les espèces ? »

« Assurément, Anândo. Six espèces, Anândo, y a-t-il : espèce convoitise, espèce renoncement, espèce crainte, espèce patience, espèce ressentiment, espèce douceur. Ce sont, Anândo, six espèces. Autant qu'il les connaît et les comprend peut-on aussi jusqu'à ce point, Anândo, juger qu'un moine est versé dans les espèces. »

« Mais y a-t-il, ô Maître, encore un autre moyen de juger qu'un moine est versé dans les espèces ? »

« Assurément, Anândo. Trois espèces, Anândo, y a-t-il : espèce sexuelle, espèce forme, espèce non-forme. Ce sont Anândo, trois espèces. Autant qu'il les connaît et les comprend peut-on aussi jusqu'à ce point, Anândo, juger qu'un moine est versé dans les espèces. »

« Mais y a-t-il, ô Maître, encore un autre moyen de juger qu'un moine est versé dans les espèces ? »

« Assurément, Anândo. Deux espèces, Anândo, y a-t-il : espèce composée et espèce non composée. Ce sont, Anândo, deux espèces. Autant qu'il les connaît et les comprend peut-on aussi jusqu'à ce point, Anândo, juger qu'un moine est versé dans les espèces. »

« Mais jusqu'à quel point peut-on, ô Maître, juger qu'un moine est versé dans les domaines ? »

« De même y a-t-il, Anândo, six domaines du dedans et dehors : l'œil et les formes, l'oreille et les sons, le nez et les odeurs, la langue et les saveurs, le corps et les contacts, la pensée et les objets. Ce sont, Anândo, les six domaines du dedans et dehors. Autant qu'il les connaît et les comprend peut-on de nouveau jusqu'à ce point juger qu'un moine est versé dans les domaines. »

« Et jusqu'à quel point peut-on, ô Maître, juger qu'un moine est versé dans l'effet causé ? »

« Un moine, Anândo, a cette connaissance. Ceci étant, cela est ; causé par ceci, cela naît ; ceci n'étant pas, cela n'est pas ; par l'évanouissement de ceci, cela s'évanouit. Soit : du non-savoir naissent les distinctions, des distinctions naît la conscience, de la conscience naissent image et nom, d'image et nom naît le sextuple domaine, du sextuple domaine naît la relation, de la relation naît la sensation, de la sensation naît la soif, de la soif naît l'attachement, de l'attachement naît le devenir, du devenir naît la naissance, de la naissance sortent vieillir et mourir, douleur et chagrin, souffrance, tristesse, désespoir : ainsi a lieu l'accroissement de tout cet ordre de souffrance. Mais le non-savoir est-il évanoui sans émotion, sans reste, s'évanouissent les distinctions, les distinctions évanouies s'évanouit la conscience, la conscience évanouie s'évanouissent image et nom, image et nom évanouis s'évanouit le sextuple domaine, le sextuple domaine évanoui s'évanouit la relation, la relation évanouie s'évanouit la sensation, la sensation évanouie s'évanouit la soif, la soif évanouie s'évanouit l'attachement, l'attachement évanoui s'évanouit le devenir, le devenir évanoui s'évanouit la naissance, la naissance évanouie s'évanouissent vieillir et mourir, douleur et chagrin, souffrance, tristesse, désespoir : ainsi l'évanouissement de tout cet ordre de souffrance a lieu. Jusqu'à ce point peut-on, Anândo, juger qu'un moine est versé dans l'effet causé.

« Et jusqu'à quel point peut-on, ô Maître, juger qu'un moine est versé dans le possible et l'impossible ? »

« Un moine, Anândo, sait : Impossible est-ce et ne peut être, qu'un homme doué de connaissance puisse envisager d'impérissable quelque distinction : un tel cas ne se produit pas ; il sait : Bien possible est-ce pourtant, que l'homme commun puisse envisager d'impérissable quelque distinction : un tel cas se produit. Il sait : Impossible est-ce et ne peut être, qu'un homme doué de connaissance puisse envisager d'agréable quelque distinction : un tel cas ne se produit pas ; il sait : Bien possible est-ce pourtant, que l'homme commun puisse envisager d'agréable quelque distinction : un tel cas se produit. Il sait : Impossible est-ce et ne peut être, qu'un homme doué de connaissance puisse envisager comme sien quelque objet : un tel cas ne se produit pas ; il sait : Bien possible est-ce pourtant, que l'homme commun puisse envisager comme sien quelque objet : un tel cas se produit.

« Il sait : Impossible est-ce et ne peut être, qu'un homme doué de connaissance puisse ravir la vie à sa mère ou à son père : un tel cas ne se produit pas ; il sait : Bien possible est-ce pourtant, que l'homme commun puisse ravir la vie à sa mère ou à son père : un tel cas se produit.

« Il sait : Impossible est-ce et ne peut-être, qu'un homme doué de connaissance puisse ravir la vie à un saint ou dans une mauvaise intention verser le sang d'un Accompli : un tel cas ne se produit pas ; il sait : Fort possible est-ce pourtant, que l'homme commun puisse ravir la vie à un saint ou dans une mauvaise intention verser le sang d'un Accompli : un tel cas se produit.

« Il sait : Impossible est-ce et ne peut être qu'un homme doué de connaissance puisse susciter la division entre les Frères ou élire un autre Maître : un tel cas ne se produit pas ; il sait : Fort possible est-ce pourtant que l'homme commun puisse susciter la division entre les Frères ou élire un autre Maître : un tel cas se produit.

« Il sait : Impossible est-ce et ne peut être, qu'en un et même ordre de ce monde deux Saints, deux Justes Illuminés puissent à la fois se présenter : un tel cas ne se produit pas ; il sait : Fort possible est-ce pourtant, que dans un et même ordre de ce monde un Saint, un Juste Illuminé puisse se présenter : un tel cas se produit.

« Il sait : Impossible est-ce et ne peut être, qu'en un et même ordre de ce monde deux rois, chefs de la terre puissent à la fois se présenter : un tel cas ne se produit pas ; il sait : Fort possible est-ce pourtant, qu'en un et même ordre de ce monde un roi, chef de la terre puisse se présenter : un tel cas se produit.

« Il sait : Impossible est-ce et ne peut être, que la femme puisse personnifier un Saint, un Juste Illuminé ou un roi chef de la terre : un tel cas ne se produit pas ; il sait : Fort possible est-ce pourtant, qu'un homme puisse personnifier un Saint, un Juste Illuminé ou un roi chef de la terre : un tel cas se produit.

« Il sait : Impossible est-ce et ne peut être, que la femme puisse atteindre à la domination sur le ciel, sur la nature, sur les esprits : un tel cas ne se produit pas ;

il sait : Fort possible est-ce pourtant, que l'homme puisse atteindre à la domination sur le ciel, sur la nature, sur les esprits : un tel cas se produit.

« Il sait : Impossible est-ce et ne peut être, que d'une mauvaise conduite en œuvres, paroles ou pensées, une récolte plaisante, favorable, agréable puisse résulter : un tel cas ne se produit pas ; il sait : Fort possible est-ce pourtant, que d'une mauvaise conduite en œuvres, paroles ou pensées, une récolte déplaisante, défavorable, désagréable puisse résulter : un tel cas se produit.

« Il sait : Impossible est-ce et ne peut être, que d'une bonne conduite en œuvres, paroles ou pensées, une récolte déplaisante, défavorable, désagréable puisse résulter : un tel cas ne se produit pas ; il sait : Fort possible est-ce pourtant, que d'une bonne conduite en œuvres, paroles ou pensées, une récolte plaisante, favorable, agréable puisse résulter : un tel cas se produit.

« Il sait : Impossible est-ce et ne peut être, que quiconque adopta une mauvaise conduite en œuvres, paroles ou pensées puisse à cause de ça, en vertu de ça, à l'évanouissement du corps, après la mort, parvenir à de bonnes voies, au monde céleste : un tel cas ne se produit pas ; il sait : Fort possible est-ce pourtant, que quiconque adopta une mauvaise conduite en œuvres, paroles ou pensées puisse à cause de ça, en vertu de ça, à l'évanouissement du corps, après la mort, parvenir à l'écart, à de mauvaises voies, aux profondeurs, au monde infernal : un tel cas se produit.

« Il sait : Impossible est-ce et ne peut être, que quiconque adopta une bonne conduite en œuvres, paroles ou pensées puisse à cause, pour cela même, à l'évanouissement du corps, après la mort, parvenir à l'écart, à de mauvaises voies, à la perte, au monde infernal : un tel cas ne se produit pas ; il sait : Fort possible est-ce pourtant, que quiconque adopta une bonne conduite en œuvres, paroles ou pensées puisse à cause de ça, en vertu de ça, à l'évanouissement du corps, après la mort, parvenir à de bonnes voies, au monde céleste : un tel cas se produit.

« Jusqu'à ce point peut-on, Anândo, juger qu'un moine est versé dans le possible et l'impossible. »

Après ce discours, le vénérable Anândo s'adressa ainsi à l'Exalté :

« Étonnant, ô Maître, extraordinaire, ô Maître ! Quel nom, ô Maître, cet exposé doit-il porter ? »

« Eh bien, Anândo, garde cet exposé sous le nom de Quantité d'Espèces, ou garde-le sous le nom de Quadruple Chapelet, ou garde-le sous le nom de Miroir de la Vérité, ou garde-le sous le nom de Tambour de l'Éternité, ou garde-le sous le nom de l'Incomparable Victoire. »

Ainsi s'exprima l'Exalté. Satisfaits, ces moines se réjouissaient de la parole de l'Exalté.

QUARANTE FOIS MAÎTRE

Voilà ce que j'ouïs. Dans un temps, l'Exalté se trouvait près de Sâvatthi, dans la Forêt du Vainqueur, au Jardin d'Anathapindiko. Or est-ce là que l'Exalté s'adressa aux moines : « Mes moines ! » — « Auguste ! » répondirent ces moines prêtant attention à l'Exalté. L'Exalté s'exprima ainsi :

« La sainte, mes moines, juste concentration je veux vous montrer, avec sa suite, avec son cortège : prêtez garde et attention à ma parole. »

« Certes, ô Maître ! » répondirent ces moines prêtant attention à l'Exalté. L'Exalté s'exprima ainsi :

« Or qu'est-ce donc, mes moines, que la sainte juste concentration, avec sa suite, avec son cortège ? C'est juste connaissance, juste intention, juste parole, juste action, juste conduite, juste effort, juste méditation : l'essence du cœur, mes moines, faisant cortège à ces sept membres-là, on l'appelle, mes moines, sainte juste concentration, avec sa suite, avec son cortège.

« D'abord vient, mes moines, juste connaissance. Or que vient d'abord, mes moines, juste connaissance ? Fausse connaissance on tient pour fausse connaissance, juste connaissance on tient pour juste connaissance : ça sert de juste connaissance. Or qu'est, mes moines, fausse connaissance ? Faire l'aumône, renoncer, dispenser — tout ça c'est vain ; il n'y a pas de semence et de récolte des bonnes et des mauvaises actions : En Deçà et Au-Delà sont des mots vides ; père et mère et puis aussi naissance en esprit ne sont que des noms ; le monde n'a pas d'ascètes et prêtres, parfaits et accomplis, pouvant à eux-mêmes révéler, montrer et expliquer ce que signifient ce monde-ci et ce monde-là : ça c'est, mes moines, fausse connaissance. Or qu'est, mes moines, juste connaissance ? Juste connaissance, dis-je, moines, est de double espèce. Il y a, mes moines, juste connaissance, avec offense, avantage, salut ; il y a, mes moines, juste connaissance, sainte, sans offense, non temporelle, trouvable en le Chemin. Or qu'est-ce, mes moines, que juste connaissance, avec offense, avantage, salut ? Faire l'aumône, renoncer, dispenser ne sont pas vains ; il y a une semence et une récolte des bonnes et des mauvaises actions ; l'En Deçà est à portée et l'Au-Delà est à portée ; parents y a-t-il et naissance en esprit y a-t-il ; le monde a des ascètes et prêtres, parfaits et accomplis, pouvant à eux-mêmes révéler, montrer et expliquer ce que signifient ce monde-ci et ce monde-là : ça c'est, mes moines, juste connaissance, avec offense, avantage, salut. Or qu'est-ce, mes moines, que juste connaissance, sainte, sans offense, non temporelle, trouvable en le Chemin ? Ce qui, mes moines, dans le saint cœur, dans le cœur sans offense, dans le cœur se trouvant en le saint Chemin, dans le cœur ayant accompli le saint Chemin, est sagesse, capable sagesse, efficace sagesse, vérité approfondie, conduisant à l'Illumination, juste connaissance, trouvable en le Chemin. On s'y efforce ardemment de perdre fausse connaissance, de gagner juste connaissance : ça sert de juste effort. On médite dépasser fausse connaissance, on médite gagner et atteindre juste connaissance : ça sert de juste méditation. Ainsi ces trois objets se sont-ils groupés, se sont-ils joints au nom de la juste connaissance, soit juste connaissance, juste effort, juste méditation.

« D'abord vient, mes moines, juste connaissance. Or que vient d'abord, mes moines, juste connaissance ? Fausse intention on tient pour fausse intention, juste intention on tient pour juste intention : ça sert de juste connaissance. Or qu'est, mes moines, fausse intention ? Intention de jouir, d'en vouloir, de se fâcher : ça c'est, mes moines, fausse intention. Or qu'est, mes moines, juste intention ? Juste intention, dis-je, moines, est de double espèce. Il y a, mes moines, juste intention, avec offense, avantage, salut ; il y a, mes moines, juste intention, sainte, sans offense, non temporelle, trouvable en le Chemin. Or qu'est-ce, mes moines, que juste intention, avec offense, avantage, salut ? Intention de renoncer, n'en vouloir, ne se fâcher : ça c'est, mes moines, juste intention, avec offense, avantage, salut. Or qu'est-ce, mes moines, que juste intention, sainte, sans offense, non temporelle, trouvable en le Chemin ? Ce qui, mes moines, dans le saint cœur, dans le cœur sans offense, dans le cœur se trouvant en le saint Chemin, dans le cœur ayant accompli le saint Chemin, est penser et réfléchir, peser, apprendre et comprendre, développer et se demander en esprit : ça c'est, mes moines, juste intention, sainte, sans offense, non temporelle, trouvable en le Chemin. On s'y efforce ardemment de perdre fausse intention, de gagner juste intention : ça sert de juste effort. On médite dépasser fausse intention, on médite gagner et atteindre juste intention : ça sert de juste méditation. Ainsi ces trois objets se sont-ils groupés, se sont-ils joints au nom de la juste intention, soit juste connaissance, juste effort, juste méditation.

« D'abord vient, mes moines, juste connaissance. Or que vient d'abord, mes moines, juste connaissance ? Fausse parole on tient pour fausse parole, juste parole on tient pour juste parole : ça sert de juste connaissance. Or qu'est, mes moines, fausse parole ? Mensonge, calomnie, violent langage, bavardage : ça c'est, mes moines, fausse parole. Or qu'est, mes moines, juste parole ? Juste parole, dis-je, moines, est de double espèce. Il y a, mes moines, juste parole, avec offense, avantage, salut ; il y a, mes moines, juste parole, sainte, sans offense, non temporelle, trouvable en le Chemin. Or qu'est-ce, mes moines, que juste parole, avec offense, avantage, salut ? Éviter le mensonge, éviter la calomnie, le violent langage, le bavardage : ça c'est, mes moines, juste parole, avec offense, avantage, salut. Or qu'est-ce, mes moines, que juste parole, sainte, sans offense, non temporelle, trouvable en le Chemin ? Ce qui, mes moines, dans le saint cœur, dans le cœur sans offense, dans le cœur se trouvant en le saint Chemin, dans le cœur ayant accompli le saint Chemin, est s'éloigner, s'écarter, se détourner, se garder de ces quatre espèces de mauvaise parole : ça c'est, mes moines, juste parole, sainte, sans offense, non temporelle, trouvable en le Chemin. On s'y efforce ardemment de perdre fausse parole, de gagner juste parole : ça sert de juste effort. On médite dépasser fausse parole, on médite gagner et atteindre juste parole : ça sert de juste méditation. Ainsi ces trois objets se sont-ils groupés, se sont-ils joints au nom de la juste parole, soit juste connaissance, juste effort, juste méditation.

« D'abord vient, mes moines, juste connaissance. Or que vient d'abord, mes moines, juste connaissance ? Fausse action on tient pour fausse action, juste action on tient pour juste action : ça sert de juste connaissance. Or qu'est, mes moines, fausse action ? Ôter la vie, prendre le bien d'autrui, se livrer à la débauche : ça c'est, mes moines, fausse action. Or qu'est, mes moines, juste action ? Juste action, dis-je, mes moines, est de double espèce. Il y a, mes moines, juste action, avec offense, avantage, salut ; il y a, mes moines, juste action, sainte, sans offense, non temporelle, trouvable en le Chemin. Or qu'est-ce, mes moines, que juste action, avec offense, avantage, salut ? On peut, mes moines, éviter d'ôter la vie, éviter de prendre le bien d'autrui, éviter de se livrer à la débauche : ça c'est, mes moines, juste action, avec offense, avantage, salut. Or qu'est-ce, mes moines, que juste action, sainte, sans offense, non temporelle trouvable en le Chemin ? Ce qui, mes moines, dans le saint cœur, dans le cœur sans offense, dans le cœur se trouvant en le saint Chemin, dans le cœur ayant accompli le saint Chemin, est s'éloigner, s'écarter, se détourner, se garder de ces quatre espèces de fausse action : ça c'est, mes moines, juste action, sainte, sans offense, non temporelle, trouvable en le Chemin. On s'y efforce ardemment de perdre fausse action, de gagner juste action : ça sert de juste effort. On médite dépasser fausse action, on médite gagner et atteindre juste action ; ça sert de juste méditation. Ainsi ces trois objets se sont-ils groupés, se sont-ils joints au nom de la juste action, soit juste connaissance, juste effort, juste méditation.

« D'abord vient, mes moines, juste connaissance. Or que vient d'abord, mes moines, juste connaissance ? Fausse conduite on tient pour fausse conduite, juste conduite on tient pour juste conduite : ça sert de juste connaissance. Or qu'est, mes moines, juste conduite ? Tromper, trahir, accuser, prédire l'avenir, pratiquer l'intrigue ou l'usure : ça c'est, mes moines, fausse conduite. Or qu'est, mes moines, juste conduite ? Juste conduite, dis-je, mes moines, est de double espèce. Il y a, mes moines, juste conduite, avec offense, avantage, salut ; il y a, mes moines, juste conduite, sainte, sans offense, non temporelle, trouvable en le Chemin. Or qu'est-ce, mes moines, que juste conduite, avec offense, avantage, salut ? Voici, mes moines, que le saint disciple a délaissé la fausse conduite et gagne sa vie de juste façon : ça c'est, mes moines, juste conduite, avec offense, avantage, salut. Or qu'est-ce, mes moines, que juste conduite, sainte, sans offense, non temporelle, trouvable en le Chemin ? Ce qui, mes moines, dans le saint cœur, dans le cœur sans offense, dans le cœur se trouvant en le saint Chemin, dans le cœur ayant accompli le saint Chemin, est s'éloigner, s'écarter, se détourner, se garder de ces quatre espèces de mauvaise conduite : ça c'est, mes moines, juste conduite, sainte, sans offense, non temporelle, trouvable en le Chemin. On s'y efforce ardemment de perdre fausse conduite, de gagner juste conduite : ça sert de juste effort. On médite dépasser fausse conduite, on médite gagner et atteindre juste conduite : ça sert de juste méditation. Ainsi ces trois objets se sont-ils groupés, se sont-ils joints au nom de la juste conduite, soit juste connaissance, juste effort, juste méditation.

« D'abord vient, mes moines, juste connaissance. Or que vient d'abord, mes moines, juste connaissance ? Au juste de connaissance, mes moines, échoit juste intention, au juste d'intention juste parole, au juste de parole juste action, au juste d'action juste conduite, au juste de conduite juste effort, au juste d'effort juste méditation, au juste de méditation juste concentration, au juste de concentration juste conscience, au juste de conscience juste délivrance. Ainsi, mes moines, le guerrier ceint par huit fois devient le saint ceint par dix fois.

« D'abord vient, mes moines, juste connaissance. Or que vient d'abord, mes moines, juste connaissance ? Le juste de connaissance, mes moines, a maîtrisé fausse connaissance ; et ce qui de fausse connaissance peut résulter de mauvais, de non salutaire, ça aussi a-t-il maîtrisé ; et juste connaissance peut faire croître maint objet salutaire à parfaite maturité. Le juste d'intention, mes moines, le juste de parole, le juste d'action, le juste de conduite, le juste d'effort, le juste de méditation, le juste de concentration, le juste de conscience, le juste de délivrance a maîtrisé fausse intention, fausse parole, fausse action, fausse conduite, faux effort, fausse méditation, fausse concentration, fausse conscience, fausse délivrance ; et ce qui de fausse intention, fausse parole, fausse action, fausse conduite, faux effort, fausse méditation, fausse concentration, fausse conscience, fausse délivrance peut résulter de mauvais, de non salutaire, ça aussi a-t-il maîtrisé ; et juste intention, juste parole, juste action, juste conduite, juste effort, juste méditation, juste concentration, juste conscience, juste délivrance peuvent faire croître maint objet salutaire à parfaite maturité.

« Ainsi fut, mes moines, vingt fois du salutaire, vingt fois du non-salutaire, exposé un cours de pensées quarante fois maître ; et s'y opposer ne peut nul ascète et nul prêtre, nul dieu, nul mauvais et saint esprit, ni quiconque dans ce monde.

« Car quiconque, mes moines, des ascètes ou des prêtres croirait devoir blâmer et désapprouver ce cours de pensées quarante fois maître, aurait déjà dans cette vie à s'avouer soi-même blâmable en vertu de dix arguments correspondants. Blâme-t-il juste intention, juste parole, juste action, juste conduite, juste effort, juste méditation, juste concentration, juste conscience, juste délivrance, est-ce à des ascètes et à des prêtres de fausse intention, de fausse parole, de fausse action, de fausse conduite, de faux effort, de fausse méditation, de fausse concentration, de fausse conscience, de fausse délivrance qu'il rend honneur, qu'il rend hommage. Quiconque, mes moines, des ascètes ou des prêtres croirait devoir blâmer et désapprouver ce cours de pensées quarante fois maître, aurait déjà dans cette vie à s'avouer soi-même blâmable en vertu de ces dix arguments correspondants. Même ces pèlerins déréglés, mes moines, discoureurs de la saison des pluies, gens qui n'admettent aucun motif, aucune action, qui ne croient à rien, même ceux-là n'ont pas cru devoir blâmer et désapprouver ce raisonnement quarante fois maître : et pourquoi pas ? Pour ne pas donner lieu à mauvais vouloir, surprise et colère. »

Ainsi s'exprima l'Exalté. Satisfaits, ces moines se réjouissaient de la parole de l'Exalté.

MÉDITER SUR LE CORPS

Voilà ce que j'ouïs. En un temps, l'Exalté se trouvait près de Savatthi, dans la Forêt du Vainqueur, au jardin d'Anathapindiko.

Comme plusieurs des moines, après le repas, du chemin des aumônes de retour, s'étaient trouvés, s'étaient rassemblés dans la salle du corps d'avant, fut-il entre eux question de ceci : Étonnant, ô frères, extraordinaire est-il, ô frères, combien par Lui, l'Exalté, le Connaissant, le Voyant, le Saint, le Juste Illuminé, méditer sur le corps en a-t-on garde et en a-t-on soin, de grand avantage, de grand profit fut jugé.

Après que cet entretien des moines eut commencé, l'Exalté, vers le soir, ayant achevé le retour en soi vint à la salle du corps d'avant, et prit, là parvenu, place sur le siège présenté. Voici qu'aux moines alors l'Exalté s'adressa :

« À l'effet de quel entretien, mes moines, vous êtes-vous réunis ici, et sur quel point l'avez-vous interrompu ? »

« Comme, ô Maître, après le repas, du chemin des aumônes de retour, nous nous étions trouvés, nous étions rassemblés dans la salle du corps d'avant, vînmes-nous à parler de ceci : Étonnant, ô frères, extraordinaire est-il, ô frères, à quel point par Lui, le Connaissant, le Voyant, le Saint, le Juste Illuminé, méditer sur le corps, en a-t-on garde et en a-t-on soin, de grand avantage, de grand profit fut jugé : ça c'était, ô Maître, notre entretien, que nous interrompîmes quand l'Exalté arriva.

« Mais comment a-t-on garde, mes moines, a-t-on soin, de méditer sur le corps, que grand avantage, grand profit on en ait ? Voici que, mes moines, le moine se rend à l'intérieur de la forêt ou sous un grand arbre ou dans une cellule vide, s'assied jambes croisées, corps droit, et de méditer voici qu'il a soin. Réfléchi aspire-t-il, réfléchi expire-t-il. S'il inspire profondément, il sait J'inspire profondément, s'il expire profondément, il sait J'expire profondément ; s'il inspire promptement, il sait J'inspire promptement, s'il expire promptement, il sait J'expire promptement. Sensible au corps entier j'inspirerai, Sensible au corps entier j'expirerai, ainsi a-t-il garde. Apaisant cette communion du corps j'inspirerai. Apaisant cette communion du corps j'expirerai, ainsi a-t-il garde. Pendant qu'ainsi, sérieux, ardent, infatigable il demeure, se perdent au loin les souvenances de chaque jour ; et parce qu'au loin elle se sont perdues, s'affermit le fond du cœur, se calme, se concentre et fortifie. C'est ça même, mes moines, méditer sur le corps, tel le moine a garde.

« Or plus avant, mes moines : le moine cheminant sait Je chemine, s'arrêtant Je m'arrête, s'asseyant Je m'assieds, s'étendant Je m'étends, voici que dans telle ou telle attitude qu'il se trouve, il sait que c'est telle ou telle attitude là. Pendant qu'ainsi sérieux, ardent, infatigable il demeure, se perdent au loin les souvenances de chaque jour ; et parce qu'au loin elles se sont perdues, s'affermit le fond de cœur, se calme, se concentre et fortifie. C'est aussi, mes moines, méditer sur le corps, tel le moine a garde.

« Or plus avant, mes moines : le moine a conscience d'aller et venir, de poser et détourner son regard, de se baisser et se relever, de porter le vêtement et le bol aux aumônes de l'ordre, de manger et de boire, de mâcher et de goûter, d'évacuer l'excrément et l'urine, de marcher et s'arrêter et s'asseoir, de s'endormir et s'éveiller, de parler et de se taire. Pendant qu'ainsi sérieux, ardent, infatigable il demeure, se perdent au loin les souvenances de chaque jour ; et parce qu'au loin elles se sont perdues, s'affermit le fond du cœur, se calme, se concentre et fortifie.

« Or plus avant, mes moines : le moine contemple ce

corps de la tête aux pieds, ce corps recouvert de peau, que des impuretés distinctes emplissent : Ce corps a des cheveux, est poilu, a dents et ongles, chair et peau, tendons et os et moelle, reins, cœur et foie, diaphragme, rate, poumons, estomac, viscères, intestins et excréments, bile, mucus, pus, sang, sueur, lymphe, larmes, sérum, salive, morve, synovie, urine. De même que, mes moines, si là se trouvait un sac, noué aux deux bouts, un sac rempli de différentes sortes de graines, de riz, de haricots, de sésame, et un homme à vue perçante l'ouvrirait et en examinerait le contenu : C'est du riz, des haricots, du sésame : de la sorte aussi, mes moines, le moine contemple ce corps de la tête aux pieds, ce corps recouvert de peau, que des impuretés distinctes emplissent. Pendant qu'ainsi sérieux, ardent, infatigable il demeure, se perdent au loin les souvenances de chaque jour ; et parce qu'au loin elles se sont perdues, s'affermit le fond du cœur, se calme, se concentre et fortifie. C'est aussi, mes moines, méditer sur le corps, tel le moine a garde.

« Or plus avant, mes moines : le moine voit en espèces ce corps qui se meut et qui s'arrête : Ce corps est d'espèce terre, d'espèce eau, d'espèce feu, d'espèce air. De même que, mes moines, un habile boucher ou garçon boucher abat une vache, vient au marché, découpe morceau par morceau et peut alors s'asseoir : de la sorte aussi, mes moines, le moine voit en espèces ce corps qui se meut et qui s'arrête. Pendant qu'ainsi sérieux, ardent, infatigable il demeure, se perdent au loin les souvenances de chaque jour ; et parce qu'au loin elles se sont perdues, s'affermit le fond du cœur, se calme, se concentre et fortifie. C'est aussi, mes moines, méditer sur le corps, tel le moine a garde.

« Or plus avant, mes moines : comme si le moine avait au terrain de crémation vu un cadavre un jour après la mort, ou deux ou trois jours après la mort un cadavre gonflé, bleu-noir, passé à la pourriture, il en conclut sur lui-même : Et ce corps aussi est ainsi fait, deviendra ça, ne peut échapper à ça. Pendant qu'ainsi sérieux, ardent, infatigable il demeure, se perdent au loin les souvenances de chaque jour ; et parce qu'au loin elles se sont perdues, s'affermit le fond du cœur, se calme, se concentre et fortifie. C'est aussi, mes moines, méditer sur le corps, tel le moine a garde.

« Or plus avant, mes moines : comme si le moine avait au terrain de crémation vu un cadavre, mangé par les corneilles ou par les corbeaux ou par les vautours, ou rongé par toutes sortes de vers, il en conclut sur lui-même : Et ce corps aussi est ainsi fait, deviendra ça, ne peut échapper à ça. Or plus avant, mes moines : comme si le moine avait au terrain de crémation vu un cadavre, une cage thoracique, où la chair pend, souillée de sang, retenue par les tendons ; une cage thoracique, sans chair, ni sang, retenue par les tendons ; les ossements, sans les tendons, disséminés par-ci par-là, ici un carpe, là un tarse, ici un tibia, là un fémur, ici le bassin, une vertèbre, le crâne ; comme s'il avait vu cela, il en conclut sur lui-même : Et ce corps aussi est ainsi fait, deviendra ça, ne peut échapper à ça. Or plus avant, mes moines : comme si le moine avait au terrain de crémation vu un cadavre, ossements, brillants, couleur de coquillages ; ossements, en tas, un an s'étant écoulé ; ossements, décomposés, devenus poussière ; comme s'il avait vu cela, il en conclut sur lui-même : Et ce corps aussi est ainsi fait, deviendra ça, ne peut échapper à ça. Pendant qu'ainsi sérieux, ardent, infatigable il demeure, se perdent au loin les souvenances de chaque jour ; et parce qu'au loin elles se sont perdues, s'affermit le fond du cœur, se calme, se concentre et fortifie. C'est aussi, mes moines, méditer sur le corps, tel le moine a garde.

« Or plus avant, mes moines : le moine, loin des convoitises, des non salutaires objets, demeure en radieuse sérénité pensive et réfléchie de paix native, consécration de la première contemplation. Ce corps pénètre et imprègne-t-il, remplit et abreuve-t-il de radieuse sérénité de paix native, pour que la plus petite partie de son corps ne reste non abreuvée de radieuse sérénité de paix native. De même que, mes moines, un habile barbier ou aide-barbier répand dans un bassin d'airain de la poudre de savon et la joint à l'eau, l'unit et mélange, pour que son blaireau soit humide, abreuvé en dedans et en dehors et qu'aucune goutte n'en échappe : de la sorte aussi, mes moines, le moine pénètre et imprègne, remplit et abreuve ce corps de radieuse sérénité de paix native, pour que la plus petite partie de son corps ne reste non abreuvée de radieuse sérénité de paix native. Pendant qu'ainsi, sérieux, ardent, infatigable il demeure, se perdent au loin les souvenances de chaque jour ; et parce qu'au loin elles se sont perdues, s'affermit le fond du cœur, se calme, se concentre et fortifie. C'est aussi, mes moines, méditer sur le corps, tel le moine a garde.

« Or plus avant, mes moines : le moine ayant accompli pensée et réflexion, atteint à la tranquillité en soi, à l'essence de l'âme, à la radieuse sérénité non pensive, non réfléchie, d'union native, consécration de la deuxième contemplation. Ce corps pénètre et imprègne-t-il, remplit et abreuve-t-il de radieuse sérénité d'union native, pour que la plus petite partie de son corps ne reste non abreuvée de radieuse sérénité d'union native. De même que, mes moines, un lac à source souterraine, dans lequel nul ruisseau d'est ou d'ouest, du nord ou du sud ne se jetterait, nul nuage ne répandrait de temps en temps une violente averse, dans lequel s'épancherait seulement la fraîche source du fond et ce lac entièrement pénétrerait, imprégnerait, remplirait et abreuverait, pour que la plus petite partie du lac ne reste non abreuvée d'eau fraîche : de la sorte aussi, mes moines, le moine pénètre et imprègne, remplit et abreuve ce corps de radieuse sérénité d'union native, pour que la plus petite partie de son corps ne reste non abreuvée de radieuse sérénité d'union native. Pendant qu'ainsi sérieux, ardent, infatigable il demeure, se perdent au loin les souvenances de chaque jour ; et parce qu'au loin elles se sont perdues, s'affermit le fond du cœur, se calme, se concentre et fortifie. C'est aussi, mes moines, méditer sur le corps, tel le moine a garde.

« Or plus avant, mes moines : le moine en radieuse paix demeure d'âme égale, méditant, conscient, éprouvant un bonheur corporel, dont les saints disent : Le méditant d'âme égale vit bienheureux ; ainsi remporte-t-il la troisième contemplation. Ce corps pénètre et imprègne-t-il, remplit et abreuve-t-il de transcendante sérénité, pour que la plus petite partie de son corps ne reste non abreuvée de transcendante sérénité. De même que, mes moines, dans un étang de lotus des roses de lotus bleues ou rouges ou blanches naissent dans l'eau, croissent dans l'eau, restent sous la surface de l'eau, sucent leur nourriture au fond de l'eau et que leurs corolles et leurs racines sont par l'eau fraîche pénétrées, imprégnées, remplies et abreuvées, pour que la plus petite partie de chaque rose de lotus bleue ou rouge ou blanche ne reste non abreuvée de fraîche mouillure : de la sorte aussi, mes moines, le moine pénètre et imprègne, remplit et abreuve ce corps de transcendante sérénité, pour que la plus petite partie de son corps ne reste non abreuvée de transcendante sérénité. Pendant qu'ainsi sérieux, ardent, infatigable il demeure, se perdent au loin les souvenances de chaque jour ; et parce qu'au loin elles se sont perdues, s'affermit le fond du cœur, se calme, se concentre et fortifie. C'est aussi, mes moines, méditer sur le corps, tel le moine a garde.

« Or plus avant, mes moines : le moine ayant banni joies et malheurs, anéanti triste et gai naturel d'antan, est consacré de la ni joyeuse, ni malheureuse d'âme égale, méditante pureté parfaite, la quatrième contemplation. Il s'assied et couvre ce corps de l'âme purifiée, de l'âme épurée, pour que la plus petite partie de son corps ne reste non couverte de l'âme purifiée, de l'âme épurée. De même que, mes moines, si un homme enveloppé de la tête aux pieds d'un manteau blanc était venu s'asseoir là pour que la plus petite partie de son corps ne reste non couverte du manteau blanc : de la sorte aussi, mes moines, le moine s'assied là et ce corps a-t-il vêtu de l'âme purifiée, de l'âme épurée, pour que la plus petite partie de son corps ne reste non couverte de l'âme purifiée, de l'âme épurée. Pendant qu'ainsi sérieux, ardent, infatigable il demeure, se perdent au loin les souvenances de chaque jour ; et parce qu'au loin elles se sont perdues, s'affermit le fond du cœur, se calme, se concentre et fortifie. C'est aussi, mes moines, méditer sur le corps, tel le moine a garde.

« Quiconque, mes moines, a eu garde et a eu soin de méditer sur le corps, y compris a-t-il les objets salutaires, quelque savoir qu'ils procurent. De même que, mes moines, chacun, qui en esprit a capté la vaste mer, y compris a tous les fleuves, dans quelque lieu de la mer qu'ils se jettent : de la sorte aussi, mes moines, a chacun, qui a eu garde et qui a eu soin de méditer sur le corps, y compris les objets salutaires, quelque savoir qu'ils procurent.

« Quiconque, mes moines, n'a pas eu garde, pas eu soin de méditer sur le corps, en lui la mort peut se glisser, en lui la mort peut s'insinuer. De même que, mes moines, si un homme jetait un lourd boulet de pierre sur un tas de glaise humide : le lourd boulet de pierre ne s'enfoncerait-il pas dans le tas de glaise humide ? »

« Certes, ô Maître ! »

« De la sorte aussi, mes moines, quelqu'un n'a-t-il pas eu garde, pas eu soin de méditer sur le corps, la mort en lui peut se glisser, la mort en lui peut s'insinuer. De même que, mes moines, si là se trouvait une bûche sèche, du bois sec, et si un homme venait à passer, muni de bois à feu : J'éveillerai le feu, ferai la lumière, que vous semble, moines : cet homme pourrait-il, frottant de bois à feu la bûche sèche, le bois sec, éveiller le feu, susciter la lumière ? »

« Certes, ô Maître ! »

« De la sorte aussi, mes moines, quelqu'un n'a-t-il pas eu garde, pas eu soin de méditer sur le corps, la mort en lui peut se glisser, la mort en lui peut s'insinuer. De même que, mes moines, si un seau, non rempli, sans contenu, se trouvait sur une marche et un homme s'approcherait, avec une jarre d'eau, que vous semble, moines : cet homme pourrait-il dans celui-ci verser de l'eau ? »

« Certes, ô Maître ! »

« De la sorte aussi, mes moines, quelqu'un n'a-t-il pas eu garde, pas eu soin de méditer sur le corps, la mort en lui peut se glisser, la mort en lui peut s'insinuer. — Quiconque, mes moines, a eu garde et a eu soin de méditer sur le corps, pas en lui la mort ne peut se glisser, pas en lui la mort ne peut s'insinuer. De même que, mes moines, si un homme projetait une pelote de fil contre une porte faite toute de bois de cœur ; que vous semble, moines : cette pelote de fil pourrait-elle s'insinuer dans la porte toute faite de bois de cœur ? »

« Non certes, ô Maître ! »

« De la sorte aussi, mes moines, quelqu'un a-t-il eu garde et a-t-il eu soin de méditer sur le corps, la mort en lui ne peut se glisser, la mort en lui ne peut s'insinuer. De même que mes moines, si là se trouvait une bûche humide, du bois vert, et voici qu'un homme s'approcherait, muni de bois à feu : J'éveillerai le feu, produirai la lumière ; que vous semble, moines : cet homme pourrait-il, frottant de bois à feu la bûche humide, le bois vert, éveiller le feu, susciter la lumière ? »

« Non certes, ô Maître ! »

« De la sorte aussi, mes moines, quelqu'un a-t-il eu garde et a-t-il eu soin de méditer sur le corps, la mort en lui ne peut se glisser, la mort en lui ne peut s'insinuer. De même que, mes moines, si un seau, plein d'eau, rempli jusqu'aux bords, où les corneilles viennent boire, se trouvait sur la marche, et voici qu'un homme s'approcherait avec une jarre d'eau ; que vous semble, moines : cet homme pourrait-il dans celui-ci verser de l'eau ? »

« Non certes, ô Maître ! »

« De la sorte aussi, mes moines, quelqu'un a-t-il eu garde et a-t-il eu soin de méditer sur le corps, la mort en lui ne peut se glisser, la mort en lui ne peut s'insinuer. — Quiconque, mes moines, a eu garde et a eu soin de méditer sur le corps : quelque objet opérable par la connaissance vers lequel il tourne son cœur, pour l'opérer par la connaissance, voici que précisément il l'opère, de telle espèce qu'il opère. De même que, mes moines, si un seau, plein d'eau, rempli jusqu'aux bords, où les corneilles viennent boire, se trouvait sur la marche, et un homme fort y puiserait encore et encore : aurait-il de l'eau ? »

« Certes, ô Maître ! »

« De la sorte aussi, mes moines, quelqu'un a-t-il eu garde et a-t-il eu soin de méditer sur le corps : quelque objet opérable par la connaissance vers lequel il tourne son cœur, pour l'opérer par la connaissance, voici que précisément il l'opère, de telle espèce qu'il opère. De même que, mes moines, si en pays plat se trouvait un étang, des quatre côtés ceint par une digue, plein d'eau, rempli jusqu'aux bords, où les corneilles viennent boire, et un homme fort y puiserait encore et encore : aurait-il de l'eau ? »

« Certes, ô Maître ! »

« De la sorte aussi, mes moines, quelqu'un a-t-il eu garde et a-t-il eu soin de méditer sur le corps : quelque objet opérable par la connaissance vers lequel il tourne son cœur, pour l'opérer par la connaissance, voici que précisément il l'opère, de telle espèce qu'il opère. De même que, mes moines, si sur un bon terrain, au point de rencontre de quatre routes, un superbe équipage se tenait prêt, avec le bâton approprié ; et dans cette voiture monterait un maître dans l'art de conduire, un cocher habile, prendrait les rênes dans la main gauche, le bâton dans la main droite, et conduirait selon son gré d'ici de là : de la sorte aussi, mes moines, quelqu'un a-t-il eu garde et a-t-il eu soin de méditer sur le corps : quelque objet opérable par la connaissance vers lequel il tourne son cœur, pour l'opérer par la connaissance, voici que précisément il l'opère, de telle espèce qu'il opère.

« Eût-on garde, mes moines, soin, a-t-on accoutumé, parfait, fait usage, épreuve, s'est parfaitement acquitté de méditer sur le corps, on peut éprouver en soi les dix qualités profitables. D'irrité on devient non irrité, on ne se laisse par l'ire pas dominer, l'ire montée domine-t-on, surmonte-t-on. Crainte et peur vainc-t-on, on ne se laisse par la crainte et par la peur pas vaincre, la crainte et la peur montées domine-t-on, surmonte-t-on. On supporte froid et chaud, faim et soif, vent et mauvais temps, moustiques et guêpes et gênantes bêtes rampantes, langage méchant, malveillant, douloureuses sensations corporelles vous assaillant, violentes, déchirantes, poignantes, désagréables, pénibles, mettant la vie en danger, on supporte patient. Les quatre contemplations, qui rafraîchissent le cœur, bénissent déjà dans la vie, on les peut gagner en toute plénitude. De mainte façon on peut éprouver sa puissance, jusques aux mondes de Brahma avoir le corps en son empire. De l'ouïe céleste, de l'ouïe purifiée, au-delà des limites humaines s'étendant, on peut ouïr les deux sortes de sons, les célestes et les terrestres, les lointains et les proches. Le cœur des autres êtres, des autres personnes on lit cœur à cœur et tel qu'il est. De la vue céleste, de la vue purifiée, au-delà des limites humaines s'étendant, on peut voir les êtres fuir là-bas et réapparaître, êtres communs et nobles, beaux et laids, heureux et malheureux, on peut connaître comment les êtres s'en reviennent selon leurs actions. Les offenses on peut tarir, et révéler à soi, comprendre et conquérir dès la vie la délivrance de l'âme sans offenses, par la sagesse. Eût-on garde, mes moines, soin, a-t-on accoutumé, parfait, fait usage, épreuve, s'est parfaitement acquitté de méditer sur le corps, on peut éprouver en soi les dix qualités profitables. »

Ainsi s'exprima l'Exalté. Satisfaits, ces moines se réjouissaient de la parole de l'Exalté.

PAUVRETÉ

I

Voilà ce que j'ouïs. Dans un temps l'Exalté se trouvait près de Savatthi, au Bois Oriental, sur la terrasse de Mère Migaro *.

Or voici que le vénérable Anândo se rendit un soir, ayant achevé le retour en soi, là où l'Exalté se trouvait, salua l'Exalté révérencieusement et prit place de côté. Ayant pris place de côté, le vénérable Anândo dit ceci à l'Exalté :

« Il était une fois, ô Maître, l'Exalté se trouvait au pays des Sakyer, près de Nagarakam, un château dans le domaine sakyer. Alors ai-je, ô Maître, de l'Exalté lui-même ouï, lui-même appris : Éprouver la pauvreté ai-je, Anândo, en ce temps voulu surtout. L'ai-je donc, ô Maître, bien ouï, bien appris, bien compris, bien retenu ? »

« Certes l'as-tu, Anândo, bien ouï, bien appris, bien compris, bien retenu. Alors, Anândo, comme aujourd'hui ai-je voulu surtout éprouver la pauvreté. — De même que, Anândo, cette terrasse de Mère Migaro est sans éléphants, sans buffles et sans chevaux, sans or et sans argent, sans la société de femmes et d'hommes, et ne présente de richesse qu'une troupe de moines comme seul objet : de la sorte aussi, Anândo, un moine a congédié la pensée village, a congédié la pensée homme ; la pensée forêt accueille-t-il comme seul objet. En la pensée forêt s'exalte son cœur, se réjouit, se pacifie, se tranquillise. Ainsi connaît-il : des ruptures, qui naîtraient de la pensée village, il n'y en a pas, des ruptures, qui naîtraient de la pensée homme, il n'y en a pas ; et il n'est resté qu'une rupture, à savoir la pensée forêt comme seul objet. Il sait : Plus pauvre de la pensée village est devenue cette espèce de pensée, sait : Plus pauvre de la pensée homme est devenue cette espèce de pensée ; et elle ne présente de richesse que la pensée forêt comme seul objet. De cela qu'alors il y a en moins, de cela plus pauvre il regarde son cœur ; et cela d'encore resté, de cela sait-il : Reste ceci, reste cela. Voici qu'ainsi, Anândo, cette véritable, inviolable, parfaitement pure pauvreté descend sur lui.

« Or plus avant, Anândo, le moine a congédié la pensée homme, a congédié la pensée forêt ; la pensée terre accueille-t-il comme seul objet. En la pensée terre s'exalte son cœur, se réjouit, se pacifie, se tranquillise. De même que, Anândo, une peau de buffle est avec un couteau à revers bien unie, bien parée : de la sorte aussi, Anândo, le moine a congédié ce qu'il y a sur cette terre de soulèvements et d'affaissements, de courants d'eau, de contrées désertes et boisées, de montagnes et de vallées, tout cela de son esprit ; la pensée terre accueille-t-il comme seul objet. En la pensée terre s'exalte son cœur, se réjouit, se pacifie, se tranquillise. Ainsi connaît-il : Des ruptures, qui naîtraient de la pensée homme, il n'y en a pas, des ruptures, qui naîtraient de la pensée forêt, il n'y en a pas ; et il n'est resté qu'une rupture, à savoir la pensée terre comme seul objet. Il sait : Plus pauvre de la pensée homme est devenue cette espèce de pensée, sait : Plus pauvre de la pensée forêt est devenue cette espèce de pensée ; et elle ne présente de richesse que la pensée terre comme seul objet. De cela qu'alors il y a en moins, de cela plus pauvre il regarde son cœur ; et cela d'encore resté, de cela sait-il : Reste ceci, reste cela. Voici qu'ainsi, Anândo, cette véritable, inviolable, parfaitement pure pauvreté descend sur lui.

« Or plus avant, Anândo, le moine a congédié la pensée forêt, a congédié la pensée terre ; la pensée sphère de l'espace illimité accueille-t-il comme seul objet. En la pensée sphère de l'espace illimité s'exalte son cœur, se réjouit, se pacifie, se tranquillise. Ainsi connaît-il : Des ruptures, qui naîtraient de la pensée forêt, il n'y en a pas, des ruptures, qui naîtraient de la pensée terre, il n'y en a pas ; et il n'est resté qu'une rupture, à savoir la pensée sphère de l'espace illimité comme seul objet. Il sait : Plus pauvre de la pensée forêt est devenue cette espèce de pensée, sait : Plus pauvre de la pensée terre est devenue cette espèce de pensée ; et elle ne présente de richesse que la pensée sphère de l'espace illimité comme seul objet. De cela qu'alors il y a en moins, plus pauvre de cela il regarde son cœur ; et cela d'encore resté, de cela sait-il : Reste ceci, reste cela. Voici qu'ainsi, Anândo, cette véritable, inviolable, parfaitement pure pauvreté descend sur lui.

« Or plus avant, Anândo, le moine a congédié la pensée terre, a congédié la pensée sphère de l'espace illimité, la pensée sphère de la conscience illimitée accueille-t-il comme seul objet. En la pensée sphère de la conscience illimitée s'exalte son cœur, se réjouit, se pacifie, se tranquillise. Ainsi connaît-il : Des ruptures, qui naîtraient de la pensée terre, il n'y en a pas, des ruptures, qui naîtraient de la pensée sphère de l'espace illimité, il n'y en a pas ; et il n'est resté qu'une rupture, à savoir la pensée sphère de la conscience illimitée comme seul objet. Il sait : Plus pauvre de la pensée terre est devenue cette espèce de pensée, sait : Plus pauvre de la pensée sphère de l'espace illimité est devenue cette espèce de pensée ; et elle ne présente de richesse que la pensée sphère de la conscience illimitée comme seul objet. De cela qu'alors il y a en moins, de cela plus pauvre il regarde son cœur ; et cela d'encore resté, de cela sait-il : Reste ceci, reste cela. Voici qu'ainsi, Anândo, cette véritable, inviolable, parfaitement pure pauvreté descend sur lui.

« Or plus avant, Anândo, le moine a congédié la pensée sphère de l'espace illimité, a congédié la pensée sphère de la conscience illimitée ; la pensée sphère du non-être accueille-t-il comme seul objet. En la pensée sphère du non-être s'exalte son cœur, se réjouit, se pacifie, se tranquillise. Ainsi connaît-il : Des ruptures, qui naîtraient de la pensée sphère de l'espace illimité, il n'y en a pas, des ruptures, qui naîtraient de la pensée sphère de la conscience illimitée, il n'y en a pas ; et il n'est resté qu'une rupture, à savoir la pensée sphère du non-être comme seul objet. Il sait : Plus pauvre de la pensée sphère de l'espace illimité est devenue cette espèce de pensée, sait : Plus pauvre de la pensée sphère de la conscience illimitée est devenue cette espèce de pensée ; et elle ne présente de richesse que la pensée sphère du non-être comme seul objet. De cela qu'alors il y a en moins, de cela plus pauvre il regarde son cœur ; et cela d'encore resté, de cela sait-il : Reste ceci, reste cela. Voici qu'ainsi, Anândo, cette véritable, inviolable, parfaitement pure pauvreté descend sur lui.

« Or plus avant, Anândo, le moine a congédié la pensée sphère de la conscience illimitée, a congédié la pensée sphère du non-être ; la pensée limite de la perception possible accueille-t-il comme seul objet. Dans la pensée limite de la perception possible s'exalte son cœur, se réjouit, se pacifie, se tranquillise. Ainsi connaît-il : Des ruptures, qui naîtraient de la pensée sphère de la conscience illimitée, il n'y en a pas, des ruptures, qui naîtraient de la pensée sphère du non-être, il n'y en a pas ; et il n'est resté qu'une rupture, à savoir la pensée limite de la perception possible comme seul objet. Il sait : Plus pauvre de la pensée sphère de la conscience illimitée est devenue cette espèce de pensée, sait : Plus pauvre de la pensée sphère du non-être est devenue cette espèce de pensée ; et elle ne présente de richesse que la pensée limite de la perception possible comme seul objet. De cela qu'alors il y a en moins, de cela pauvre il regarde son cœur ; et cela d'encore est resté, de cela sait-il : Reste ceci, reste cela. Voici qu'ainsi, Anândo, cette véritable, inviolable, parfaitement pure pauvreté descend sur lui.

« Or plus avant, Anândo, le moine a congédié la pensée sphère du non-être, a congédié la pensée limite de la perception possible ; la spirituelle unité sans représentation accueille-t-il comme seul objet. En la spirituelle unité sans représentation s'exalte son cœur, se réjouit, se pacifie, se tranquillise. Ainsi connaît-il : Des ruptures, qui naîtraient de la pensée sphère du non-être, il n'y en a pas, des ruptures, qui naîtraient de la pensée limite de la perception possible, il n'y en a pas ; et il n'est resté qu'une rupture, à savoir ce corps que voilà, des six sens atteint, comme condition de la vie. De cela qu'alors il y a en moins, de cela plus pauvre il regarde son cœur ; et cela d'encore resté, de cela sait-il : Reste ceci, reste cela. Voici qu'ainsi, Anândo, cette véritable, inviolable, parfaitement pure pauvreté descend sur lui.

« Or plus avant, Anândo, le moine a congédié la pensée sphère du non-être, a congédié la pensée limite de la perception possible ; la spirituelle unité sans représentation accueille-t-il comme seul objet. En la spirituelle unité sans représentation s'exalte son cœur, se réjouit, se pacifie, se tranquillise. Ainsi connaît-il : Voici qu'aussi cette spirituelle unité sans représentation est composée, conditionnée ; or ce qui est composé, conditionné, est changeant, doit disparaître : ceci connaît-il. Connaissant ainsi, envisageant ainsi, son cœur est délié des offenses de désir, des offenses de vouloir-être, des offenses de non-savoir. Dans le Délivré est la Délivrance, cette connaissance s'ouvre. Tarie est la naissance, accompli l'ascétisme, opérée l'œuvre, plus n'existe ce monde comprend-il. Ainsi connaît-il : Des ruptures, qui naîtraient des offenses de désir, il n'y en a pas, des ruptures, qui naîtraient des offenses de vouloir-être, il n'y en a pas, des ruptures, qui naîtraient des offenses de non-savoir, il n'y en a pas ; et il n'est resté qu'une rupture, à savoir ce corps que voilà, des six sens atteint, comme condition de la vie. Il sait : Plus pauvre des offenses de désir est devenue cette espèce de pensée, sait : Plus pauvre des offenses de vouloir-être est devenue cette espèce de pensée, sait : Plus pauvre des offenses de non-savoir est devenue cette espèce de pensée ; et elle ne présente de richesse que ce corps que voilà, des six sens atteint, comme condition de la vie. De cela qu'alors il y a en moins, de cela plus pauvre il regarde son cœur ; et cela d'encore resté, de cela sait-il : Reste ceci, reste cela. Ainsi donc, Anândo, cette véritable, inviolable, parfaitement pure, suprême pauvreté descend sur lui.

« Qui que ce soit, Anândo, en un temps passé comme ascète ou comme prêtre avait remporté la parfaitement pure, suprême pauvreté, chacun de ceux-ci avait précisément remporté cette parfaitement pure, suprême pauvreté là. Qui que ce soit, Anândo, en un temps futur comme ascète ou comme prêtre remportera la parfaitement pure, suprême pauvreté, chacun de ceux-ci remportera précisément cette parfaitement pure, suprême pauvreté là. Qui que ce soit, Anândo, en ce temps comme ascète ou comme prêtre a remporté la parfaitement pure, suprême pauvreté, chacun de ceux-ci a précisément remporté cette parfaitement pure, suprême pauvreté là.

« C'est pourquoi donc, Anândo : l'absolument pure, suprême pauvreté remportons : ça avez-vous, Anândo, à bien pratiquer. »

Ainsi s'exprima l'Exalté. Satisfait, le vénérable Anândo se réjouissait de la parole de l'Exalté.

Pauvreté

II

Voilà ce que j'ouïs. Dans un temps, l'Exalté se trouvait au pays des Sakker, près de Kapilavatthou[34], dans le parc des Figuiers.

Or voici que l'Exalté se rendit un matin, tout de suite ceint, de manteau et de bol muni, aux aumônes à Kapilavatthou, entra dans la ville de maison en maison pour les aumônes, et puis il se dirigea, après le repas, s'en étant revenu des aumônes, vers l'ermitage du Sakker Kaliakhemako, pour rester là jusqu'au coucher du soleil.

Or voici qu'en ce temps beaucoup de sièges dans l'ermitage du Sakker Kaliakhemako se trouvaient disposés, et l'Exalté vit beaucoup de sièges là et pensa à part soi : Beaucoup de sièges sont disposés dans l'ermitage du Sakker Kaliakhemako : beaucoup de moines sans doute se tiennent là.

Cependant le vénérable Anândo dans l'ermitage du Sakker Ghatiayo s'occupait, en compagnie de beaucoup de moines, à raccommoder l'habillement[35].

Après que l'Exalté eut vers le soir achevé le retour en soi, il se rendit à l'ermitage du Sakker Ghatiayo. Arrivé là, l'Exalté s'assit sur le siège présenté et voici qu'ensuite il adressa la parole au vénérable Anândo :

« Beaucoup de sièges, Anândo, sont disposés dans l'ermitage du Sakker Kaliakhemako : beaucoup de moines sans doute se tiennent là. »

« Beaucoup de sièges, ô Maître, sont disposés dans l'ermitage du Sakker Kaliakhemako : beaucoup de moines se tiennent là ; mettre en état l'habillement nous échoit, ô Maître. »

« N'échoit, Anândo, d'éclat à un moine, qu'être en commun rejouit, qu'être en commun ravit, qu'être en commun satisfait, de commune réjouissance, de commun ravissement, de commune satisfaction. Que, Anândo, un moine, qu'être en commun réjouit, qu'être en commun ravit, qu'être en commun satisfait, de commune réjouissance, de commun ravissement, de commune satisfaction, gagne à volonté le bien de renoncement, le bien de solitude, le bien d'évanouissement, le bien d'illumination, gagne ce bien-là en sa profondeur et en son étendue : c'est impossible. Mais que, Anândo, un moine, demeurant seul, en désistement du commun, que ce moine-là puisse espérer de gagner à volonté le bien de renoncement, le bien de solitude, le bien d'évanouissement, le bien d'illumination, ce bien-là en sa profondeur et en son étendue : c'est possible. Que, Anândo, un moine, qu'être en commun réjouit, qu'être en commun ravit, qu'être en commun satisfait, de commune réjouissance, de commun ravissement, de commune satisfaction, remporte une souhaitée délivrance d'esprit temporelle ou la paix éternelle : c'est impossible. Mais que, Anândo, un moine demeurant seul, en désistement du commun, que ce moine-là puisse espérer de remporter une souhaitée délivrance d'esprit temporelle ou la paix éternelle : c'est possible. Point n'ai-je, Anândo, connaissance de ne fût-ce qu'une réjouissante, satisfaisante forme qui, de ce qu'elle est changeante, impermanente, ne se poursuive en douleur et plainte, souffrance, chagrin, désespoir.

« Voici donc, Anândo, que l'Accompli a découvert ici une place, et doit se défaire de toutes représentations et en la foi de pauvreté prendre place. Maintenant, Anândo, si vers l'Accompli, ayant en une telle place pris place, viennent des gens, moines et nonnes, adhérents et adhérentes, rois et princes royaux, pèlerins et pénitents pèlerins, voici que, Anândo, l'Accompli a coutume, solitairement penché en le cœur, solitairement incliné, solitairement plongé, en désistement, satisfait par renoncement, devenu pur de tous objets d'offense, de n'engager qu'un entretien servant à rendre courage.

« Or c'est pourquoi, Anândo, un moine aussi peut désirer : La foi de pauvreté, je veux embrasser, alors, Anândo, ce moine-là a-t-il à raffermir, à tranquilliser, à rendre en la foi le cœur un et fort. Or que peut, Anândo, un moine raffermir, tranquilliser, rendre en la foi le cœur un et fort ? Demeure, Anândo, le moine loin des convoitises, des non salutaires objets, en radieuse sérénité pensive et réfléchie de paix native, en consécration de la première contemplation. Ayant accompli pensée et réflexion, il atteint à la tranquillité en soi, à l'essence de l'âme, à la radieuse sérénité non pensive, non réfléchie, d'union native, consécration de la deuxième contemplation. En radieuse paix, le moine demeure d'âme égale, méditant, conscient, éprouvant un bonheur corporel, dont les saints disent : Le méditant d'âme égale vit bienheureux ; ainsi est-il consacré de la troisième contemplation. Ayant banni joies et malheurs, anéanti gai et triste naturel d'antan, le moine est consacré de la ni heureuse ni malheureuse, d'âme égale, méditante pureté parfaite, la quatrième contemplation. Ainsi peut, Anândo, un moine, raffermir, tranquilliser, rendre en la foi le cœur un et fort.

« Il accueille en esprit la foi de pauvreté. Tandis qu'il accueille en esprit la foi de pauvreté, ne veut le cœur en la foi de pauvreté s'exalter, se rasséréner, se tranquilliser, s'apaiser. Est-ce ainsi, Anândo, le moine réfléchit : Tandis que j'accueille en esprit la foi de pauvreté, ne veut le cœur en la foi de pauvreté s'exalter, se rasséréner, se tranquilliser, s'apaiser. Ainsi demeure-t-il conscient.

« Il accueille au-dehors l'esprit de pauvreté, il accueille au-dedans l'esprit de pauvreté : il accueille l'impassibilité d'esprit. Tandis qu'il accueille l'impassibilité d'esprit, ne veut le cœur en l'impassibilité s'exalter, se rasséréner, se tranquilliser, s'apaiser. Est-ce ainsi, Anândo, le moine réfléchit : Tandis que j'accueille l'impassibilité d'esprit, ne veut le cœur en l'impassibilité s'exalter, se rasséréner, se tranquilliser, s'apaiser. Ainsi demeure-t-il conscient.

« Voici qu'alors, Anândo, ce moine-là a-t-il dans la première concentration spirituelle à raffermir, à tranquilliser, à rendre en la foi le cœur un et fort. Il accueille en esprit la foi de pauvreté. Tandis qu'il accueille en esprit la foi de pauvreté, s'exalte le cœur en la foi de pauvreté, se rassérène, se tranquillise, s'apaise. Est-ce ainsi, Anândo, le moine réfléchit : Tandis que j'accueille en esprit la foi de pauvreté, s'exalte le cœur en la foi de pauvreté, se rassérène, se tranquillise, s'apaise. Ainsi demeure-t-il conscient.

« Il accueille au-dehors l'esprit de pauvreté, il accueille au-dedans et au-dehors l'esprit de pauvreté : il accueille l'impassibilité d'esprit. Tandis qu'il accueille l'impassibilité d'esprit, s'exalte le cœur en l'impassibilité, se rassérène, se tranquillise, s'apaise. Est-ce ainsi, Anândo, le moine réfléchit : Tandis que j'accueille l'impassibilité d'esprit, s'exalte le cœur en l'impassibilité, se rassérène, se tranquillise, s'apaise. Ainsi demeure-t-il conscient.

« Or si, Anândo, en le cœur de ce moine, ayant trouvé une telle place, prévaut l'inclination d'aller et venir, voici qu'il va et vient : Ainsi allant et venant, ne me laisserai-je pas dominer par convoitise et découragement, par mauvais, non salutaires objets. Ainsi demeure-t-il conscient.

« Or si, Anândo, en le cœur de ce moine, ayant trouvé une telle place, prévaut l'inclination de faire halte, voici qu'il fait halte : Ainsi faisant halte, ne me laisserai-je pas dominer par convoitise et découragement, par mauvais, non salutaires objets. Ainsi demeure-t-il conscient.

« Or si, Anândo, en le cœur de ce moine, ayant trouvé une telle place, prévaut l'inclination de s'asseoir, voici qu'il s'assied : Ainsi m'asseyant, ne me laisserai-je pas dominer par convoitise et découragement, par mauvais, non salutaires objets. Ainsi demeure-t-il conscient.

« Or si, Anândo, en le cœur de ce moine, ayant trouvé une telle place, prévaut l'inclination de s'étendre, voici qu'il s'étend : Ainsi m'étendant, ne me laisserai-je pas dominer par convoitise et découragement, par mauvais, non salutaires objets. Ainsi demeure-t-il conscient.

« Or si, Anândo, en le cœur de ce moine, ayant trouvé une telle place, prévaut l'inclination de parler, il réfléchit : Un entretien ordinaire, commun, quotidien, non saint, inapproprié, ne visant à l'abstinence, à la conversion, à la cessation, à l'évanouissement, à la pénétration, à l'illumination, à l'extinction, tout ça est entretiens quant à des rois, quant à des voleurs, quant à des princes, quant à des soldats, quant à guerre et quant à bataille, aliment et boisson, habillement et couche, fleurs et parfums, parents, voiture et chemin, village et château, ville et province, femmes et vins, routes et marchés, quant aux précédents et aux changements, quant aux événements d'empire, quant aux événements en mer, quant à ceci et quant à cela et puis encore ; un tel entretien n'engagerai-je pas. Ainsi demeure-t-il conscient.

« Mais s'agit-il, Anândo, d'un entretien, bon à l'affranchissement, à la libération spirituelle, ne visant qu'à l'abstinence, qu'à la conversion, qu'à la cessation, qu'à l'évanouissement, qu'à la pénétration, qu'à l'illumination, qu'à l'extinction, tout ça est entretiens quant à la sobriété, à la satisfaction, à la solitude, au désistement, à la persévérance, à la vertu, à la concentration, à la sagesse, à la délivrance, à la certitude de délivrance : Un tel entretien, se dit-il, engagerai-je. Ainsi demeure-t-il conscient.

« Or si, Anândo, en le cœur de ce moine, ayant trouvé une telle place, prévaut l'inclination de considérer, il réfléchit : Des considérations, ordinaires, communes, quotidiennes, non saintes, inappropriées, ne menant à l'abstinence, à la conversion, à l'évanouissement, à la pénétration, à l'illumination, à l'extinction, tout ça est considérations de convoitise, de haine, de colère : de telles considérations ne considérerai-je pas. Ainsi demeure-t-il conscient.

« Mais s'agit-il, Anândo, de considérations, saintes, plus que suffisantes, tarissant toute souffrance du chercheur, tout ça est considérations de renoncement, de patience, de douceur : De telles considérations, réfléchit-il, considérerai-je. Ainsi demeure-t-il conscient.

« Il y a, Anândo, cinq convoitises : lesquelles ? Formes entrant par la vue dans la conscience, formes plaisantes, séduisantes, captivantes, fascinantes, agréant à la convoitise, formes incitantes ; sons entrant par l'ouïe dans la conscience, sons plaisants, séduisants, captivants, fascinants, agréant à la convoitise, sons incitants; odeurs entrant par l'odorat dans la conscience, odeurs plaisantes, séduisantes, captivantes, fascinantes, agréant à la convoitise, odeurs incitantes; goûts entrant par le goût dans la conscience, goûts plaisants, séduisants, captivants, fascinants, agréant à la convoitise, goûts incitants; contacts entrant par le toucher dans la conscience, contacts plaisants, séduisants, captivants, fascinants, agréant à la convoitise, contacts incitants. Ça c'est, Anândo, les cinq convoitises, où le moine doit souvent et souvent chercher en son cœur : Arrive-t-il, que vers ces cinq convoitises, en ce domaine-ci ou en ce domaine-là, une spirituelle appétence lève en moi? Aussitôt, Anândo, que le moine en sa recherche remarque : Il arrive que, vers ces cinq convoitises, en ce domaine-ci ou en ce domaine-là, une spirituelle appétence lève en moi : est-ce ainsi, Anândo, le moine réfléchit : L'incitation à ces cinq convoitises, ça n'ai-je pas perdu. Ainsi demeure-t-il conscient. Mais aussitôt que le moine en sa recherche remarque : Pas n'arrive que, vers ces cinq convoitises, en ce domaine-ci ou en ce domaine-là, une spirituelle appétence lève en moi : est-ce ainsi, Anândo, le moine réfléchit : L'incitation à ces cinq convoitises, ça ai-je perdu. Ainsi demeure-t-il conscient.

« Il y a, Anândo, cinq ordres d'attachement, que le moine doit observer naître et s'évanouir : Ainsi est la forme, ainsi naît, ainsi s'évanouit; ainsi est la sensation, ainsi naît, ainsi s'évanouit; ainsi est la perception, ainsi naît, ainsi s'évanouit; ainsi sont les distinctions, ainsi naissent, ainsi s'évanouissent; ainsi est la conscience, ainsi naît, ainsi s'évanouit. Tandis qu'il observe naître et s'évanouir ces cinq ordres d'attachement, il perd la présomption du moi. Est-ce ainsi, Anândo, le moine réfléchit : La présomption du moi à ces ordres d'attachement, ça ai-je perdu. Ainsi demeure-t-il conscient. Ça c'est, Anando, autant d'objets, ne conduisant qu'au salut, qu'à la sainteté, qu'à la transcendance, non gagnés par le méchant.

« Or que t'en semble, Anândo ; pour quelle raison suffisante un disciple peut-il suivre le Maître à temps qu'il l'éloigne de lui ? »

« C'est de l'Exalté que descend notre savoir, c'est de l'Exalté qu'il vient, c'est à l'Exalté qu'il s'en revient. Bon serait-ce, ô Maître, que l'Exalté voulût nous expliquer le sens de ce discours : la parole de l'Exalté les moines garderont. »

« Point ne convient, Anândo, à un disciple de suivre le Maître, pour n'ouïr que discours, énoncés, éclaircissements : et pourquoi pas ? Longtemps avez-vous déjà, Anândo, ouï, observé, maîtrisé en parole, gardé en mémoire, compris ces choses à fond. Mais s'agit-il, Anândo, d'un entretien, bon à l'affranchissement, à la libération spirituelle, menant uniquement à l'abstinence, à la conversion, à la cessation, à l'évanouissement, à la pénétration, à l'illumination, à l'extinction, tout ça est entretiens quant à la sobriété, à la satisfaction, à la solitude, au désistement, à la persévérance, à la vertu, à la concentration, à la sagesse, à la délivrance, à la certitude de délivrance ; au nom de cet entretien-là, Anândo, un disciple peut suivre le Maître, à temps qu'il l'éloigne de lui.

« De là vient, Anândo, qu'un Maître éprouve l'injustice ; de la vient qu'un élève éprouve l'injustice ; de là vient qu'un ascète éprouve l'injustice. Mais qu'éprouve, Anândo, un Maître l'injustice ? Quelque Maître, Anândo, cherche un lieu à l'écart où se reposer, un bois, le pied d'un arbre, une grotte rupestre, une caverne dans la montagne, un cimetière, le cœur de la forêt, un lit de paille en rase campagne. Tandis qu'à l'écart ainsi il demeure, s'affairent, aux environs, prêtres et maîtres de maison, bourgeois et paysans. Et tandis qu'aux environs prêtres et maîtres de maison, bourgeois et paysans s'affairent, par manque de puissance il convoite, échoit à la passion, se tourne vers les vanités. On l'appelle, Anândo, un Maître, ayant injustement subi l'injustice du Maître. Revêtu l'ont de mauvaises, non salutaires choses, tachantes, semeuses de réexistence, des choses horribles, couveuses de souffrance, produisant vivre, vieillir et mourir de nouveau. Ainsi, Anândo, un ascète éprouve l'injustice.

« Or qu'éprouve, Anândo, un élève l'injustice ? Tel est précisément, Anândo, de ce Maître-là l'élève, et la solitude du Maître il pratique et cherche un lieu à l'écart où se reposer, un bois, le pied d'un arbre, une grotte rupestre, une caverne dans la montagne, un cimetière, le cœur de la forêt, un lit de paille en rase campagne. Tandis qu'à l'écart ainsi il demeure, s'affairent aux environs prêtres et maîtres de maison, bourgeois et paysans. Et tandis qu'aux environs prêtres et maîtres de maison, bourgeois et paysans s'affairent, par manque de puissance il convoite, échoit à la passion, se tourne vers les vanités. On l'appelle, Anândo, un élève, ayant injustement subi l'injustice de l'élève. Revêtu l'ont de mauvaises, non salutaires choses, tachantes, semeuses de réexistence, des choses horribles, couveuses de souffrance, produisant vivre, vieillir et mourir de nouveau. Ainsi, Anândo, un élève éprouve l'injustice.

« Or qu'éprouve, Anândo, un ascète l'injustice ? L'Accompli, Anândo, apparaît au monde, le Saint, le Juste Illuminé, l'Éclairé en savoir et en conduite, le Bienvenu, le Connaisseur du monde, l'incomparable Guide du troupeau des hommes, le Maître des dieux et des hommes, l'Illuminé, l'Exalté. Il cherche un lieu à l'écart où se reposer, un bois, le pied d'un arbre, une grotte rupestre, une caverne dans la montagne, un cimetière, le cœur de la forêt, un lit de paille en rase campagne. Tandis qu'ainsi il demeure à l'écart, s'affairent aux environs prêtres et maîtres de maison, bourgeois et paysans. Et tandis qu'aux environs prêtres et maîtres de maison, bourgeois et paysans s'affairent, par manque de puissance il ne convoite pas, n'échoit pas à la passion, ne se tourne pas vers les vanités. Or voici que tel, Anândo, de ce Maître-là est l'élève, et la solitude du Maître il pratique et cherche un lieu à l'écart où se reposer, un bois, le pied d'un arbre, une grotte rupestre, une caverne dans la montagne, un cimetière, le cœur de la forêt, un lit de paille en rase campagne. Tandis qu'à l'écart ainsi il demeure, s'affairent aux environs prêtres et maîtres de maison, bourgeois et paysans. Et tandis qu'aux environs prêtres et maîtres de maison, bourgeois et paysans s'affairent, par manque de puissance il convoite, échoit à la passion, se tourne vers les vanités. On l'appelle, Anândo, un ascète ayant injustement éprouvé l'injustice de l'ascète. Revêtu l'ont de mauvaises, non salutaires choses, tachantes, semeuses de réexistence, des choses horribles, couveuses de souffrance, produisant vivre, vieillir et mourir de nouveau. Ainsi, Anândo, un ascète éprouve l'injustice. Quant à ce qui en est, Anândo, de l'injustice du Maître et de l'injustice de l'élève, l'injustice de l'ascète est plus riche en souffrance, plus riche en amertume et mène à la perdition.

« C'est pourquoi donc, Anândo, me recevez avec amour et non avec inimitié, longtemps le bien, longtemps le salut vous en échoiront.

« Mais que reçoivent, Anândo, les disciples un Maître avec inimitié et non avec amour ? Ouvre, Anândo, le Maître aux disciples la vérité, compatissant, bienveillant, pressé par la pitié : Que ça vous serve de bien, de salut. Et les disciples n'écoutent pas, ne prêtent pas oreille, n'inclinent pas le cœur vers la compréhension, et transgressent par leur conduite le statut du Maître. Ainsi reçoivent, Anândo, les disciples un Maître avec inimitié et non avec amour.

« Or que reçoivent, Anândo, les disciples un Maître avec amour et non avec inimitié ? Ouvre, Anândo, le Maître aux disciples la vérité, compatissant, bienveillant, pressé par la pitié : Que ça vous serve de bien, de salut. Et les disciples écoutent, prêtent oreille, inclinent le cœur vers la compréhension et ne transgressent pas par leur conduite le statut du Maître. Ainsi reçoivent, Anândo, les disciples un Maître avec amour et non avec inimitié.

« C'est pourquoi donc, Anândo, me recevez avec amour et non avec inimitié ; longtemps le bien, longtemps le salut vous en échoiront. Point il ne me faut, Anândo, en user avec vous tel le potier avec les vases de terre non cuite. Se répandre et répandre, Anândo, peut ma parole, s'épancher et épancher : le contenu reste le même. »

Ainsi s'exprima l'Exalté. Satisfait, le vénérable Anândo se réjouissait de la parole de l'Exalté.

IMPURETÉ

Voilà ce que j'ouïs. Dans un temps, l'Exalté se trouvait, près de Kozammbi *, dans la Fondation du Jardin. Or en ce temps noise et querelle avaient éclaté parmi les moines de Kozammbi, ils disputaient entre eux et d'âpres batailles de mots avaient lieu.

Voici qu'alors un des moines se rendit là où l'Exalté se trouvait, salua l'Exalté révérencieusement et se tint de côté. Debout de côté, ce moine parla ainsi à l'Exalté :

« Voici que, ô Maître, à Kozammbi noise et querelle ont éclaté parmi les moines, ils disputent entre eux et d'âpres batailles de mots ont lieu. Il serait bon, ô Maître, que l'Exalté voulût se rendre chez ces moines, ému par la compassion. »

Tacite, l'Exalté agréa la demande.

Et l'Exalté se rendit auprès de ces moines et voici qu'ainsi il leur parla :

« Assez, ô moines : évitez noise et querelle, évitez lutte et dispute. »

Ainsi exhorté, un autre des moines s'adressa à l'Exalté et lui dit :

« Daigne, ô Maître, l'Exalté, Seigneur de la Vérité, s'éloigner : se suffisant à soi daigne, ô Maître, l'Exalté jouir de bienheureuse présence ; nous nous réconcilierons en cette noise et querelle, lutte et dispute. »

Et une deuxième et troisième fois, l'Exalté parla ainsi à ces moines :

« Assez, ô moines : évitez noise et querelle, évitez lutte et dispute. »

Et une deuxième fois et troisième fois, cet autre moine parla ainsi à l'Exalté :

« Daigne, ô Maître, l'Exalté, Seigneur de la Vérité, s'éloigner : se suffisant à soi daigne, ô Maître, l'Exalté jouir de bienheureuse présence ; nous nous réconcilierons dans cette noise et querelle, brouille et dispute. »

Et l'Exalté, tout de suite ceint, de manteau et bol muni, se mit en chemin de Kozammbi pour l'aumône d'aliments, entra dans la ville de maison en maison, prit le repas, s'en retourna, arrangea sa couche, garda manteau et bol, et puis alors, en route déjà, il exprima le chant suivant :

« Là où chacun, bruyant s'affaire,
Jamais la raison ne s'atteint ;
Le lien des frères, qu'on le brise,
Personne n'entend plus personne.

Oubliée la sage sentence.
Du Connaissant, qui l'éprouva ;
Brider la langue, c'est urgent,
Et la guider : on ne l'apprend.

On m'a brimé, on m'a blessé,
On m'a vaincu, on m'a raillé :
Qui telle pensée au cœur couve,
L'inimitié jamais ne quitte.

On m'a brimé, on m'a blessé,
On m'a vaincu, on m'a moqué :
Qui sait bannir telle pensée,
L'inimitié en hâte quitte.

Puisque jamais l'inimitié
L'amitié ne concilia :
L'amitié donne concilier ;
C'est là décret d'éternité.

Les hommes savent rarement
Qu'endurer nous rend endurant :
Mais qui le sait bien, le comprend,
Joyeux renonce à s'irriter.

Bourreau, sbire, tueur, voleur,
Rafleur de bœufs, chevaux, trésors,
Le vagabond, et le brigand,
Tiennent bien les uns pour les autres :
Pourquoi ne le feriez-vous pas ?

A-t-on trouvé l'ami purifié,
Qui accompagne, courageux en vertu,
Échappé à toute menaçante détresse
Le sage peut tranquille avec lui cheminer.

Doit-on manquer de l'ami purifié,
Qui accompagne, courageux en vertu,
En roi, en roi qui a perdu son royaume.
À part soi qu'on chemine tel l'éléphant sauvage.

À part soi mieux vaut cheminer,
Avec des sots on ne se lie,
Chemine seul en évitant l'œuvre mauvaise,
Te suffisant à toi tel l'éléphant sauvage. »

Lorsque l'Exalté, en route déjà, eut dit ce chant que voilà, voici qu'il s'en fut, au village du Puits de l'Eau Amère. Or le vénérable Bhagou[36] se trouvait au village du Puits de l'Eau Amère. Et voici que le vénérable Bhagou vit de loin l'Exalté s'en venir et quand il l'eut vu il prépara un siège et de l'eau pour l'ablution des pieds. Et voici que l'Exalté s'assit sur le siège présenté et quand il fut assis il se lava les pieds. Et aussi le vénérable Bhagou s'assit, après la salutation de l'Exalté, de côté. Au vénérable Bhagou, qui était assis de côté, l'Exalté s'adressa ainsi :

« Ne vas-tu, moine, pas mal, t'en tires-tu, sans manque de nourriture ? »

« Pas mal, Exalté, je ne vais, bien, Exalté, je m'en tire, je ne manque, ô Maître, pas de nourriture. »

Et l'Exalté réjouit et encouragea, stimula et rasséréna le vénérable Bhagou au moyen d'un entretien instructif, et puis il se leva de son siège et il se rendit au Bois Oriental des Bambous.

Or le vénérable Annourouddho, le vénérable Nanndyo et le vénérable Kimmbilo se trouvaient au Bois Oriental des Bambous. Voici qu'un garde forestier vit de loin l'Exalté s'en venir, et quand il eut vu l'Exalté il lui parla ainsi :

« Ne va pas dans ce bois, ô ascète : trois nobles jeunes gens s'y trouvent, qui semblent satisfaits d'eux-mêmes, ne les dérange pas. »

Le vénérable Annourouddho ouït l'entretien du garde forestier avec l'Exalté, et quand il l'eut ouï il parla ainsi au garde forestier :

« N'empêche pas, frère garde forestier, l'Exalté : notre Maître, l'Exalté est venu. »

Et le vénérable Annourouddho se rendit alors chez le vénérable Nanndyo et chez le vénérable Kimmbilo et leur parla ainsi :

« Venez vite, ô frères, venez vite, ô frères : notre Maître, l'Exalté est là. »

Et le vénérable Annourouddho, le vénérable Nanndyo et le vénérable Kimmbilo vinrent alors à la rencontre de l'Exalté ; l'un débarrassa l'Exalté de manteau et bol, l'un prépara un siège, l'un apporta de l'eau pour l'ablution des pieds. Voici que l'Exalté s'assit sur le siège présenté, et quand il fut assis il se lava les pieds. Cependant ces Vénérables s'assirent, après la salutation de l'Exalté, de côté. Et l'Exalté adressa la parole au vénérable Annourouddho, qui était assis de côté, et parla ainsi ;

« N'allez-vous, Annourouddhèr, pas mal, vous en tirez-vous, sans manque de nourriture ? »

« Pas mal, Exalté, n'allons-nous, bien, Exalté, nous en tirons-nous, nous ne manquons, ô Maître, pas de nourriture. »

« Mais vous entendez-vous, Annourouddhèr, unis, sans noise, devenus doux, et votre œil est-il clément ? »

« Assurément, ô Maître, nous entendons-nous unis, sans noise, devenus doux, et notre œil est clément. »

« Mais jusqu'à quel point, Annourouddhèr, vous entendez-vous, unis, sans noise, devenus doux, et votre œil est-il clément ? »

« Voilà, ô Maître, que je pense : Bien tombé, fortuné suis-je, vraiment, moi qui vis avec de si véritables ascètes. Et l'heureux que je suis, ô Maître, sers ces Vénérables d'action affectueuse, ouverte et cachée, de parole affectueuse, ouverte et cachée, d'intention affectueuse, ouverte et cachée. Et demeurant ainsi, ô Maître, je pense : Si donc je renonçais à ma volonté propre et me soumettais à la volonté de ces Vénérables ? Et j'ai, ô Maître, renoncé à ma volonté propre et me suis soumis à la volonté de ces Vénérables. Différents, ô Maître, sont nos corps, mais je crois que nous n'avons qu'une seule volonté. »

Et le vénérable Nanndyo, et le vénérable Kimmbilo parlèrent à l'Exalté :

« Voilà que moi aussi, ô Maître, je pense : Bien tombé, fortuné suis-je, vraiment, moi qui vis avec de si véritables ascètes. Et l'heureux que je suis, ô Maître, sers ces Vénérables d'action affectueuse, ouverte et cachée, de parole affectueuse, ouverte et cachée, d'intention affectueuse, ouverte et cachée. Et demeurant ainsi, ô Maître, je pense : Si donc je renonçais à ma volonté propre et me soumettais à la volonté de ces

Vénérables ? Différents, ô Maître, sont nos corps, mais je crois que nous n'avons qu'une seule volonté.

« Ainsi, ô Maître, demeurons-nous tolérants, unis, sans noise, et notre œil est clément. »

« C'est bien, c'est bien, Annourouddhèr. Et demeurez-vous sérieux, Annourouddhèr, ardents, infatigables ? »

« Assurément, ô Maître, demeurons-nous sérieux, ardents, infatigables. »

« Mais jusqu'à quel point, Annourouddhèr, demeurez-vous sérieux, ardents, infatigables ? »

« Qui le premier de nous, ô Maître, revient des aumônes du village, prépare les places et dispose l'eau potable, l'eau d'ablution et la jatte à vaisselle. Qui le dernier revient des aumônes du village, et s'il reste encore des aliments, et qu'il en désire, il en prend ; sinon, il les jette, sur un sol non gazonné ou dans de l'eau courante. Puis il ordonne les sièges, range l'eau potable, l'eau d'ablution et la jatte à vaisselle et balaye la place. Qui s'aperçoit qu'on ne sert plus l'écuelle ou le broc ou la caisse aux ordures, la met propre de côté. S'il ne le peut seul, il fait signe à un deuxième, et nous venons et nous aidons, sans que, ô Maître, pour cette raison nous rompions le silence. Et chaque cinquième jour, ô Maître, passons-nous toute la nuit à nous entretenir de la doctrine. Ainsi, ô Maître, demeurons-nous sérieux, ardents, infatigables. »

« C'est bien, c'est bien, Annourouddhèr. Mais avez-vous, Annourouddhèr, vous qui ainsi sérieux, ardents, infatigables demeurez, remporté un riche trésor non temporel, la bienheureuse paix ? »

« Tandis que, ô Maître, sérieux, ardents, infatigables nous demeurons, percevons-nous un reflet et l'image des contours. Mais voici que ce reflet nous échappe aussitôt et l'image des contours ; et cette apparition-là n'approfondissons-nous pas. »

« Mais cette apparition-là, Annourouddhèr, doit par vous être approfondie. Moi aussi j'avais, Annourouddhèr, avant la Juste Illumination, non Justement

Illuminé, visant à l'Illumination, perçu un reflet et l'image des contours, mais ce reflet m'avait aussitôt échappé et l'image des contours. Alors ai-je, Annourouddhèr, pensé à part moi : Quelle est donc la cause, quelle est la raison, de ce que le reflet m'échappe et l'image des contours ? Alors me suis-je, Annourouddhèr, dit : Hésitant étais-je devenu ; l'hésitation fut le motif, de ce que mon attention chut : et parce que mon attention chut, le reflet a échappé et l'image des contours. C'est à quoi je veux m'appliquer, ne plus tomber dans l'hésitation. Et tandis que, Annourouddhèr, sérieux, ardent, infatigable je demeurais, je perçus le reflet et l'image des contours. Mais ce reflet m'avait aussitôt échappé et l'image des contours. Alors ai-je, Annourouddhèr, pensé à part moi : Quelle est donc la cause, quelle est la raison, de ce que le reflet m'échappe et l'image des contours ? Alors me suis-je, Annourouddhèr, dit : Inattentif étais-je devenu ; l'inattention fut le motif, de ce que mon attention chut : et parce que mon attention chut, le reflet a échappé et l'image des contours. C'est à quoi je veux m'appliquer, ne plus tomber dans l'hésitation, ni dans l'inattention. Et tandis que, Annourouddhèr, sérieux, ardent, infatigable je demeurais, je perçus le reflet et l'image des contours. Mais ce reflet m'avait aussitôt échappé et l'image des contours. Alors ai-je, Annourouddhèr, pensé à part moi : Quelle est donc la cause, quelle est la raison, de ce que le reflet m'échappe et l'image des contours ? Alors me suis-je, Annourouddhèr, dit : Morne et fatigué étais-je devenu ; la molle fatigue fut le motif, de ce que mon attention chut : et parce que mon attention chut, le reflet a échappé et l'image des contours. C'est à quoi je veux m'appliquer, ne plus tomber dans l'hésitation, ni dans l'inattention, ni dans la molle fatigue. Et tandis que, Annourouddhèr, sérieux ardent, infatigable je demeurais, je perçus le reflet et l'image des contours. Mais ce reflet m'avait aussitôt échappé et l'image des contours. Voici qu'ai-je, Annourouddhèr, pensé à part moi : Quelle est donc la cause, quelle est la raison, de ce que le reflet m'échappe et l'image des contours ? Alors me suis-je, Annouroud-dhèr, dit : Terrifié étais-je devenu ; la terreur fut le motif, de ce que mon attention chut : et parce que mon attention chut, le reflet a échappé et l'image des contours. De même que, Annourouddhèr, si un homme marchait sur la grand-route, et des meurtriers s'avanceraient des deux côtés à sa rencontre, il choirait aussitôt dans la terreur : de la sorte aussi, Annourouddhèr, étais-je devenu terrifié ; la terreur fut le motif, de ce que mon attention chut : et parce que mon attention chut, le reflet a échappé et l'image des contours. C'est à quoi je veux m'appliquer, ne plus tomber dans l'hésitation, ni dans l'inattention, ni dans la molle fatigue ni dans la terreur. Et tandis que, Annourouddhèr, sérieux, ardent, infatigable je demeurais, je perçus le reflet et l'image des contours. Mais ce reflet m'avait aussitôt échappé et l'image des contours. Alors ai-je, Annourouddhèr, pensé à part moi : Quelle est donc la cause, quelle est la raison, de ce que le reflet m'échappe et l'image des contours ? Alors me suis-je, Annouroud-dhèr, dit : Ravi étais-je devenu ; le ravissement fut le motif, de ce que mon attention chut : et parce que mon attention chut, le reflet a échappé et l'image des contours. De même que, Annourouddhèr, si un homme cherchait une fosse de trésors et découvrait à la fois cinq fosses de trésors, il choirait aussitôt dans le ravissement : de la sorte aussi, Annourouddhèr, étais-je devenu ravi ; le ravissement fut le motif, de ce que mon attention chut : et parce que mon attention chut, le reflet a échappé et l'image des contours. C'est à quoi je veux m'appliquer, à ne plus tomber dans l'hésitation, ni dans l'inattention, ni dans la molle fatigue, ni dans la terreur, ni dans le ravissement. Et tandis que, Annourouddhèr, sérieux, ardent, infatigable je demeurais, je perçus le reflet et l'image des contours. Mais ce reflet m'avait aussitôt échappé et l'image des contours. Voici qu'ai-je, Annourouddhèr, pensé à part moi : Quelle est donc la cause, quelle est la raison, de ce que le reflet m'échappe et l'image des contours ? Voici que me suis-je, Annourouddhèr, dit : Passif étais-je devenu ; la passivité fut le motif de ce que mon attention chut : et parce que mon attention chut, le reflet a échappé et l'image des contours. C'est à quoi je veux m'appliquer, ne plus tomber dans l'hésitation, ni dans l'inattention, ni dans la molle fatigue, ni dans la terreur, ni dans le ravissement, ni dans la passivité. Et tandis que, Annourouddhèr, sérieux, ardent, infatigable je demeurais, je perçus le reflet et l'image des contours. Mais ce reflet m'avait aussitôt échappé et l'image des contours. Alors ai-je, Annourouddhèr, pensé à part moi : Quelle est donc la cause, quelle est la raison, de ce que le reflet m'échappe et l'image des contours ? Alors me suis-je, Annourouddhèr, dit : Trop insistant étais-je devenu ; trop d'insistance fut le motif, de ce que mon attention chut : et parce que mon attention chut, le reflet a échappé et l'image des contours. De même que, Annourouddhèr, si un homme tenait fortement enserrée une corneille, elle périrait aussitôt : de la sorte aussi, Annourouddhèr, étais-je devenu trop insistant ; trop d'insistance fut le motif, de ce que mon attention chut : et parce que mon attention chut, le reflet a échappé et l'image des contours. C'est à quoi je veux m'appliquer, ne plus tomber dans l'hésitation, ni dans l'inattention, ni dans la molle fatigue, ni dans la terreur, ni dans le ravissement, ni dans la passivité, ni dans trop d'insistance. Et tandis que, Annourouddhèr, sérieux, ardent, infatigable je demeurais, je perçus le reflet et l'image des contours. Mais ce reflet m'avait aussitôt échappé et l'image des contours. Alors ai-je, Annourouddhèr, pensé à part moi : Quelle est donc la cause, quelle est la raison, de ce que le reflet m'échappe et l'image des contours ? Alors me suis-je, Annourouddhèr, dit : Trop peu insistant étais-je devenu ; trop peu d'insistance fut le motif, de ce que mon attention chut : et parce que mon attention chut, le reflet a échappé et l'image des contours. De même que, Annourouddhèr, si un homme tenait faiblement enserrée une corneille, elle lui échapperait aussitôt : de la sorte aussi, Annourouddhèr, étais-je devenu trop peu insistant ; trop peu d'insistance fut le motif, de ce que mon attention chut : et parce que mon attention chut, le reflet a échappé et l'image des contours. C'est à quoi je veux m'appliquer, ne plus tomber dans l'hésitation, ni dans l'inattention, ni dans la molle fatigue, ni dans la terreur, ni dans le ravissement, ni dans la passivité, ni dans trop d'insistance, ni dans trop peu d'insistance. Et tandis que, Annourouddhèr, sérieux, ardent, infatigable je demeurais, je perçus le reflet et l'image des contours. Mais ce reflet m'avait aussitôt échappé et l'image des contours. Alors ai-je, Annourouddhèr, pensé à part moi : Quelle est donc la cause, quelle est la raison, de ce que le reflet m'échappe et l'image des contours ? Alors me suis-je, Annourouddhèr, dit : Approbateur étais-je devenu ; l'approbation fut le motif, de ce que mon attention chut : et parce que mon attention chut, le reflet a échappé et l'image des contours. C'est à quoi je veux m'appliquer, ne plus tomber dans l'hésitation, ni dans l'inattention, ni dans la molle fatigue, ni dans la terreur, ni dans le ravissement, ni dans la passivité, ni dans trop d'insistance, ni dans trop peu d'insistance, ni dans l'approbation. Et tandis que, Annourouddhèr, sérieux, ardent, infatigable je demeurais, je perçus le reflet et l'image des contours. Mais ce reflet m'avait aussitôt échappé et l'image des contours. Alors ai-je, Annourouddhèr, pensé à part moi : Quelle est donc la cause, quelle est la raison, de ce que le reflet m'échappe et l'image des contours ? Alors me suis-je, Annourouddhèr, dit : le multiple avais-je perçu ; percevoir le multiple fut le motif, de ce que mon attention chut : et parce que mon attention chut, le reflet a échappé et l'image des contours. C'est à quoi je veux m'appliquer, ne plus tomber dans l'hésitation, l'image des contours ; et puis dans un temps que sans faire attention à l'apparition du reflet je fais attention à l'apparition des contours, voici que je perçois l'image des contours, mais pas le reflet : au long de toute une nuit, au long de tout un jour, toute une nuit entière, tout un jour entier.

« Ainsi demeurais-je, Annourouddhèr, sérieux, ardent, infatigable, et je perçus un reflet défini et l'image de contours définis ; et je perçus un reflet incommensurable et l'image de contours incommensurables : au long de toute une nuit, au long de tout un jour, toute une nuit entière, tout un jour entier. Alors ai-je, Annourouddhèr, pensé à part moi : Quelle est donc la cause, quelle est la raison, de ce que je perçoive un reflet défini et l'image de contours définis ; et de ce que je perçoive un reflet incommensurable et l'image de contours incommensurables : au long de toute une nuit, au long de tout un jour, toute une nuit entière, tout un jour entier ? Alors me suis-je, Annourouddhèr, dit : Dans un temps que mon attention est une attention définie, mon œil en est un défini, et d'un œil défini je perçois un reflet défini et l'image de contours définis ; et puis dans un temps que mon attention est incommensurable, mon œil est incommensurable, et de l'œil incommensurable je perçois un reflet incommensurable et l'image de contours incommensurables : au long de toute une nuit, au long de tout un jour, toute une nuit entière, tout un jour entier.

« Aussitôt que j'eus, Annourouddhèr, jugé l'hésitation impureté de cœur et que j'eus chassé l'hésitation, l'impureté de cœur ; que j'eus jugé l'inattention impureté de cœur et que j'eus chassé l'inattention, l'impureté de cœur ; que j'eus jugé la molle fatigue impureté de cœur et que j'eus chassé la molle fatigue, l'impureté de cœur ; que j'eus jugé la terreur impureté de cœur et que j'eus chassé la terreur, l'impureté de cœur ; que j'eus jugé le ravissement impureté de cœur et que j'eus chassé le ravissement, l'impureté de cœur ; que j'eus jugé la passivité impureté de cœur et que j'eus chassé la passivité, l'impureté de cœur ; que j'eus jugé trop d'insistance impureté de cœur et que j'eus chassé trop d'insistance, l'impureté de cœur ; que j'eus jugé trop peu d'insistance impureté de cœur et que j'eus chassé trop peu d'insistance, l'impureté de cœur ; que j'eus jugé l'approbation impureté de cœur et que j'eus chassé l'approbation, l'impureté de cœur ; que j'eus jugé percevoir le multiple impureté de cœur et que j'eus chassé percevoir le multiple, l'impureté de cœur ; que j'eus jugé la trop âpre contemplation des contours impureté de cœur et que j'eus chassé la trop âpre contemplation des contours, l'impureté de cœur : voici que me suis-je, Annourouddhèr, dit : L'impureté de cœur qui se trouvait en moi je l'ai chassée. Fort bien : la triple attention je veux accomplir.

« Ainsi ai-je, Annourouddhèr, accompli l'attention pensive et réfléchie, l'attention non pensive, réfléchie, l'attention non pensive et non réfléchie ; et ai-je accompli l'attention rassérénante, l'attention non rassérénante, l'attention clairvoyante ; et ai-je accompli l'attention d'âme égale.

« Aussitôt que j'eus, Annourouddhèr, accompli l'attention pensive et réfléchie, l'attention non pensive, réfléchie, l'attention non pensive et non réfléchie ; et qu'eus-je accompli l'attention rassérénante, l'attention non rassérénante, l'attention clairvoyante ; et qu'eus-je accompli l'attention d'âme égale : alors le savoir et l'image s'ouvrirent à moi :

« À jamais libéré suis-je.
Voici la dernière vie,
Et il n'est plus de renaissance. »

Ainsi s'exprima l'Exalté. Satisfait, le vénérable Annourouddho se réjouissait de la parole de l'Exalté.

L'HEUREUX SOLITAIRE
KACCANO

Voilà ce que j'ouïs. Dans un temps, l'Exalté se trouvait près de Rajagaham *, dans la prairie près du Tapodo.

Voici que le vénérable Samiddhi quitta de nuit, avant le lever du soleil, sa couche et descendit au Tapodo, prendre un bain. Lorsqu'il eut pris un bain dans le Tapodo et se fut rafraîchit, il vêtit le manteau, après qu'il eut séché ses membres.

Comme l'aurore levait, quelque déité fit briller toute la surface du Tapodo d'un éclat toujours plus vif et vint jusque-là où le vénérable Samiddhi se trouvait. Arrivée là, elle se tint de côté, et de côté se tenant s'adressa ainsi au vénérable Samiddhi :

« Sais-tu, ô moine, le sceau et les signes de l'heureux solitaire ? »

« Non, ô frère, je ne sais le sceau et les signes de l'heureux solitaire : mais toi, frère, sais-tu le sceau et les signes de l'heureux solitaire ? »

« Moi non plus, ô moine, je ne sais le sceau et les signes de l'heureux solitaire : mais toi sais-tu, ô moine, le chant de l'heureux solitaire ? »

« Non, ô frère, je ne sais le chant de l'heureux solitaire : mais toi, frère, sais-tu le chant de l'heureux solitaire ? »

« Moi non plus, ô moine, je ne sais le chant de l'heureux solitaire ; écoute, moine, le sceau et les signes de l'heureux solitaire ; comprends, moine, le sceau et les signes de l'heureux solitaire ; garde, moine, le sceau et les signes de l'heureux solitaire ; intéressants sont, ô moine, le sceau et les signes de l'heureux solitaire, origine d'ascèse. »

Ainsi parla cette déité. Ayant dit cela, elle disparut.

Comme le jour était venu, le vénérable Samiddhi se rendit là où l'Exalté se trouvait. Arrivé là, il salua révérencieusement l'Exalté et s'assit de côté. Assis de côté, le vénérable Samiddhi raconta à l'Exalté mot pour mot toute la rencontre qu'il avait eue avec cette déité. Puis il parla ainsi :

« Bon serait-il, ô Maître, que l'Exalté voulût m'indiquer le sceau et les signes de l'heureux solitaire. »

« Eh bien soit, moine, prête garde et attention à ma parole. »

« Certes, ô Maître ! » dit le vénérable Samiddhi prêtant attention à l'Exalté. L'Exalté s'exprima ainsi :

« Pas de regret du temps passé,
N'espérer pas en l'avenir ;
Révolu ce qui fut avant
Et ce qui va venir encore.

A-t-on toujours chose après chose
Présente dans le temps présent,
Le non pillable, inébranlable,
L'esprit perçant trouve cela.

Aujourd'hui peut-on combattre :
On peut mourir demain, qui sait ?
Il faut guerroyer cette guerre
Contre l'armée Sienne, le Meurtre.

Qui résiste inébranlable
Et nuit et jour infatigable,
L'heureux solitaire c'est là,
Calme penseur, on dit cela. »

Ainsi s'exprima l'Exalté. Quand le Bienvenu eut dit cela, il se leva et se retira dans l'habitation.

Cependant les moines, bientôt après que l'Exalté s'en fut allé, se demandèrent : Ce sceau, ô frères, l'Exalté nous l'a exposé dans les généralités, sans en éclairer les signes dans le détail, s'est levé et s'est retiré dans l'habitation. Qui est-ce qui pourrait donc bien approfondir le contenu de cette brève indication ? Voici que ces moines se dirent alors : Le vénérable Mahâkaccano * est estimé même du Maître, et vénéré des perspicaces frères de l'ordre : le vénérable Mahâkaccano serait capable d'approfondir le contenu de cette brève indication ; quoi, si nous nous rendions chez le vénérable Mahâkaccano et le priions de nous exposer le contenu ? Et ces moines se rendirent chez le vénérable Mahâkaccano, échangèrent un salut courtois et d'aimables, mémorables paroles avec lui et s'assirent de côté. Assis de côté, ces moines parlèrent au vénérable Mahâkaccano, ainsi :

« Ce sceau, frère Kaccano, l'Exalté nous l'a exposé dans les généralités sans en éclairer les signes, dans le détail, s'est levé et s'est retiré dans l'habitation. Voici que nous vint, frère Kaccano, bientôt après que l'Exalté s'en fut allé, cette pensée : Ce sceau, ô frères, l'Exalté nous l'a exposé dans les généralités, sans en éclairer les signes dans le détail, s'est levé et s'est retiré dans l'habitation. Qui est-ce qui pourrait donc bien prouver dans le détail le contenu de cette brève indication ? Voici que nous nous dîmes, frère Kaccano : Le vénérable Mahâkaccano est estimé même du Maître, et vénéré des perspicaces frères de l'ordre : le vénérable Mahâkaccano serait capable de prouver dans le détail le contenu de cette brève indication ; quoi, si nous nous rendions chez le vénérable Mahâkaccano et le priions de nous exposer le contenu ? Daigne le vénérable Mahâkaccano le faire ! »

« De même que, frères, si un homme voulant du bois de cœur, désirant du bois de cœur, cherchant du bois de cœur, escaladait racine et tronc d'un grand arbre à bois de cœur et dans les feuilles pensait trouver du bois de cœur : ainsi en va-t-il de vous, Vénérables, qui avez été devant le Maître, négligé le Maître et de moi attendez la solution à la question. Cependant l'Exalté, ô frères, est le Connaisseur connaissant et le Voyant voyant, Devenu Œil, Devenu Connaissance, Devenu Sainteté, l'Annonçant et l'Annonciateur, l'Ouvreur du Contenu, le Dispensateur de l'Immortalité, le Maître de la Vérité, l'Accompli. Et il était sans doute encore temps, que vous puissiez interroger vous-mêmes l'Exalté et garder ce sujet selon l'explication de l'Exalté. »

« En effet, frère Kaccano, l'Exalté est le Connaisseur connaissant et le Voyant voyant, Devenu Œil, Devenu Connaissance, Devenu Vérité, Devenu Sainteté, l'Annonçant et l'Annonciateur, l'Ouvreur du Contenu, le Dispensateur de l'Immortalité, le Maître de la Vérité, l'Accompli. Et il était sans doute encore temps, que nous puissions interroger nous-mêmes l'Exalté et garder ce sujet selon l'explication de l'Exalté. Mais le vénérable Mahâkaccano est estimé même du Maître, et vénéré des perspicaces frères de l'ordre : le vénérable Mahâkaccano serait capable d'exposer dans le détail le contenu de cette brève indication de l'Exalté. Daigne le vénérable Mahâkaccano le faire et ne pas en prendre ombrage ! »

« Eh bien soit, ô frères, prêtez garde et attention à ma parole. »

« Certes, ô Maître ! » répondirent ces moines prêtant attention au vénérable Mahâkaccano. Le vénérable Mahâkaccano s'exprima ainsi :

« Le sceau, ô frères, que l'Exalté nous a exposé dans les généralités sans en éclairer les signes dans le détail : cette brève indication, ô frères, je l'expose dans le détail selon son contenu de la façon suivante. — Or comment, ô frères, regrette-t-on le temps passé ? Ainsi fut une fois ma vue, ainsi les formes : ainsi la conscience y est liée avec convoitise ; et parce que la conscience y est liée avec convoitise, on en a de la satisfaction ; et parce qu'on en a de la satisfaction, on regrette le temps passé. Ainsi fut une fois mon ouïe, ainsi les sons, Ainsi fut une fois mon odorat, ainsi les odeurs, Ainsi fut une fois mon goût, ainsi les saveurs, Ainsi fut une fois mon toucher, ainsi les contacts, Ainsi fut une fois ma pensée, ainsi les objets : ainsi la conscience y est liée avec convoitise ; et parce que la conscience y est liée avec convoitise, on en a de la satisfaction ; et parce qu'on en a de la satisfaction, on regrette le temps passé. Ainsi, ô frères, regrette-t-on le temps passé.

« Mais comment, ô frères, ne regrette-t-on pas le temps passé ? Ainsi fut une fois ma vue, ainsi les formes, Ainsi fut une fois mon ouïe, ainsi les sons, Ainsi fut une fois mon odorat, ainsi les odeurs, Ainsi fut une fois mon goût, ainsi les saveurs, Ainsi fut une fois mon toucher, ainsi les contacts, Ainsi fut une fois ma pensée, ainsi les objets : ainsi la conscience n'y est pas liée avec convoitise, on n'en a pas de satisfaction ; et parce qu'on n'en a pas de satisfaction, on ne regrette pas le temps passé. Ainsi, ô frères, ne regrette-t-on pas le temps passé.

« Mais comment, ô frères, espère-t-on en le futur ? Qu'ainsi deviennent un jour ma vue, ainsi les formes : ainsi a-t-on le cœur tourné vers l'inatteint ; et parce qu'on a le cœur tourné vers l'inatteint, on en a de la satisfaction ; et parce qu'on a de la satisfaction, on espère en le futur. Qu'ainsi deviennent un jour mon ouïe, ainsi les sons, Qu'ainsi deviennent un jour mon odorat, ainsi les odeurs, Qu'ainsi deviennent un jour mon goût, ainsi les saveurs, Qu'ainsi deviennent un jour mon toucher, ainsi les contacts, Qu'ainsi deviennent un jour ma pensée, ainsi les objets : ainsi a-t-on le cœur tourné vers l'inatteint ; et parce qu'on a le cœur tourné vers l'inatteint, on en a de la satisfaction ; et parce qu'on en a de la satisfaction, on espère en le futur. Ainsi, ô frères, espère-t-on en le futur.

« Mais comment, ô frères, n'espère-t-on pas en le futur ? Qu'ainsi deviennent un jour ma vue, ainsi les formes : ainsi n'a-t-on pas le cœur tourné vers l'inatteint ; et parce qu'on n'a pas le cœur tourné vers l'inatteint, on n'en a pas de satisfaction ; et parce qu'on n'en a pas de satisfaction, on n'espère pas en le futur. Qu'ainsi deviennent un jour mon ouïe, ainsi les sons, Qu'ainsi deviennent un jour mon odorat, ainsi les odeurs, Qu'ainsi deviennent un jour mon goût, ainsi les goûts, Qu'ainsi deviennent un jour mon toucher, ainsi les contacts, Qu'ainsi deviennent un jour ma pensée, ainsi les objets : ainsi n'a-t-on pas le cœur tourné vers l'inatteint ; et parce qu'on n'a pas le cœur tourné vers l'inatteint, on n'en a pas de satisfaction ; et parce qu'on n'en a pas de satisfaction, on n'espère pas en le futur. Ainsi, ô frères, n'espère-t-on pas en le futur.

« Mais comment, ô frères, les choses présentes vous font-elles perdre contenance ? La vue, ô frères, et les formes : toutes deux sont présentes ; or parce qu'elles sont présentes, la conscience y est liée avec convoitise ; et parce que la conscience y est liée avec convoitise, on en a de la satisfaction ; et parce qu'on en a de la satisfaction, les choses présentes vous font perdre contenance. L'ouïe, ô frères, et les sons, l'odorat, ô frères, et les odeurs, le goût, ô frères, et les saveurs, le toucher, ô frères, et les contacts, la pensée, ô frères, et les objets : tous deux sont présents ; or parce qu'ils sont présents, la conscience y est liée avec convoitise ; et parce que la conscience y est liée avec convoitise, on en a de la satisfaction ; et parce qu'on en a de la satisfaction, les choses présentes vous font perdre contenance. Ainsi, ô frères, les choses présentes vous font perdre contenance.

« Mais comment, ô frères, les choses présentes ne vous font-elles pas perdre contenance ? La vue, frères, et les formes : toutes deux sont présentes ; or parce qu'elles sont présentes, la conscience n'y est pas liée avec convoitise ; et parce que la conscience n'y est pas liée avec convoitise, on n'en a pas de satisfaction ; et parce qu'on n'en a pas de satisfaction, les choses présentes ne vous font pas perdre contenance. L'ouïe, ô frères, et les sons, l'odorat, ô frères, et les odeurs, le goût, ô frères, et les saveurs, le toucher, ô frères, et les contacts, la pensée, ô frères, et les objets : tous deux sont présents ; or parce qu'ils sont présents, la conscience n'y est pas liée avec convoitise ; et parce que la conscience n'y est pas liée avec convoitise, on n'en a pas de satisfaction ; et parce qu'on n'en a pas de satisfaction, les choses présentes ne vous font pas perdre contenance. Ainsi, ô frères, les choses présentes ne vous font pas perdre contenance.

« Ça, ô frères, je considère comme le contenu exposé dans le détail de cette indication, que l'Exalté nous a donnée dans les généralités. Si vous voulez, Vénérables, allez et interrogez l'Exalté lui-même là-dessus : comme l'Exalté nous l'explique, vous le voulez garder. »

Ces moines furent contents de la parole du vénérable Mahâkaccano, se soulevèrent satisfaits de leurs sièges et se rendirent là où l'Exalté se tenait, saluèrent l'Exalté révérencieusement et s'assirent de côté. Assis de côté, ces moines rapportèrent à l'Exalté mot pour mot toute la rencontre qu'ils avaient eue avec le vénérable Mahâkaccano : « Voici que, ô Maître, le vénérable Mahâkaccano nous a de telle manière, de telle sorte, avec de telles précisions, exposé le contenu. »

« Sage, ô moines, est Mahâkaccano, maître en savoir, ô moines, est Mahâkaccano. Voudriez-vous, ô moines, en référer à moi, j'expliquerais le sujet exactement, comme Mahâkaccano l'a expliqué : car ceci précisément en est le contenu, et vous le devez pour tel garder. »

Ainsi s'exprima l'Exalté. Satisfaits, ces moines se réjouissaient de la parole de l'Exalté.

Notes

1. Les « Fils » des Bouddhas sont les Bodhisattvas.
2. Les « rois des sages » sont les Bodhisattvas.
3. Allusion à l'élixir alchimique censé transformer le fer en or.
4. Ces « arbres aux souhaits » sont les *kalpadruma*, les cinq arbres célestes qui comblent les souhaits de ceux qui les formulent.
5. Les Vainqueurs, les *Jaïna,* sont ici les Bouddhas.
6. Les Joyaux de la Bonne Loi sont les textes sacrés du bouddhisme.
7. Les « champs de Bouddha » (*Buddhakshetra*) sont les divers mondes dans lesquels se manifestent les Bouddhas. Car, dans la cosmologie bouddhiste, il existe des milliers de mondes hors du nôtre dans lesquels se ressent le besoin de la *bodhi*.
8. Les Bouddhas des Trois Temps (ou ères) sont Kâshyapa (ou parfois, dans les représentations, Dîpamkara), Bouddha du passé, Shâkyamuni (le Bouddha historique), Bouddha du présent, Maitreya, Bouddha du futur.
9. Shântideva fait ici allusion à la formule des Trois Refuges (*tisarana, kyabdro*). Cette acceptation des Trois Refuges est la condition préalable à l'étude de la Loi bouddhique. Ces trois refuges sont, en général, le Bouddha, Dharma (la doctrine), Sangha (la communauté spirituelle). Dans notre texte, la communauté spirituelle est identifiée à la « foule des Bodhisattvas » (*Bodhisattvagana*).
10. Les Trois Joyaux sont identiques aux Trois Refuges (Bouddha, Dharma, Sangha).
11. Cette expression de Porte-foudre traduit le nom de Vajrapâni, « Porteur du *vajra* ». Dans la mythologie védique,

c'était l'un des noms du dieu Indra. Les bouddhistes en ont fait un Bodhisattva, défenseur du Bouddha.

12. Ce Médecin omniscient est évidemment le Bouddha.

13. Les cinq grands péchés condamnés par la loi naturelle sont : le meurtre, le vol, le mensonge, l'adultère, l'ivresse. Les péchés condamnés par la loi religieuse sont les cinq infractions principales à la discipline monacale.

14. La Pierre de miracle est un joyau grâce auquel il suffit d'émettre un souhait pour qu'il se réalise. L'Urne d'abondance est un vase d'où l'on retire tous les biens qu'on désire (elle est similaire à la Corne d'abondance de l'Antiquité gréco-latine). Par la Formule magique, on réussit tout ce qu'on entreprend. Il a déjà été question de l'Arbre des souhaits (note 4), et la Vache des désirs est un animal mythique qui au lieu de donner du lait comble tous les désirs.

15. Voir Kûtaçâlmalî dans le lexique.

16. Montagnes des enfers qui s'entrechoquent pour écraser les damnés.

17. Les « antagonistes » sont les conceptions et les sentiments en opposition, telle la méditation sur le néant des choses opposée à l'assaut des passions humaines.

18. Les « champs des qualités et des bienfaiteurs » sont, d'une part, les Bouddhas et les Bodhisattvas, de l'autre, le père et la mère, et tous ceux qui nous apportent un bien.

19. Les Lois supérieures sont celles développées dans la doctrine du Mahâyâna, et les inférieures celles du Hînayâna (ou Theravâda).

20. Ces trois mondes sont ceux du Désir, de la Forme, de l'Absence de forme.

21. Les Auditeurs sont les adeptes du Theravâda qui se contentent de rester au sixième rang dans la hiérarchie de la sainteté. Ce sont les *Arhat*. Quoiqu'ils aient « réalisé en eux-mêmes le fruit de la Doctrine du Bouddha », ils restent encore soumis aux lois de la réincarnation (*Samsâra*).

22. Le traducteur n'a pas jugé utile de traduire la stance 32 qui a été démontrée tardive, et pas de la main de l'auteur.

23. Le « Discours sur l'attention » occupe le chapitre II du texte pâli intitulé *Dhammapada*, lequel traite des sujets appartenant à la sagesse des « vers sur la Loi ».

24. L'auteur songe ici au système bouddhique du Mahâyâna de Vasubandhu, pour qui seule existe réellement la pensée, tout le reste n'est qu'une illusion. Ce système idéaliste portait le nom de Vijñânavâda.

25. Shântideva fait ici allusion à la croyance selon laquelle un poison absorbé par un rat ne faisait d'effet que tardivement, après que le tonnerre en eut provoqué la décomposition. Pareillement on se rappelle une expérience ancienne par association avec un objet extérieur.

26. Allusion à la doctrine du Vijñânavâda de l'irréalité des phénomènes et du monde.

27. Le traducteur a rejeté les stances 50 à 52 comme interpolées.

28. Cette réfutation, au demeurant assez simpliste, de l'atomisme du système brahmaniste Vaisheshika, et de sa doctrine de l'éternité de l'atome (*anu*), se trouve en IX, 87.

29. Il s'agit de Mañjushrî (voir ce nom dans le lexique).

30. *Pramuditabhûmi* : un des dix stades de la carrière de Buddha (note du traducteur).

31. Lampyre est le nom savant du ver luisant. Dans ce texte, la traductrice a distingué deux espèces de vers luisants (ver luisant et lampyre).

32. Par « prêtre », il faut entendre brahmane.

33. Il s'agit, en cette occurrence, des jaïnistes, adversaires des bouddhistes.

34. Kapilavatthou est la forme pâli du nom de la capitale des Shâkya (voir ce nom dans le lexique).

35. Comme dans les communautés monacales du Moyen Âge occidental (mais plusieurs siècles plus tard pour ce qui concerne ces dernières), les moines bouddhistes ne passaient pas leur temps en prière et en méditation ; comme on le voit ici (mais était-ce déjà ainsi du vivant du Bouddha ?), des groupes de moines, dans les divers monastères, s'adonnaient à des travaux manuels bien déterminés.

36. Bhagou, et les « vénérables » qui sont nommés plus bas, comptent parmi les premiers disciples du Bouddha. Annourouddho (aussi appelé Annourouddhèr un peu plus loin) appartenait à la noblesse.

Lexique

Ajita. « Invincible », telle est l'épithète donnée par le Bouddha lui-même à Maitreya.

Âkâçagarbha (ou **Âkâshagarbha**). Bodhisattva de sagesse et de compassion dont le nom signifie « Réceptacle du Vide ». Il était le gardien des trésors de la Loi bouddhique.

Âkâshagarbhasûtra. Texte sanskrit consacré à Âkâshagarbha. Il appartient au bouddhisme ésotérique et fut traduit en chinois à la fin du VIe siècle.

Ambapâli. Riche courtisane de Vaishâli. Lors d'un passage du Bouddha dans cette dernière cité, en compagnie de ses moines, elle vint vers lui sur un char, magnifiquement vêtue, pour les inviter à venir déjeuner dans un bois de manguiers, appelé le Jardin des Mangues. Ses hôtes ayant accepté son invitation, lorsqu'ils eurent terminé le repas qu'elle leur offrait, elle leur fit don du bois pour y établir leur communauté.

Amitâbha. Bouddha particulier au Mahâyâna, dont le culte n'est attesté en Inde que dans le cours du Ier millénaire de notre ère. Il n'est réellement vénéré que dans le bouddhisme tibétain, chinois et japonais. Symbole de l'éveil spirituel, il symbolise la vie après la mort. Il est censé résider vers l'Occident, en un lieu mythique.

Ânanda. Cousin du Bouddha, il serait né au moment où le Bouddha atteignait l'Éveil. Il fut le disciple préféré du Maître et compte parmi les dix grands disciples. La tradition lui attribue la rédaction des premiers suttas qu'il aurait retenus par cœur après ses entretiens avec le

Bouddha. Il joua un rôle important lors du concile de Râjagriha et mourut vers 465 av. J.-C.

Anândo. Forme pâli d'Ânanda.

Anathapindiko. Ce riche marchand fut un si grand admirateur du Bouddha qu'il acheta au prince Jêta un magnifique jardin, le Jêtavana, près de sa résidence, aux environs de Sâvatthî, pour l'offrir au Bouddha. C'est là que ce dernier venait en retraite lors de la saison des pluies. Par la suite, le jardin devint un monastère bouddhique (*vihâra*). Au début du ve siècle de notre ère, le pèlerin chinois Fa-hien qui y séjourna parle avec admiration de l'eau claire de ses étangs, de sa végétation luxuriante et de ses innombrables fleurs.

Angoulimalo (ou Añgulimâla). Célèbre brigand accusé d'avoir assassiné un grand nombre de personnes dans le Koshala. Son nom signifie « Collier de doigts ». Selon une tradition, il aurait, dans sa jeunesse, été étudiant auprès d'un brahmane. Comme il avait repoussé les avances de la femme de son maître, celle-ci l'aurait calomnié auprès de son mari au point qu'il décida de se débarrasser d'un tel disciple. Il le persuada que pour parvenir à la perfection dans ses études religieuses il devait mettre à mort cent personnes et leur couper un doigt. Ainsi devait-il se constituer un collier de cent doigts. Il était parvenu à sa quatre-vingt-dix-neuvième victime et s'apprêtait à tuer sa mère pour atteindre le chiffre de cent, lorsqu'il rencontra le Bouddha qui le convertit. Selon une exégèse plus certaine, il semblerait qu'il ait appartenu à une secte de dévots de Shiva dont les membres devaient pratiquer l'assassinat rituel. Ces histoires édifiantes ont été conservées dans l'*Añgulimâla-Suttanta*, lequel est inclus dans le *Majjhima-Nikâya*.

Antarakalpas. Dans le cycle de chaque *kalpa* (voir ce terme), un *antarakalpa* est la période pendant laquelle la durée de la vie humaine croît jusqu'à la durée d'un *asankhyeya* (ère de 10 *antarakalpas*), puis régresse pendant le même temps.

Apsaras. Nymphes célestes, compagnes de plaisir des dieux dans la mythologique védique. Dans l'iconographie bouddhique, elles sont souvent représentées auprès des Bodhisattvas.

Arhat. Dans le bouddhisme, ce nom est conféré à ceux qui se sont libérés des dix liens du karma. Ils se sont défaits de toute passion, ils ont atteint le bout du Sentier conduisant à l'Illumination. Il n'est dès lors plus sous la Loi, il est « celui qui fait ce qu'il veut ». Le bouddhisme primitif comptait seize *Arhat*, compagnons du Bouddha. Cette appellation n'est pas propre au bouddhisme. Elle est utilisée dans le brahmanisme pour désigner les grands dieux Indra et Agni.

Asuras. À l'origine, *asura* signifie « divin », et le terme désigne certaines grandes divinités védiques, tels Agni ou Indra. Par la suite, ce terme fut détourné de son sens primitif et, à l'époque bouddhique, il désigne les « non-dieux », c'est-à-dire des « démons », nés de Prajâpati (« le souffle de vie »).

Avalokita. Autre nom d'Avalokiteshvara.

Avalokiteshvara. Pour les bouddhistes du Mahâyâna, c'est le Bodhisattva parfait, la manifestation de l'infinie compassion du Bouddha. Il est souvent représenté sous la forme d'un homme, parfois efféminé, possédant plusieurs têtes (jusqu'à onze) et 4, 6 ou 12 bras. Les bouddhistes du Tibet le considèrent comme l'ancêtre de leur peuple. C'est lui qu'ils invoquent avec le mantra « *Om mani padme Hûm* » (expression qui signifie : « Ô le Joyau dans le Lotus »).

Avîci (ou Âvîchî). Nom de l'un des huit enfers, dans le bouddhisme du Mahâyâna. C'est le plus terrifiant des « enfers brûlants », dans lequel les damnés sont soumis sans répit au cycle des réincarnations.

Bodhisattva. Dans la tradition bouddhique du Mahâyâna, ce sont de futurs Bouddhas qui auraient temporairement renoncé à l'Illumination pour renaître parmi les hommes afin de les aider à atteindre la *bodhi*.

Carnatic (de son nom indigène : Karnâtaka). Région occidentale du Dekkan (Inde du Sud) qui s'étend de la côte baignée par l'océan Indien et la mer d'Oman jusqu'à l'intérieur des terres, aux monts du Mysore.

Çikshâsamuccaya (ou ***Shikshâsamuchhaya***). Compilation d'extraits de textes relatifs aux Bodhisattvas, due à l'érudition de Shântideva lui-même.

Çrîsambhavavimoksba (ou ***Shrîsambhavavimoksba***). Titre d'un chapitre du ***Gandavyûha***.

Dâkinîs. Créatures de la mythologie brahmanique qui se manifestent sous la forme de démons femelles buveurs de sang.

Durgâ. Divinité hindoue, considérée comme l'épouse de

Shiva et de Vishnu. Elle est généralement représentée avec quatre bras, chevauchant un tigre avec lequel elle pourchasses les démons.

Gaganagañja. Nom d'un Bodhisattva.

Gandavyûha. Sûtra bouddhique relatif aux pérégrinations du jeune Sudhana.

Garuda. Oiseau mythique, roi des oiseaux, porteur de Vishnu. Il est représenté sous la forme d'un vautour. Dans ses aspects mystiques, il serait le symbole du sperme, la substance du plaisir.

Gotamo. Forme pâli de Gautama, nom du Bouddha.

Gurû. Ce terme, qui signifie « maître », « vénéré », est devenu vers l'époque de Shântideva, soit vers le VIIe siècle, le titre donné aux maîtres spirituels des jeunes brahmanes et de tous les gens en quête d'un enseignement religieux.

Jambudvîpa. C'est « l'île de l'arbre Jambu ». Dans la cosmologie de l'Inde ancienne, c'est le monde situé au sud du mont Meru, c'est-à-dire l'Inde.

Kaccano. Autre nom de Vekhânaso. Il semble différent d'un autre disciple du Bouddha dont le nom sanskrit est Kaccâna, qui fut d'abord un jeune brahmane. Certains textes ajoutent l'épithète de *Mahâ* (grand) devant son nom (Mahâkaccano).

Kalpa. Dans la cosmogonie brahmanique, un *kalpa* représente un « jour de Brahma », soit la durée totale d'un cycle de création de l'univers. La spéculation brahmanique a attribué à un *kalpa* une durée de mille *mahâyuga,* soit environ 4 320 000 000 années terrestres. Ce qui, curieusement, est proche des chiffres donnés par l'astrophysique moderne pour l'existence de la Terre. Chaque *kalpa* se termine par une destruction violente de l'univers, suivie par une « nuit de Brahma » d'une durée égale à un jour de Brahma. C'est une période de « non-création », au bout de laquelle recommence un nouveau *kalpa*. Pour les bouddhistes, un *kalpa* représente un cycle d'une durée infiniment longue, qu'ils divisent en quatre périodes : de création de l'univers avec ses êtres vivants, de vie des mondes créés au cours de laquelle sont créés le Soleil et la Lune, de destruction des mondes par le feu, l'eau et les tempêtes, de chaos qui se termine par un anéantissement total de l'univers.

Kapilavastu (ou Kapilavatthan). Voir Shâkya.

Kaushâmbî. Cette cité était, à l'époque du Bouddha, la capitale du clan des Vatsa. Ce n'est plus, à notre époque, qu'un village, Kosam, sur la Yamunâ, à l'ouest du Magadha. C'était jadis une étape importante sur la route que pratiquaient les brahmanes itinérants. Le Bouddha y établit une communauté (la Fondation du Jardin des *Sûttânta*) sous le règne d'Udâyana, roi dont la tradition fait un conquérant. Favorable au bouddhisme, il aurait fait sculpter la première statue du Bouddha dans du bois de santal.

Kosalo. Forme pâli du Koshala.

Koshala. Nom de l'État princier dont la capitale était Shravasti, au nord de l'actuel Bihâr. La principauté du clan des Shâkya faisait partie de cet État.

Kozammbi. Voir Kaushâmbî.

Kshitigarbha. Bodhisattva dont le nom signifie « Celui qui a la terre pour matrice ». Pour les bouddhistes du Mahâyâna, il était le guide des damnés, mais aussi le protecteur des pèlerins et des voyageurs.

Kûtaçâlmalî (ou Kûtasâlmalî). Arbre des enfers auquel étaient contraints de monter les adultères, et dans lesquels se tenaient des géantes qui les déchiraient de leurs dents de fer.

Licchafir (ou Lichchavî). Peuple voisin du Koshala, au nord du Bihâr, peut-être originaire du Tibet. Leur capitale était Vaishali (Vesâli dans notre texte), sur la rivière Gandhakî. Ce royaume fleurit jusqu'au IIIe siècle de notre ère.

Lokeçvara (ou Lokeshvara). Terme signifiant « Seigneur du monde ». Cette épithète désignait plus particulièrement Avalokiteshvara.

Mahâkaccano. Voir Kaccano.

Maitreya. Dans le bouddhisme du Mahâyâna, c'est le nom du Bodhisattva incarnant l'amour universel. Il réside dans le Tushita, le « paradis » où séjournent les Bodhisattvas en attendant leur réincarnation. Il doit être le cinquième et dernier des Bouddhas terrestres.

Mandâkini. Nom d'une rivière du paradis indien.

Mañjuçri. Orthographe ancienne de Mañjushrî.

Mañjughosha. « Celui qui a une voix douce », autre nom de Mañjushrî.

Mañjushrî. L'un des Bodhisattvas, « dont la beauté est charmante ». La tradition en a fait un disciple du Bouddha. Il symbolisait plusieurs qualités morales et intellectuelles : l'Intelligence, la Puissance de l'esprit, la Sagesse, l'Éloquence, la Mémoire. On lui donnait les titres de « prince » (*kumâra*) et « aux trois [ou cinq] bandelettes » (*trisira* ou *pañasira*).

Mantra. Formule de caractère magique, censée capable de matérialiser la divinité invoquée. Le mantra le plus connu chez nous est sans doute le « *hare, hare Krishna* », répété par les dévots de cette divinité indienne.

Mâra. Démon maître du sixième ciel (*Devaloka*), sphère du désir. Il symbolise les passions qui enchaînent l'homme au monde karmique. En vain aurait-il tenté le Bouddha lorsqu'il méditait à Bodh-Gayâ.

Mâyâ Devî. Mère de Shâkyamuni.

Meru. Montagne mythique pourvue de cinq sommets, située quelque part vers l'Himalaya, dans l'axe de l'étoile Polaire. Elle représente l'« axe du Monde » autour duquel sont distribués quatre continents et quatre océans. Ces continents ne sont pas ceux que nous connaissons par notre géographie moderne, mais des continents propres à la géographie mythique du brahmanisme créateur de cette cosmologie. Cependant l'un de ces continents, qui porte le nom de Jambudvîpa, n'est pas autre chose que l'Inde elle-même. Sur ce mont sont censés résider Indra, divinité cosmique et dieu guerrier de l'époque védique, et trente-trois Deva (divinités indéterminées).

Migaro. Mère Migaro est la traduction de l'expression « Migâramâtâ », « mère de Migarâ (ou Migaro) ». Cette zélatrice du bouddhisme s'appelait Visâkhâ. C'était une riche bourgeoise de Sâvatthî. Elle fut l'une des premières disciples du Bouddha, mère de nombreux enfants. Elle aurait dépensé une partie de sa fortune pour subvenir aux besoins des premières communautés bouddhiques. Elle-même était invitée pour participer aux divers sacrifices et aux festins de sa cité, et on la servait la première.

Nâgârjuna. On connaît sous ce nom deux philosophes bouddhistes de langue sanskrite. L'un vécut aux IIe-IIIe siècles. Il a laissé de nombreux ouvrages dans lesquels il défend et illustre une métaphysique fondée sur la doctrine de la vacuité universelle. L'autre vécut au VIIe siècle et prêcha le premier les principes du tantra bouddhique.

Nandana. Parc mythique du palais d'Indra, dieu védique de la Guerre, censé résider sur le mont Meru.

Nathapoutto (ou Nâtapoutta). Fondateur de la communauté jaïniste, il fut contemporain du Bouddha dont il aurait été le rival. Il semble que la rencontre de Nâtapoutta et du Bouddha soit une invention des bouddhistes, pour la plus grande gloire de leur Maître, car il n'en est jamais question dans les textes sacrés des Jaïnas.

Nirvâna. Ce terme signifie littéralement « extinction ». C'est l'état suprême qui suit l'Illumination, dans lequel le moi, délivré des réincarnations, donc libéré de la souffrance et de la mort, se fond dans l'être absolu, dans le *Brahman*.

Padmapâni. « Porteur du lotus », tel est le sens de cette expression servant à qualifier toutes les divinités portant cette fleur. Dans le bouddhisme, elle sert à caractériser Avalokiteshvara.

Parinirvâna. Terme employé par les bouddhistes pour désigner la mort du Bouddha à la suite de laquelle il entra dans le Nirvâna.

Pasênadi (ou **Prasenajit**). Il régna sur le Koshala dans la seconde moitié du VIe s. av. J.-C. Disciple laïque du Bouddha, il entra en guerre contre Adjâtashatrou, le fils de Bimbisâra, et le fit prisonnier. Il le relâcha aussitôt, en bon bouddhiste qu'il était devenu. Chassé du trône par son fils Virûdhaka, il chercha refuge auprès d'Adjâtashatrou et mourut peu après.

Prâkrit (« imparfait », « non évolué »). Nom donné aux dialectes de l'Inde procédant directement de la langue parlée par les premiers envahisseurs indo-européens, et constituant ce qu'on appelle le « moyen indien ». Leurs divergences se manifestent plus dans la prononciation et, en conséquence, l'orthographe des mots que par des différences marquées dans le vocabulaire et la syntaxe. Le magadhi, la langue du Bouddha, est un prâkrit. Il s'oppose au sanskrit (« complet », « parfait »), la langue littéraire de l'Inde classique et la langue sacrée du brahmanisme, qui fut, dans ses formes primitives, la langue des Aryas, dans laquelle étaient rédigés les monuments les plus anciens de leur religion, les *Veda*.

Pratyekabuddha. Titre des Bouddhas du huitième rang

dans la hiérarchie bouddhique. C'est aussi le nom qu'on donnait aux Bouddhas sans maîtres ni disciples.

Pretas. Esprits de morts condamnés à demeurer dans des mondes intermédiaires sans pouvoir se réincarner. Ils errent dans les cimetières et se nourrissent d'excréments.

Rahoulo (ou Râhula). Peut-être était-il le fils du Bouddha, né le jour où ce dernier quitta le palais familial pour se faire ascète. Il devint l'un des dix grands disciples du Bouddha.

Râjagriha. Ce nom signifie « Cité royale ». Elle était la capitale du Magadha, la résidence du roi Bimbisâra. Ses ruines subsistent sur la colline de Râjgîr. C'est là que se trouvait le parc des Bambous, offert au Bouddha par Bimbisâra. Ce dernier y aurait fondé le monastère de Venuvana où vint souvent le Bouddha. C'est là qu'eut lieu le premier concile bouddhique. Au cours des siècles suivants, bien que la cité ait perdu son rang de capitale à la mort d'Adjâtashatrou, le fils de Bimbisâra, elle resta un important centre bouddhique où furent érigés de nombreux stûpas, des temples et des monastères dont les pèlerins chinois des Ve et VIIe siècles de notre ère nous ont laissé des descriptions.

Râkshasa. Démons ennemis acharnés des hommes qu'ils se plaisent à dévorer, dans les mythologies hindoue et bouddhique. Ils apparaissent parfois comme les gardiens de certaines divinités.

Rayagaham (ou **Rajagaham**). Forme pâli de Râjagriha.

Rishi. Poètes et sages de l'époque védique auxquels on attribuait la composition de la plupart des Veda. Dans le bouddhisme du Mahâyâna, ils apparaissent comme des êtres intermédiaires entre les dieux et les hommes. Ils sont divisés en cinq classes dont la principale est celle des *Devarishi (rishi divins)* qui sont censés résider sur le mythique mont Meru.

Sakker (ou Sakka). C'est le nom générique des populations qui ont envahi l'Inde depuis les régions du Nord-Ouest. Mais dans nos textes, il s'agit des Shâkya, la tribu royale à laquelle appartenait le Bouddha.

Sakyer. Voir Shâkya.

Sala (ou shâla). C'est le nom d'un arbre de l'Inde de grande taille (il peut atteindre trente mètres de hauteur) qui donne des fleurs jaunes. C'est dans un bois de *shâla* que se retira le Bouddha pour donner son dernier sermon avant d'entrer dans le Parinirvâna.

Samantabhadra. L'un des cinq Bodhisattvas dont le nom signifie « Toute Bonté ». Sa bonté et sa compassion inondent le monde. Il symbolise aussi l'action et l'intelligence de la Loi bouddhique.

Sâmkhya. C'est l'un des plus anciens systèmes de philosophie de l'Inde. Selon ce système, le monde sensible est produit par l'union de la *prakriti* (univers dans son expression dynamique) et du *purusha*, « l'âme » passive. L'*âtman*, âme individuelle, est composée de trois *guna* (qualités) : l'esprit, l'action et la matière. Le *purusha*, qui entre dans la composition de la nature humaine, est seul éternel, il est la seule réalité.

Samsâra. Cycle des réincarnations selon la loi karmique. Le monde dans lequel se produisent ces naissances et renaissances successives est un monde impermanent, et donc illusoire. Cette vision incline à ne voir dans l'univers sensible qu'un effet de notre conscience, ou plutôt une manifestation de l'Esprit, sans réalité effective (système idéaliste du Vijñânavâda).

Savatthi. Forme pâli de Shravasti.

Shâkya. Lignée royale à laquelle appartenait le Bouddha. Le pays des Shâkya s'étendait au sud de l'actuel Népal, entre les contreforts de l'Himalaya et le Gange. Leur capitale était Kapilavastu, qui aurait été détruite par Virûdhaka, roi du Koshala, du vivant même du Bouddha. Son site semble devoir être identifié avec la moderne Piprâwâ, dans l'Uttar Pradesh.

Shravasti (« la Glorieuse »). Capitale du royaume de Koshala à l'époque du Bouddha. C'est l'actuel village de Sahet-Mahet, près de Fyzâbâd, au nord du Bihâr. C'est de cette cité qu'était originaire Anathapindiko, le riche marchand admirateur du Bouddha. C'est là que le brigand Angoulimalo se convertit.

Sounakkhatto. Jeune homme noble de la tribu des Licchafir qui devint l'un des premiers disciples du Bouddha.

Stûpa. Par ce terme, qui signifie « chignon », on désigne les monuments par lesquels on commémorait le Parinirvâna du

Bouddha ou d'un saint du bouddhisme. Ces monuments, de taille parfois gigantesque, sont généralement constitués par des bases circulaires ou quadrangulaires sur lesquelles sont construites des structures hémisphériques.

Subâhupricchâ. Sûtra bouddhique traduit en chinois par Dharmaraksha vers la fin du IIIe siècle de notre ère.

Sudhana. Jeune religieux qui, selon le *Gandavyûhasutra*, aurait parcouru l'Inde à l'époque du Bouddha, en quête de la *Bodhi*.

Sukhâvatî. Terre mythique située vers le couchant où réside Amitâbha et où renaissent ses adorateurs.

Sumeru. Synonyme du mont Meru.

Supushpachandra. Bodhisattva qui aurait été martyrisé par le roi Shuradatta pour avoir prêché la Bonne Loi.

Sûtra. Ce terme sanskrit (*sutta,* en pâli), qui signifie « fil », est utilisé pour désigner les textes destinés à exposer l'ensemble d'une doctrine ou d'une science.

Sûtrasamuccaya. Il existe sous ce titre deux recueils anthologiques de sûtras bouddhiques, l'un rédigé par Shântideva, l'autre par Nâgârjuna.

Sutta. Forme pâli du terme sûtra. Les *suttas* prétendent rapporter des souvenirs sur le Bouddha, conservés par des disciples directs, et ses propres paroles. Ils se présentent sous forme de dialogues et constituent l'une des « Trois Corbeilles » constituant le Tipitaka.

Tathâgata. Ce terme, qui signifie « Celui qui vint », est le titre général donné aux Bouddhas. Le Tathâgata véridique est évidemment le Bouddha.

Tipitaka. Ce terme désigne l'ensemble des écritures bouddhiques propres au *Theravâda* (ou *Hînayâna*). Ces écritures sont divisées en « Trois Corbeilles » : les *Suttas* (ou plutôt les *Suttapitaka*), l'*Abhidhamma*, spéculations et commentaires des *Suttapitaka*, les *Vinaya*, textes traitant de la discipline et de la règle des communautés monastiques masculines et féminines.

Uttarakuru. Continent mythique de forme carrée situé au nord du mont Meru.

Vacchagotto (ou Vachchagôtta). C'est l'un de ces ascètes errants qui parcouraient le Magadha à l'époque du Bouddha. Il est aussi connu par un dialogue rapporté par le *Samyutta-Nikâya* où il interroge le Bouddha sur la réalité du moi. Ce à quoi le Bouddha refuse de répondre afin de ne « pas confirmer la doctrine des samanas et des brahmanes », comme il le déclare à son disciple Ânanda. Comme à la fin du chapitre qui porte son nom dans les *Sûttânta* il apparaît qu'il est converti au bouddhisme, il est possible qu'il s'agisse du personnage de ce nom cité dans l'*Anguttara-Nikâya* parmi les quarante et un grands moines qui furent les premiers disciples du Bouddha.

Vaitaranî. Rivière mythique située à l'entrée de l'enfer. Afin d'aider les défunts à traverser cet obstacle, on pratiquait un rite d'offrande de vaches à des brahmanes.

Vajrapâni. Surnom d'Indra, « Porteur du *vajra* ». Les bouddhistes du Mahâyâna en ont fait un Bodhisattva,.

Vekhânaso. Ascète errant qui vint rendre visite au Bouddha dans le Jardin d'Anathapindiko. Le Bouddha l'appelle, dans la conversation, Kaccano.

Vesâli (ou Vaishâli). Capitale du royaume des Licchafir. Les jaïnistes y étaient nombreux. C'est cependant là que le Bouddha établit l'une des premières communautés de ses moines. Vers 380 av. J.-C., s'y réunit un concile bouddhique dit des « Sept Cents Anciens », dans le monastère de Velika.

Virûdhaka (ou Virûdabha). Fils de Pasënadi, roi du Koshala, il prit le pouvoir et chassa son père du trône vers la fin du VIe s. av. J.-C. Selon la tradition bouddhiste, il entra en guerre contre les Shâkya qu'il vainquit finalement et extermina, du vivant du Bouddha. Il serait mort dans un incendie avec son conseiller.

Yama. Vieille divinité de l'Inde, bien antérieure au bouddhisme. Yama est, primitivement, le nom du premier mortel, qui devint le dieu de la Mort.

Table des matières

Aubin Imprimeur
LIGUGÉ, POITIERS

Cet ouvrage composé
par l'imprimerie Bussière (Saint-Amand-Montrond)
a été imprimé sur du papier bouffant Lac 2000
de la papeterie Salzer
par Aubin Imprimeur (Ligugé)
et relié par la Nouvelle Reliure Industrielle (Auxerre)
pour France Loisirs

N° d'édition 24782 / N° d'impression L 48022

Dépôt légal, novembre 1994

Imprimé en France